LETTRES ANGLO-AMÉRICAINES

LA NUIT DE L'ORACLE

DU MÊME AUTEUR AUX ÉDITIONS ACTES SUD

Trilogie new-yorkaise :
  – vol. 1 : *Cité de verre*, 1987 ;
  – vol. 2 : *Revenants*, 1988 ;
  – vol. 3 : *La Chambre dérobée*, 1988 ;
  Babel n° 32.
L'Invention de la solitude, 1988 ; Babel n° 41.
Le Voyage d'Anna Blume, 1989 ; Babel n° 60.
Moon Palace, 1990 ; Babel n° 68.
La Musique du hasard, 1991 ; Babel n° 83.
Le Conte de Noël d'Auggie Wren, hors commerce, 1991.
L'Art de la faim, 1992.
Le Carnet rouge, 1993.
Le Carnet rouge / L'Art de la faim, Babel n° 133.
Léviathan, 1993 ; Babel n° 106.
Disparitions, coédition Unes / Actes Sud, 1994.
Mr Vertigo, 1994 ; Babel n° 163.
Smoke / Brooklyn Boogie, 1995 ; Babel n° 255.
Le Diable par la queue, 1996 ; Babel n° 379.
La Solitude du labyrinthe (entretien avec Gérard de Cortanze), 1997.
Lulu on the bridge, 1998.
Tombouctou, 1999 ; Babel n° 460.
Laurel et Hardy vont au paradis suivi de *Black-Out* et *Cache-Cache*, Actes Sud-Papiers, 2000.
Le Livre des illusions (coéd. Leméac), 2002.
Constat d'accident (coéd. Leméac), 2003.

En collection Thesaurus :
  Œuvre romanesque, t. I, 1996.
  Œuvre romanesque et autres textes, t. II, 1999.

Titre original :
Oracle Night
Editeur original :
Henry Holt and Company, LLC, New York
© Paul Auster, 2003

© ACTES SUD, 2004
pour la traduction française
ISBN 2-7427-4795-8

© Leméac Editeur Inc., 2004
pour la publication en langue française au Canada
ISBN 2-7609-2398-3

PAUL AUSTER

La Nuit de l'oracle

roman traduit de l'américain
par Christine Le Bœuf

ACTES SUD / LEMÉAC

à Q.B.A.S.G.
(en souvenir)

Les notes du traducteur, signalées par des astérisques, sont regroupées en fin de volume, p. 239.

Je relevais d'une longue maladie. Quand arriva le jour de ma sortie de l'hôpital, c'est à peine si je savais encore comment marcher, à peine si je me rappelais qui j'étais censé être. Faites un effort, m'avait dit le médecin, et dans trois ou quatre mois vous serez de nouveau en pleine forme. Je ne le croyais pas, mais je suivis néanmoins son conseil. On m'avait donné pour mort et maintenant que, mystérieusement et en dépit des prédictions, j'avais échappé à la camarde, quelle autre possibilité s'offrait à moi que de vivre comme si un avenir m'attendait ?

Je commençai par de petites sorties, pas plus d'un ou deux pâtés de maisons depuis chez moi, et puis je rentrais. Je n'avais que trente-quatre ans mais, en pratique, la maladie avait fait de moi un vieillard – un de ces petits vieux tremblotants qui marchent en traînant les pieds et ne peuvent en poser un devant l'autre sans regarder d'abord lequel c'est. Même à l'allure très réduite que j'arrivais à soutenir, la marche provoquait dans ma tête une étrange impression de légèreté aérienne, un fouillis de signaux confondus et de connexions mentales entrecroisées. Le monde rebondissait et nageait sous mes yeux, onduleux comme des reflets dans un miroir déformé, et chaque fois que je m'efforçais de regarder une chose précise, d'isoler un détail du flot des couleurs tournoyantes – un foulard bleu noué sur la tête d'une femme, par exemple, ou le feu arrière rouge d'un camion de livraison –, il commençait aussitôt à se briser et se dissoudre, à disparaître comme une goutte de teinture dans un verre d'eau. Tout tremblotait et vacillait, s'éparpillait en tous sens et, pendant plusieurs semaines, j'eus de la difficulté à discerner où s'arrêtait mon corps et où commençait le reste du monde. Je me cognais aux murs et aux poubelles, je me prenais les pieds dans des laisses de chien et des bouts de papier flottants, je trébuchais sur le plus lisse des trottoirs. J'avais vécu toute ma vie à New York, mais je n'en comprenais plus les rues ni les foules et, à chacune de mes petites excursions, je me sentais comme perdu dans une ville inconnue.

L'été arriva tôt cette année-là. Dès la fin de la première semaine de juin, l'air était devenu stagnant, oppressant, rance : jour après jour, des ciels torpides et verdâtres ; un air saturé de vapeurs d'ordures et de gaz d'échappement ; la chaleur montant de chaque brique, de chaque plaque de béton. Malgré tout, je persévérais, je me forçais à descendre l'escalier et à sortir dans les rues chaque matin et, au fur et à mesure que le désordre s'éclaircissait dans ma tête et que je reprenais lentement des forces, je devins capable de pousser mes promenades dans le quartier jusqu'à certains de ses recoins les plus éloignés. Dix minutes se transformèrent en vingt minutes ; une heure, en deux heures ; deux heures, en trois. Les poumons assoiffés d'air, la peau perpétuellement trempée de sueur, je dérivais comme le spectateur du rêve d'un autre, observant le monde qui allait son train haletant et m'étonnant d'avoir un jour été pareil aux gens qui m'entouraient : toujours pressé, toujours courant entre ici et là, toujours en retard, toujours anxieux de bâcler neuf activités de plus avant le coucher du soleil. Je n'étais plus équipé pour jouer ce jeu. J'étais désormais une valeur endommagée, une masse d'éléments inopérants et d'embrouilles neurologiques, et toute cette frénésie d'acquisition et de dépense me laissait froid. En guise de récréations, je me remis à fumer et j'occupai mes après-midi, dans des cafés climatisés où je commandais des limonades et des tartines grillées au fromage, à écouter les conversations tout en m'appliquant à lire de bout en bout les articles de trois journaux différents. Le temps passa.

Le matin en question – le 18 septembre 1982 –, je sortis de chez moi entre neuf heures et demie et dix heures. Nous habitions, ma femme et moi, dans la section de Brooklyn appelée Cobble Hill, à mi-chemin entre Brooklyn Heights et Carroll Gardens. J'allais d'habitude me promener vers le nord mais, ce matin-là, je me dirigeai vers le sud, tournai à droite dans Court Street et continuai le long de six ou sept pâtés de maisons. Le ciel avait la couleur du ciment : nuages gris, air gris, petite pluie grise portée par des bouffées de vent gris. J'ai toujours eu un faible pour ce genre de temps et je me sentais content dans la grisaille, pas triste du tout que la canicule fût derrière nous. Après dix minutes de marche environ, à mi-distance entre les rues Carroll et President, je remarquai une papeterie de l'autre côté de la rue. Coincée entre une cordonnerie et une bodega ouverte jour et nuit, c'était la seule façade colorée dans une rangée d'immeubles ternes et quelconques. J'en déduisis qu'elle n'était pas là depuis longtemps mais, en dépit de sa nouveauté et en dépit de l'agencement artistique de sa vitrine (des tours de stylos bille, de crayons et de règles disposés de manière à évoquer les gratte-ciel new-yorkais), le Paper Palace paraissait trop petit pour contenir grand-chose d'intéressant. Si je décidai de traverser la rue et d'y entrer, ce devait être parce que je nourrissais le désir secret de me remettre à travailler – sans le savoir, sans être conscient du besoin qui s'était accumulé en moi. Je n'avais rien écrit depuis mon retour de l'hôpital en mai – pas une phrase, pas un mot – et je n'en avais éprouvé nulle envie. Maintenant, après quatre mois d'apathie et de silence, je me mis soudain en tête de faire nouvelle provision de matériel : stylos et crayons neufs, cahier neuf, cartouches d'encre et gommes neuves, blocs et classeurs neufs, le grand jeu.

Derrière la caisse enregistreuse, près de l'entrée, un Chinois était assis. Il avait l'air un peu plus jeune que moi et, en jetant un coup d'œil à travers la vitrine au moment d'entrer dans le magasin, je vis qu'il était penché sur un bloc de papier, en train d'aligner des colonnes de chiffres à l'aide d'un portemine noir. Malgré la fraîcheur de l'air, ce jour-là, il portait une chemise à manches courtes – une de ces chemises d'été légères et lâches, à col ouvert – qui accentuait la maigreur de ses bras cuivrés. La porte tintinnabula quand je l'ouvris et l'homme se redressa un instant pour me saluer d'un hochement de tête poli. Je lui rendis son salut mais avant que j'aie pu lui dire quoi que ce fût, il s'était penché à nouveau et replongé dans ses calculs.

Il dut se produire une accalmie de la circulation dans Court Street, à ce moment-là, ou bien les vitrages de la boutique étaient particulièrement épais, mais quand je m'engageai entre les rayons afin de les explorer, je pris soudain conscience du silence qui régnait là. J'étais le premier client de la matinée et le calme était si profond que j'entendais les grattements du portemine de l'homme, derrière moi. Chaque fois que je repense à ce jour-là, désormais, le bruit de cette mine est toujours la première chose qui me revient à l'esprit. Dans la mesure où l'histoire que je m'apprête à raconter a le moindre sens, je crois que c'est là qu'elle a commencé – en l'espace de ces quelques secondes, quand le seul bruit restant au monde était le grattement de cette mine.

J'avançai dans le passage étroit en m'arrêtant tous les deux ou trois pas pour examiner les fournitures sur les étagères. Il s'agissait dans l'ensemble de fournitures de bureau ou scolaires standard, mais la sélection était remarquablement complète compte tenu du manque d'espace, et je trouvais impressionnant le soin avec lequel on avait constitué et rangé une telle pléthore de marchandises, qui semblait tout comprendre, de six longueurs différentes de systèmes de reliure en laiton à douze modèles différents de trombones. Arrivé au fond de la boutique, je commençais à revenir par l'autre côté lorsque je remarquai qu'une étagère avait été consacrée à un certain nombre d'articles importés de qualité supérieure : calepins reliés cuir provenant d'Italie, répertoires d'adresses de France, délicates chemises en papier de riz du Japon. Il y avait aussi une pile de carnets venus d'Allemagne et une autre du Portugal. Les carnets portugais me plaisaient tout spécialement, avec leurs couvertures cartonnées, leurs pages quadrillées et leurs cahiers cousus de beau papier couché, et je sus que j'allais en acheter un dès l'instant où je le pris et le tins dans ma main. Il n'avait rien de luxueux ni d'ostentatoire. C'était un objet d'utilité pratique – robuste, familier, commode, pas du tout le genre de livre blanc dont on penserait faire cadeau à quelqu'un. Mais j'aimais sa reliure toilée et j'aimais aussi son format : neuf pouces un quart sur sept un quart*, soit un peu plus court et plus large que la plupart des carnets. Je ne peux en expliquer la raison, mais je trouvai ces dimensions profondément satisfaisantes et lorsque j'eus pour la première fois le carnet entre les mains, je ressentis quelque chose de comparable à un plaisir physique, une bouffée de bien-être soudain et incompréhensible. Il n'y avait que quatre carnets sur la pile, chacun d'une couleur différente : noir, rouge, brun et bleu. Je choisis le bleu, celui qui se trouvait au-dessus de la pile.

Il me fallut encore cinq minutes pour dénicher tout ce dont j'avais besoin, après quoi je revins vers l'entrée de la boutique et posai mes trouvailles sur le comptoir. L'homme m'adressa un autre de ses sourires polis et se mit à enfoncer les touches de sa caisse pour enregistrer les prix des différents articles. En arrivant au carnet bleu, il s'arrêta un instant, le tint en l'air et en caressa légèrement la couverture du bout des doigts. C'était un geste d'appréciation, presque une caresse.

"Beau livre, dit-il en anglais avec un fort accent. Mais fini. Fini, Portugal. Très triste histoire."

Je ne compris pas ce qu'il voulait dire mais, ne voulant pas l'embarrasser en lui demandant de répéter, je marmonnai quelque chose à propos du charme et de la simplicité du carnet et puis je changeai de sujet. "Il y a longtemps que vous êtes établi ici ? demandai-je. Tout a l'air si neuf et si propre.

— Un mois, répondit-il. Ouverture officielle le 10 août."

En prononçant ces mots, il parut se redresser un peu, bombant le torse dans une attitude d'orgueil juvénile et militaire, mais quand je lui demandai comment marchaient les affaires, il déposa doucement le carnet bleu sur le comptoir en secouant la tête. "Très lent. Beaucoup de déceptions." En le regardant dans les yeux, je compris qu'il avait quelques années de plus que ce que j'avais cru d'abord – il devait avoir trente-cinq ans, peut-être même quarante. Je suggérai gauchement qu'il lui fallait tenir bon et laisser à la situation une chance de s'améliorer, mais il se contenta de secouer la tête à nouveau en souriant. "Toujours mon rêve d'avoir boutique à moi, dit-il. Boutique comme celle-ci, avec papier et stylos, mon grand rêve américain. Business pour tout le monde, pas vrai ?

— Vrai, dis-je, sans toutefois savoir très bien de quoi il parlait.

— Tout le monde fait des mots, reprit-il. Tout le monde écrit quelque chose. Les enfants à l'école font leurs devoirs dans mes cahiers. Les professeurs notent les élèves dans mes cahiers. Des lettres d'amour partent dans les enveloppes que je vends. Des registres pour les comptables, des blocs pour les listes de courses, des agendas pour organiser la semaine. Tout ici est important dans la vie, et ça me rend heureux, c'est l'honneur de ma vie."

Il prononça ce petit discours avec une telle solennité, un sens si grave de ses ambitions et de son engagement que je me sentis ému, je l'avoue. Quel sorte de papetier était-ce, me demandai-je, qui dissertait pour ses clients sur la métaphysique du papier, qui se considérait comme investi d'un rôle essentiel dans les innombrables affaires de l'humanité ? Il y avait là un aspect comique, je suppose, mais en l'écoutant parler, je n'eus pas un instant la moindre envie de rire.

"Voilà qui est bien dit, répliquai-je. Je suis on ne peut plus d'accord."

Le compliment parut lui remonter un peu le moral. Avec un petit sourire et un hochement de tête, il se remit à enfoncer les touches de sa caisse enregistreuse. "Beaucoup d'écrivains ici à Brooklyn, dit-il. Quartier plein d'écrivains. Bon pour les affaires, sans doute.

— Sans doute, acquiesçai-je. Le problème, avec les écrivains, c'est que, pour la plupart, ils n'ont pas beaucoup d'argent à dépenser.

— Ah, s'exclama-t-il en relevant la tête, exposant dans un large sourire une bouche pleine de dents tordues, vous devez vous-même être écrivain.

— Ne le dites à personne, répondis-je, en m'efforçant de garder un ton léger. C'est théoriquement un secret."

Ce n'était pas très drôle, mais il parut trouver ma réplique du plus haut comique et pendant un petit moment, il ne put rien faire d'autre que lutter contre la crise de fou rire qui menaçait de le submerger. Son rire avait un rythme étrange, staccato – quelque part entre la parole et le chant – et il lui jaillissait de la gorge en une succession de petits triolets mécaniques : Ha ha ha. Ha ha ha. Ha ha ha. "Dire à personne, déclara-t-il lorsque la crise fut passée. Top secret. Juste entre vous et moi. Lèvres scellées. Ha ha ha."

Il se remit au travail devant sa caisse enregistreuse et, lorsqu'il eut fini d'emballer mes achats dans un grand sac en papier blanc, son visage était redevenu sérieux. "Si un jour vous écrivez histoire dans carnet portugais bleu, dit-il, moi très content. Mon cœur rempli de joie."

17

Je ne savais que répondre à cela mais, avant que j'aie pu penser à quelque chose à dire, il sortit une carte de la poche de sa chemise et me la tendit par-dessus le comptoir. Les mots PAPER PALACE étaient imprimés en haut en lettres grasses. L'adresse et le numéro de téléphone venaient au-dessous et enfin, dans le coin inférieur droit, on pouvait lire une dernière information : M. R. Chang, propriétaire.

"Merci, Mr Chang", dis-je, sans quitter la carte des yeux. Ensuite je la glissai dans ma poche et sortis mon portefeuille pour payer ma note.

"Pas Mr, dit Chang en m'adressant de nouveau son grand sourire, M. R. Ça fait plus important comme ça. Plus américain."

Cette fois encore, je ne savais que dire. Quelques idées de ce que ces initiales pouvaient représenter me passèrent par la tête, mais je les gardai pour moi. Mérite Reconnu. Mystères Révélés. Message Reçu. Tout n'est pas bon à dire, et je ne voulus pas infliger à ce pauvre homme mes misérables élucubrations. Après un bref silence embarrassé, il me tendit le sac blanc et puis s'inclina pour me remercier.

"Bonne chance avec votre boutique, dis-je.

— Très petit palais, répondit-il. Pas beaucoup de choses. Mais vous me dites ce que vous voulez, et je commande pour vous. Tout ce que vous voulez, je peux avoir.

— D'accord, fis-je. Marché conclu."

Je me disposai à partir, mais Chang sortit précipitamment de derrière son comptoir et me barra le chemin devant la porte. Il semblait considérer que nous venions de conclure une affaire de la plus haute importance, et il voulait me serrer la main. "Marché conclu, dit-il. Bon pour vous, bon pour moi. D'accord ?

— D'accord", répétai-je, en me laissant serrer la main. Je trouvais absurde de faire tant de cas de si peu de chose, mais entrer dans le jeu ne me coûtait rien. D'ailleurs, j'étais impatient de m'en aller et moins j'en disais, plus vite je serais en chemin.

Il me secoua encore le bras deux ou trois fois de haut en bas, et puis il m'ouvrit la porte, hochant la tête et souriant, tandis que je me glissais devant lui vers cette journée crue de septembre[1].

J'avais eu l'intention d'aller prendre mon petit-déjeuner dans un des *diners* des environs mais, du billet de vingt dollars que j'avais mis dans mon portefeuille avant de partir, il ne restait que trois unités et une poignée de menue monnaie – même pas assez pour le Spécial à 2,99, en comptant la taxe et le pourboire. Sans le sac contenant mes achats, j'aurais peut-être continué malgré tout ma promenade, mais je ne voyais pas l'intérêt de le trimballer avec moi dans tout le quartier et, le temps étant devenu franchement désagréable (la petite pluie fine avait tourné en averse obstinée), j'ouvris mon parapluie et décidai de rentrer chez moi.

C'était un samedi et, lorsque j'étais parti de l'appartement, ma femme était encore au lit. Grace avait un emploi régulier, de neuf à cinq, et les fins de semaine étaient pour elle la seule occasion de dormir tard,

---

1. Vingt ans se sont écoulés depuis ce matin-là, et une bonne partie de ce que nous nous sommes dit s'est perdue. Je fouille ma mémoire à la recherche des dialogues manquants, mais je n'en ramène guère que quelques fragments isolés, pièces et morceaux arrachés à leur contexte original. J'ai une certitude, en tout cas, c'est de lui avoir dit mon nom. Cela a dû se passer juste après qu'il a découvert que j'étais écrivain, puisque je l'entends encore me demander qui j'étais – au cas où il tomberait par hasard sur quelque chose que j'avais publié. "Orr", lui ai-je dit, donnant d'abord mon nom de famille, "Sidney Orr". L'anglais de Chang n'était pas assez bon pour qu'il comprît ma réponse. Au lieu d'Orr, il entendit *or* (ou), et quand je secouai la tête en souriant, son visage parut se chiffonner de confusion embarrassée. J'allais corriger son erreur en lui épelant mon nom mais, avant que j'aie pu dire un mot, ses yeux étincelaient à nouveau et il se mit à

19

de s'accorder le luxe de se passer de la sonnerie du réveil. Ne voulant pas la déranger, j'étais sorti aussi silencieusement que possible, en lui laissant un message sur la table de la cuisine. Je vis à présent que mon billet comportait quelques lignes de plus : *Sidney, j'espère que tu as fait une promenade amusante. Je vais faire quelques courses. Je n'en ai pas pour longtemps. A tout à l'heure, tendresse, G.*

J'allai dans mon cabinet de travail, au bout du couloir, et déballai mes achats. La pièce était à peine plus grande qu'un placard – il y avait juste assez de place pour un bureau, une chaise et les quatre étagères étroites d'une bibliothèque miniature – mais je la trouvais suffisante pour mes besoins, qui n'avaient jamais été plus complexes que de m'asseoir sur la chaise et de mettre des mots sur du papier. J'y étais entré plusieurs fois depuis ma sortie de l'hôpital mais, jusqu'à ce samedi matin – que je préfère appeler *le matin en question* –, je ne crois pas que je m'étais assis une seule fois sur la chaise. A présent, au moment où je posais sur le siège de bois dur mon pauvre cul débile, j'avais l'impression d'être un homme qui revient chez lui après un voyage long et difficile, un malheureux voyageur revenu revendiquer sa place légitime en ce monde. C'était bon

---

faire avec les mains de petits gestes vigoureux, pensant que le mot que j'avais prononcé était sans doute *oar* (aviron). Cette fois encore, je secouai la tête en souriant. Complètement abattu désormais, Chang poussa un soupir sonore et dit : "Terrible, cette langue anglaise. Trop compliquée pour ma pauvre tête." Le malentendu a persisté jusqu'à ce que je m'empare du carnet bleu sur le comptoir et écrive mon nom en lettres capitales à l'intérieur de la couverture. Cela a paru produire l'effet désiré. Après tant d'efforts, je n'ai pas cru nécessaire de lui dire que les premiers Orr américains avaient été des Orlovsky. Mon grand-père avait raccourci le nom pour qu'il sonne plus américain – exactement comme Chang avait ajouté au sien les initiales M. R., décoratives mais dépourvues de signification.

de me retrouver là, bon d'avoir envie de m'y trouver et, dans la houle de bonheur qui me submergea pendant que je me réinstallais à mon bureau, je décidai de marquer l'occasion en écrivant quelque chose dans le carnet bleu.

Je mis une cartouche neuve dans mon stylo, ouvris le carnet à la première page et contemplai la première ligne. Je n'avais aucune idée de la façon de commencer. Le but de l'exercice était moins d'écrire quelque chose de particulier que de me prouver à moi-même que j'avais encore la capacité d'écrire – ce qui signifiait que peu importait ce que j'écrivais, du moment que j'écrivais quelque chose. N'importe quoi aurait fait l'affaire, n'importe quelle phrase aurait été aussi valable qu'une autre mais, tout de même, je n'avais pas envie d'entamer ce carnet avec une quelconque stupidité et je pris donc mon temps, en contemplant les petits carreaux sur la page, ces rangées de légères lignes bleues qui s'entrecroisaient sur la blancheur et la transformaient en un champ de petites cases identiques et, tandis que je laissais mes pensées entrer et sortir de ces enclos finement tracés, le souvenir me revint d'une conversation que j'avais eue quelques semaines plus tôt avec mon ami John Trause. Nous parlions rarement de livres, lui et moi, quand nous étions ensemble, mais ce jour-là John m'avait dit qu'il était en train de relire certains des romanciers qu'il avait admirés quand il était jeune – curieux de savoir si leurs œuvres tenaient ou non le coup, curieux de savoir si les jugements qui avaient été les siens à vingt ans étaient encore ceux qu'il aurait à présent, plus de trente ans après. Il avait évoqué dix auteurs, vingt auteurs, touchant à tous, de Faulkner et Fitzgerald à Dostoïevski et Flaubert, mais ce qui m'avait frappé l'esprit le plus vivement – et qui me revenait à présent que j'étais assis à mon bureau avec le carnet bleu ouvert devant moi –, c'était une brève digression à laquelle il s'était livré au sujet d'une anecdote dans un des livres de Dashiell Hammett. "Il y a un roman quelque part, là-dedans, avait dit John. Je suis trop vieux pour avoir envie de l'écrire moi-même, mais un jeune bleu comme toi pourrait vraiment décoller avec ça, en faire quelque chose de bon. C'est un point de départ sensationnel. Tout ce qu'il te faut, c'est une histoire qui corresponde[2]."

Il faisait allusion à l'histoire de Flitcraft dans le septième chapitre du *Faucon maltais*, cette curieuse parabole que Sam Spade raconte à Brigid O'Shaughnessy, où il est question d'un homme qui sort de sa propre vie et disparaît. Flitcraft est un type tout à fait conventionnel – un mari, un père, un homme dont les affaires marchent bien, un individu qui n'a à se plaindre de rien. Un jour où il marche dans la rue pour aller déjeuner, une poutre dégringole du dixième étage d'un immeuble en construction et manque lui tomber sur la tête. A un ou deux centimètres près, Flitcraft aurait pu être écrasé, mais la poutre ne l'a pas touché et, à part un petit éclat du trottoir qui, en rebondissant, lui a égratigné la joue, il s'en va indemne. L'incident le perturbe, néanmoins, et il reste obsédé par l'idée qu'il l'a échappé belle. Comme le dit Hammett : "Il avait l'impression que quelqu'un avait soulevé le couvercle de l'existence

---

2. John avait cinquante-six ans. Pas jeune, sans doute, mais pas assez âgé pour se considérer comme vieux, d'autant plus qu'il vieillissait bien et avait encore l'air d'un homme d'une bonne quarantaine d'années. Il y avait alors trois ans que je le connaissais, et notre amitié était le résultat direct de mon mariage avec Grace. Le père de Grace s'était trouvé à Princeton en même temps que John pendant les années suivant immédiatement la Seconde Guerre mondiale et, en dépit du fait qu'ils travaillaient tous deux dans des domaines différents (le père de Grace était juge au tribunal fédéral de district à Charlottesville, en Virginie), ils étaient toujours restés liés. Je l'avais donc rencontré en tant qu'ami de la famille et non comme le romancier célèbre que je lisais depuis l'école secondaire – et que je considérais encore comme l'un de nos meilleurs écrivains.

et lui avait permis d'en entrevoir le mécanisme." Flitcraft se rend compte que le monde n'est pas, comme il le croyait, un lieu raisonnable et ordonné, qu'il a tout faux depuis le début et n'y a jamais rien compris. Le monde est régi par le hasard. Des événements fortuits nous guettent à chaque jour de nos vies, et ces vies peuvent nous être ôtées à tout moment – sans la moindre raison. Le temps de finir de déjeuner, Flitcraft arrive à la conclusion qu'il n'a pas le choix : il lui faut se soumettre à cette force destructrice, anéantir sa vie par quelque geste de négation de soi dépourvu de signification et totalement arbitraire. Il va lutter avec le feu, en quelque sorte, et sans prendre la peine de rentrer chez lui ou de faire ses adieux à sa famille, sans même prendre la peine de retirer de l'argent à la banque, il se lève de table, se rend dans une autre ville et recommence une nouvelle vie.

Depuis deux semaines que nous avions, John et moi, évoqué cet épisode, pas une fois l'idée ne m'était passée par la tête que je pourrais avoir envie de relever le défi et d'étoffer l'histoire. J'étais tombé d'accord que c'était un bon point de départ – bon parce que nous avons tous imaginé de lâcher notre

---

Il avait publié six ouvrages de fiction entre 1952 et 1975, et puis plus rien pendant plus de sept ans. John n'avait jamais été rapide, néanmoins, et le fait que l'intervalle entre deux livres fût un peu plus long que d'habitude ne signifiait pas qu'il ne travaillait pas. J'avais passé plusieurs après-midi avec lui depuis ma sortie de l'hôpital et il avait émaillé nos conversations à propos de ma santé (dont il se souciait profondément, avec une sollicitude inépuisable), de son fils de vingt ans, Jacob (qui lui causait bien des angoisses depuis quelque temps), et des tribulations des Mets en perte de vitesse (une obsession commune et constante) de suffisamment d'allusions à ses activités en cours pour suggérer qu'il était entièrement absorbé dans quelque chose et consacrait la majeure partie de son temps à un projet qui était déjà bien avancé – peut-être même près d'aboutir.

vie, bon parce qu'à un moment quelconque nous avons tous eu envie d'être un autre – mais ça ne voulait pas dire qu'y donner suite m'intéressait le moins du monde. Ce matin-là, pourtant, assis à mon bureau pour la première fois depuis près de neuf mois, en contemplation devant le carnet que je venais d'acheter et cherchant péniblement une première phrase qui ne m'embarrassât pas et ne me privât pas de mon courage, je décidai de tenter le coup avec ce fameux épisode Flitcraft. Ce n'était qu'un prétexte, la recherche d'une ouverture. Si je parvenais à noter quelques idées raisonnablement intéressantes, alors je pourrais au moins appeler ça un commencement, même si j'arrêtais au bout de vingt minutes et n'en faisais plus jamais rien. Je dévissai donc le capuchon de mon stylo, je posai ma plume sur la première ligne de la première page du carnet bleu et je me mis à écrire.

Les mots me venaient, rapides, en douceur, sans effort apparent. Je trouvais ça étonnant mais, du moment que je continuais à déplacer ma main de gauche à droite, le mot suivant semblait toujours être là, prêt à sortir de ma plume. Je voyais mon Flitcraft comme un nommé Nick Bowen. Il a environ trente-cinq ans, occupe un poste de directeur littéraire dans une grande maison d'édition new-yorkaise et est marié à une nommée Eva. Conformément à l'exemple du prototype de Hammett, il est nécessairement bon éditeur, admiré par ses collègues, à l'aise financièrement, heureux en ménage, et ainsi de suite. Telles seraient du moins les apparences aux yeux d'un observateur superficiel mais, au commencement de ma version de l'histoire, une sorte de malaise agite Bowen depuis quelque temps. Il s'est lassé de son travail (même s'il n'est pas prêt à l'admettre) et, après cinq ans de stabilité et de contentement relatif avec Eva, leur couple paraît en panne (autre réalité à laquelle il n'a pas le courage de faire face). Plutôt que de s'appesantir sur son insatisfaction naissante, Nick passe ses loisirs dans un garage de Desbrosses Street, une rue de Tribeca, où il s'est lancé dans une entreprise à long terme : la remise en état du moteur d'une vieille Jaguar qu'il a achetée au cours de la troisième année de son mariage. C'est un jeune éditeur apprécié dans une prestigieuse maison new-yorkaise mais, en vérité, ce qu'il préfère, c'est le travail manuel.

Au début de l'histoire, un manuscrit vient d'arriver sur la table de Bowen. Bref roman portant un titre suggestif, *La Nuit de l'oracle*, il est attribué à Sylvia Maxwell, une romancière en vogue dans les années vingt et trente, décédée depuis près de vingt ans. Au dire de l'agent qui l'a envoyé, ce livre disparu aurait été écrit en 1927, l'année où Maxwell est partie en France en compagnie d'un Anglais du nom de Jeremy Scott, un artiste mineur de cette époque, qui a ensuite travaillé comme décorateur pour des films anglais et américains. Leur liaison a duré dix-huit mois, après quoi Sylvia Maxwell est revenue à New York, abandonnant le roman à Scott. Celui-ci l'a conservé toute sa vie et quand il est mort, à quatre-vingt-sept ans, quelques mois avant le début de mon histoire, on a trouvé dans son testament une clause par laquelle il léguait le manuscrit à la petite-fille de Maxwell, une jeune Américaine nommée Rosa Leightman. C'est elle qui a confié le livre à l'agent – avec la recommandation explicite de l'envoyer d'abord à Nick Bowen, avant de donner à n'importe qui d'autre une chance de le lire.

Le paquet arrive au bureau de Nick un vendredi après-midi, quelques minutes à peine après son départ pour le week-end. Quand il revient, le lundi matin, le livre l'attend sur sa table. Nick est un admirateur des autres romans de Sylvia Maxwell et c'est donc avec un vif intérêt qu'il entame la lecture de celui-ci. Un instant après qu'il a abordé la première page, le téléphone sonne pourtant. Son assistante l'informe que Rosa Leightman se trouve à la réception et demande à le voir quelques minutes. Fais-la entrer, répond Nick, et avant qu'il ait pu arriver au bout de la première phrase du livre (*La guerre était presque finie, mais nous ne le savions pas. Nous étions trop petits pour savoir quoi que ce fût et, parce que la guerre était partout, nous n'avions…*), la petite-fille de Sylvia Maxwell pénètre dans son bureau. Vêtue très simplement, presque pas maquillée, elle a les cheveux coupés court, pas du tout à la mode, et pourtant son visage est si beau, pense Nick, si poignant de jeunesse et de confiance, c'est tellement (se dit-il soudain) un emblème d'espoir et d'énergie humaine épanouie qu'il en arrête momentanément de respirer. C'est exactement ce qui m'est arrivé la première fois que j'ai vu Grace – le coup au cœur qui m'a laissé paralysé, incapable de reprendre haleine – et il ne me fut donc pas difficile de transposer ces sentiments pour les attribuer à Nick Bowen dans le contexte de cette autre histoire. Pour simplifier encore les choses, je décidai de donner à Rosa Leightman le corps de Grace – jusqu'à ses traits les plus minuscules, les plus personnels, y compris la cicatrice sur le genou qu'elle a depuis l'enfance, son incisive gauche un peu de travers et le grain de beauté sur sa mâchoire droite[3].

---

3. Il se trouve que j'ai également rencontré Grace dans le bureau d'un éditeur, ce qui explique sans doute pourquoi j'ai choisi de donner à Bowen cette profession. Mon premier roman et un recueil de nouvelles antérieur avaient été publiés par un petit éditeur de San Francisco, mais j'étais passé à présent dans une maison new-yorkaise plus grande et plus commerciale, Holst & McDermott. Une quinzaine de jours après la signature de mon contrat, j'étais allé voir mon éditeur à son bureau et à un moment donné, au cours de notre conversation, nous avons commencé à échanger des idées pour la couverture du livre. C'est alors que Betty Stolowitz a décroché son téléphone en suggérant : "Et si nous faisions venir Grace, pour voir ce qu'elle en pense ?" Grace travaillait comme graphiste chez Holst & McDermott et on lui avait confié la tâche de concevoir la couverture d'*Autoportrait avec frère imaginaire* – ainsi qu'était intitulé mon petit recueil de fantasmes, rêveries et chagrins de cauchemars.

De Bowen, par contre, je fis délibérément quelqu'un que je ne suis pas, le contraire de moi. Je suis grand, et je le fis petit. J'ai les cheveux roux, je lui donnai donc des cheveux châtain foncé. Je chausse du quarante-quatre et je lui fis chausser du trenteneuf. Je n'avais pris pour modèle personne de ma connaissance (en tout cas pas consciemment) mais, sitôt que j'eus fini de le composer dans ma tête, il me devint étonnamment vivant – presque comme si je pouvais le voir, presque comme s'il était entré dans la pièce et se tenait debout à côté de moi, une main sur mon épaule, en train de regarder sur mon bureau les mots que j'écrivais… en train de me regarder lui donner vie avec ma plume.

A la fin, Nick invite d'un geste Rosa à s'asseoir, et elle s'installe dans un fauteuil de l'autre côté de sa table. Suit une longue hésitation. Nick respire à nouveau, mais il ne trouve rien à dire. Rosa brise la glace en demandant s'il a eu le temps de finir le livre pendant le week-end. Non, répond-il, il est arrivé trop tard. Je ne l'ai reçu que ce matin.

Rosa paraît soulagée. Tant mieux, dit-elle. On a raconté que ce roman est un canular, que ce n'est

---

Nous avons continué à bavarder, Betty et moi, pendant trois ou quatre minutes, et puis Grace Tebbetts est entrée dans la pièce. Elle y est restée à peu près un quart d'heure, et lorsqu'elle en est ressortie pour retourner dans son bureau, j'étais amoureux d'elle. Ce fut aussi abrupt, aussi définitif, aussi inattendu. J'avais lu des romans où se passaient des choses comme ça, mais j'avais toujours estimé que les auteurs exagéraient l'impact du premier regard – cet instant si abondamment décrit où l'homme contemple pour la première fois les yeux de sa bien-aimée. Pour un pessimiste-né dans mon genre, l'expérience fut un choc absolu. J'avais l'impression de me retrouver plongé dans l'univers des troubadours, en train de revivre un passage du premier chapitre de la *Vita nuova (… quand pour la première fois la glorieuse Dame de mes pensées apparut à mes yeux)*, renvoyé aux tropes éculés d'un millier de sonnets oubliés. *Je brûlais, je languissais, je soupirais, j'étais devenu muet*. Et tout cela m'arrivait

27

pas ma grand-mère qui l'a écrit. Je ne pouvais m'en assurer moi-même, alors j'ai chargé un expert en écriture d'examiner le manuscrit. J'ai reçu son rapport samedi, et il assure qu'il est authentique. Comme ça, vous savez. *La Nuit de l'oracle* est bien un roman de Sylvia Maxwell.

On dirait que vous avez aimé ce livre, dit Nick et Rosa répond que oui, qu'elle en a été très émue. S'il a été écrit en 1927, reprend-il, il vient après *La Maison*

---

dans le plus banal des cadres, sous les âpres éclairages fluorescents d'un bureau américain à la fin du XXe siècle – le dernier endroit au monde où l'on s'attendrait à tomber sur la passion de sa vie.

Rien ne peut expliquer un tel événement, il n'existe aucune raison objective de tomber amoureux d'une personne plutôt que d'une autre. Grace était belle, mais même pendant ces tumultueuses premières secondes de notre première rencontre, quand, après lui avoir serré la main, je l'ai regardée s'installer dans un fauteuil près du bureau de Betty, je voyais bien qu'elle n'était pas extraordinairement belle, ce n'était pas l'une de ces déesses de cinéma qui vous subjuguent par l'éclat de leur perfection. Certes, elle était plaisante, frappante, agréable à regarder (quelque définition qu'on veuille donner à ces termes) mais, si violente que fût mon attirance, je savais que c'était plus qu'une simple attirance physique, que le rêve que je commençais à rêver était davantage qu'un sursaut momentané de désir animal. Grace m'a paru intelligente mais, au fur et à mesure que la réunion se poursuivait et que je l'entendais parler de ses idées pour la couverture, je me suis rendu compte qu'elle n'était pas de ces gens qui s'expriment avec facilité (elle hésitait souvent, réfléchissait, limitait son vocabulaire à de petits mots fonctionnels et ne paraissait pas douée pour l'abstraction) et rien de ce qu'elle a dit cet après-midi-là n'était particulièrement brillant ni mémorable. Et pourtant je me trouvais en proie à des tourments suprêmes – *brûlant, languissant, soupirant*, j'étais un homme pris dans les rets de l'amour. Elle mesurait un mètre soixante-douze et pesait cinquante-six kilos. Cou gracile, bras longs et doigts longs, teint pâle et cheveux courts d'un blond sale. Ces cheveux, je m'en suis rendu compte plus tard, ressemblaient un peu à ceux

en feu et *Rédemption*, mais avant *Paysage avec arbres*
– c'est-à-dire que ce serait son troisième roman. Elle
n'avait pas encore trente ans, n'est-ce pas ?

Vingt-huit, dit Rosa. Le même âge que moi aujour-
d'hui.

La conversation se poursuit pendant un quart
d'heure, vingt minutes. Nick a mille choses à faire
ce matin-là, mais il ne peut pas se décider à lui
demander de partir. Cette jeune femme a quelque

---

que l'auteur du Petit Prince a dessinés à son héros – un bouquet hirsute de mèches pointues et de boucles – et peut-
être cette association mettait-elle en valeur l'aura vaguement
androgyne qui émanait de Grace. L'allure masculine des
vêtements qu'elle portait ce jour-là doit avoir contribué, elle
aussi, à créer cette image : jeans noirs, t-shirt blanc, et une
veste de lin bleu pâle. Cinq minutes environ après être entrée,
elle a enlevé cette veste et l'a posée sur le dossier d'une
chaise, et quand j'ai vu ses bras, ces bras longs, lisses et infi-
niment féminins, j'ai su qu'il n'y aurait aucun repos pour
moi tant que je ne pourrais pas les toucher, tant que je n'aurais pas gagné le droit de poser mes mains sur son corps et
de caresser sa peau nue.

Mais je veux aller plus loin que le corps de Grace, plus
loin que les réalités accessoires de sa personne physique.
Les corps comptent, bien sûr – ils comptent plus que nous
ne voulons bien l'admettre – mais on ne tombe pas amoureux de corps, on tombe amoureux de ce que nous sommes,
et si une grande partie de ce que nous sommes consiste en
chair et en os, il y a aussi autre chose. Nous le savons tous,
mais dès l'instant où nous passons au-delà d'un catalogue
de qualités et d'apparences superficielles, les mots commencent à nous manquer, à s'émietter en confusions mystiques
et en métaphores brumeuses dépourvues de substance. Les
uns appellent ça *la flamme de l'existence*. D'autres, *l'étincelle
intérieure* ou *la lumière intime de la personnalité*. D'autres
encore font référence aux *feux de la quiddité*. Toutes ces
expressions évoquent des images de chaleur et d'illumina-
tion et cette force, cette essence vitale que nous nommons
parfois *l'âme* est toujours communiquée à l'autre au moyen
des yeux. Assurément, les poètes avaient raison d'insister là-
dessus. Le mystère du désir commence lorsqu'on plonge les

chose de si direct, si lucide, si peu enclin à se mentir à soi-même qu'il a envie de la regarder encore pendant un petit moment et d'assimiler pleinement l'impact de sa présence – qui est belle, décide-t-il, précisément parce qu'elle n'en a pas conscience, parce qu'elle ne se soucie pas le moins du monde de l'effet qu'elle produit sur les autres. Rien d'important n'est dit. Il apprend que Rosa est la fille du fils aîné de Sylvia Maxwell (issu du second mariage de Maxwell, avec le directeur de théâtre Stuart Leightman) et qu'elle

---

yeux dans les yeux de la personne aimée, car c'est là seulement que l'on peut entrapercevoir qui elle est.

Grace avait les yeux bleus. Un bleu intense, étoilé de traces de gris, avec peut-être un peu de brun, quelques soupçons de noisette en contraste. C'étaient des yeux complexes, des yeux qui changeaient de couleur en fonction de l'intensité et du timbre de la lumière qui les baignait à un moment donné, et la première fois que je l'ai vue, ce jour-là, dans le bureau de Betty, je me suis dit que je n'avais jamais rencontré une femme qui donnait une telle impression de maîtrise de soi et de tranquillité dans son comportement, comme si Grace, qui n'avait pas encore vingt-sept ans à l'époque, était déjà parvenue à un degré d'existence supérieur à celui du reste d'entre nous. Je ne veux pas dire qu'elle avait quoi que ce soit de retenu, qu'elle survolait la situation où elle se trouvait dans une sorte de brume bienheureuse de condescendance ou d'indifférence. Au contraire, elle s'était montrée très animée du début à la fin de la réunion, riant de bon cœur, souriante, disant tout ce qu'il fallait dire et faisant les gestes qu'il fallait faire mais, sous son intérêt professionnel pour les idées que nous lui soumettions, Betty et moi, je devinais une étonnante absence de lutte intérieure, un équilibre mental qui semblait lui épargner les conflits et agressions habituels de la vie moderne : doute de soi, envie, sarcasme, le besoin de juger ou de diminuer autrui, l'intolérable et brûlante souffrance de l'ambition personnelle. Grace était jeune, mais elle avait une âme mûre et bien trempée et alors que, assis en sa compagnie ce premier jour dans les bureaux de Holst & McDermott, je la regardais dans les yeux et j'étudiais les contours de son corps svelte et anguleux, c'est ça dont je suis tombé amoureux : cette impression de calme qui l'entourait, le silence radieux qui brûlait en elle.

est née et a été élevée à Chicago. Quand Nick lui demande pourquoi elle tenait tellement à ce que le livre lui soit envoyé à lui avant tout autre, elle répond qu'elle ne connaît rien au monde de l'édition mais qu'Alice Lazarre est sa préférée parmi les romanciers actuels et que, ayant appris que Nick était son éditeur, elle a décidé qu'il était l'homme qu'il fallait au livre de sa grand-mère. Nick sourit. Ça fera plaisir à Alice, dit-il et, quelques minutes plus tard, quand Rosa se lève enfin pour faire sa sortie, il prend des livres sur une étagère dans son bureau et lui offre une pile d'éditions originales d'Alice Lazarre. J'espère que *La Nuit de l'oracle* ne vous décevra pas, dit Rosa. Pourquoi serais-je déçu ? fait Nick. Sylvia Maxwell était une excellente romancière. Eh bien, dit Rosa, ce livre-ci est différent des autres. En quel sens ? demande Nick. Je ne sais pas, dit Rosa, dans tous les sens. Vous verrez vous-même en le lisant.

Il y avait d'autres décisions à prendre, bien entendu, une foule de détails significatifs à imaginer et à introduire dans la scène – pour la densité et l'authenticité, pour le ballast narratif. Depuis combien de temps Rosa vit-elle à New York, par exemple ? Qu'y fait-elle ? Travaille-t-elle et, si oui, son travail est-il important à ses yeux ou n'est-ce qu'un moyen de gagner de quoi payer son loyer ? Qu'en est-il de sa vie amoureuse ? Est-elle célibataire ou mariée, libre ou pas libre ? Cherche-t-elle l'aventure ou attend-elle patiemment que survienne l'âme sœur ? Dans un premier mouvement, je pensai en faire une photographe ou, peut-être, une assistante monteuse de cinéma – un travail en relation non avec les mots, mais avec les images, comme l'était celui de Grace. Certainement célibataire, certainement jamais mariée, mais peut-être aurait-elle une liaison ou, mieux, peut-être viendrait-elle de rompre après une longue liaison torturée. Je n'avais pas envie de m'attarder dans l'immédiat sur ces questions, ni sur des questions similaires concernant l'épouse de Nick – profession, milieu familial, préférences en musique, livres, etc.

Je ne rédigeais pas encore l'histoire, je ne faisais que l'esquisser à grands traits et je ne pouvais pas me permettre de m'enliser dans le détail de considérations secondaires. Cela m'aurait contraint à prendre le temps de réfléchir et, pour le moment, je ne souhaitais que foncer droit devant moi, découvrir où allaient me conduire les images que j'avais en tête. Il ne s'agissait pas de maîtrise ; il ne s'agissait même pas de faire des choix. Mon boulot, ce matin-là, consistait simplement à suivre ce qui se passait en moi et pour faire cela, j'avais intérêt à laisser courir ma plume aussi vite que je pouvais.

Nick n'est ni un aventurier ni un homme à femmes. Il n'a pas pris l'habitude de tromper son épouse depuis qu'ils sont mariés et il n'est pas conscient de nourrir vis-à-vis de la petite-fille de Sylvia Maxwell des intentions particulières. Mais il est incontestable qu'il se sent attiré par elle, qu'il a été conquis par le chatoiement et la simplicité de son attitude et, à l'instant où elle se lève pour sortir de son bureau, l'idée lui passe par la tête – non sollicitée, coup de tonnerre figurant le désir – qu'il ferait sans doute n'importe quoi pour coucher avec cette femme, au point même de sacrifier son mariage. Les hommes ont de telles pensées vingt fois par jour et le simple fait d'éprouver un frémissement sexuel momentané ne signifie pas qu'on a la moindre intention d'agir en conséquence et, pourtant, cette pensée ne lui a pas plus tôt traversé l'esprit que Nick se sent écœuré de lui-même, accablé par un sentiment de culpabilité. Pour apaiser sa conscience, il appelle sa femme à son travail (bureau d'avocat ou d'agent de change, hôpital – à préciser plus tard) et lui annonce qu'il l'invite à dîner en ville ce soir-là et qu'il va réserver une table dans leur restaurant préféré.

Ils se retrouvent sur place à huit heures. Tout se passe assez agréablement pendant les apéritifs et l'entrée, et puis ils se mettent à discuter d'un quelconque détail domestique (une chaise cassée, l'arrivée imminente à New York d'une cousine d'Eva, une chose sans importance) et bientôt les voilà qui se disputent. Rien de véhément, sans doute, mais leurs voix se chargent d'assez d'irritation pour gâcher l'atmosphère. Nick présente ses excuses et Eva les accepte ; Eva présente les siennes et Nick les accepte ; mais la conversation est retombée et l'harmonie qui régnait quelques instants plus tôt a fui sans retour. Après qu'on est venu leur servir le plat principal, ils restent assis tous les deux en silence. Le restaurant est bondé, bourdonnant de vie et Nick, en parcourant la salle d'un œil distrait, aperçoit Rosa Leightman installée à une table de coin en compagnie de cinq ou six personnes. Eva remarque qu'il regarde de ce côté et lui demande s'il a vu quelqu'un qu'il connaît. Cette jeune femme, dit Nick. Elle était dans mon bureau ce matin. Là-dessus il lui parle de Rosa et du roman écrit par sa grand-mère, Sylvia Maxwell, et puis il tente de changer de sujet, mais Eva a tourné la tête à ce moment et elle observe la table de Rosa, à l'autre bout de la salle. Elle est très belle, dit Nick, tu ne trouves pas ? Pas mal, répond Eva. Mais des cheveux bizarres, Nicky, et vraiment mal fagotée. Ça n'a pas d'importance, déclare Nick. Elle est vivante – il y a des mois que je n'ai rencontré personne d'aussi vivant. C'est le genre de femme qui pourrait retourner un homme comme un gant.

Déclaration affreuse d'un mari à son épouse, surtout à une épouse qui a le sentiment que son mari a commencé à s'éloigner d'elle. Eh bien, dit Eva, sur la défensive, dommage que tu sois coincé avec moi. Tu veux que j'aille à leur table et que je lui demande de se joindre à nous ? Je n'ai encore jamais vu un homme retourné comme un gant. J'apprendrai peut-être quelque chose.

Conscient de la cruauté involontaire de ce qu'il vient de dire, Nick s'efforce de réparer. Je ne parlais pas pour moi, répond-il. Je voulais juste dire un homme – n'importe quel homme. Un homme dans l'abstrait.

Après le dîner, Nick et Eva rentrent chez eux dans le West Village. C'est un duplex confortable et bien équipé dans Barrow Street – l'appartement de John Trause, à vrai dire, que je me suis approprié pour mon récit flitcraftien en guise de salut silencieux à l'homme qui m'en a donné l'idée. Nick a une lettre à écrire, quelques factures à payer et, pendant qu'Eva se prépare à se coucher, il s'installe à la table de la salle à manger afin de s'occuper de ces petites tâches. Cela lui prend trois quarts d'heure, après quoi, bien qu'il commence à se faire tard, il se sent agité, mal disposé au sommeil. Il passe la tête dans la chambre, voit qu'Eva est encore éveillée et lui annonce qu'il va aller poster le courrier. A la boîte du coin de la rue, dit-il. Je serai rentré dans cinq minutes.

C'est alors que ça se produit. Bowen prend sa serviette (qui contient encore le manuscrit de *La Nuit de l'oracle*), y fourre le courrier et sort. C'est le début du printemps et un vent vigoureux souffle dans la ville, faisant brinquebaler les panneaux de signalisation et voler bouts de papier et débris divers. Ruminant encore la rencontre troublante du matin avec Rosa, essayant encore de trouver un sens au hasard doublement troublant de l'avoir revue le soir même, Nick marche jusqu'au coin de la rue comme dans un brouillard, sans prêter attention à ce qui l'entoure. Il sort le courrier de sa serviette et le jette dans la boîte. Quelque chose en lui est brisé, se dit-il, et pour la première fois depuis que ses difficultés avec Eva ont commencé, il consent à reconnaître la vérité de sa situation : son mariage est un échec, sa vie est arrivée dans un cul-de-sac. Au lieu de faire demi-tour et de rentrer chez lui tout de suite, il décide de continuer à marcher pendant quelques minutes. Il va jusqu'au bout de la rue, tourne au coin, parcourt une autre rue et tourne de nouveau au coin suivant. A onze étages au-dessus de lui, sous les assauts du vent qui souffle dans la rue, la tête d'une petite gargouille en pierre calcaire ornant la façade d'un immeuble est en train de se séparer lentement du reste de son corps. Nick fait un pas de plus, et puis un autre, et à l'instant où la tête de la gargouille finit de se détacher, il avance juste dans la trajectoire de l'objet en chute libre. Ainsi commence, sous une forme légèrement modifiée, la saga de Flitcraft. Dégringolant à quelques centimètres de la tête de Nick, la gargouille lui rase le bras droit, lui fait tomber sa serviette de la main et s'écrase en mille morceaux sur le trottoir.

Le choc projette Nick à terre. Il est sonné, désorienté, effrayé. Dans un premier temps, il n'a aucune idée de ce qui vient de lui arriver. Une fraction de seconde d'angoisse quand la pierre lui a frôlé la manche, un instant de stupeur quand la serviette lui a volé de la main, et puis le vacarme de l'explosion de la tête de gargouille sur le pavé. Un bon moment se passe avant qu'il puisse reconstituer la succession des événements et quand il y parvient, il se remet debout sur le trottoir convaincu qu'il devrait être mort. La pierre lui était destinée. Il n'est sorti de chez lui ce soir que pour rencontrer cette pierre, et s'il s'est débrouillé pour échapper à la mort, cela ne peut avoir qu'une signification : une nouvelle vie lui est offerte – son existence antérieure est achevée, chaque instant de son passé appartient désormais à un autre.

Un taxi tourne à l'angle de la rue et s'y engage dans sa direction. Nick lève la main. Le taxi s'arrête et Nick y monte. Où va-t-on ? demande le chauffeur. Nick n'en a aucune idée et prononce donc le premier mot qui lui vient à l'esprit. L'aéroport, dit-il. Lequel ? demande le chauffeur. Kennedy, La Guardia ou Newark ? La Guardia, décide Nick, et les voilà partis pour La Guardia. Arrivé là, Nick s'approche du comptoir de vente des billets et demande quand part le prochain vol. Quelle destination ? demande l'employé. N'importe laquelle, répond Nick. L'employé consulte les horaires. Kansas City, dit-il. Il y a un vol pour lequel l'embarquement commence dans dix minutes. Parfait, dit Nick à l'employé en lui tendant sa carte de crédit, donnez-moi un billet. Aller simple ou aller-retour ? demande l'homme. Simple, dit Nick et, une demi-heure plus tard, assis dans un avion, il fonce dans la nuit en direction de Kansas City.

C'est là que je le laissai ce jour-là – suspendu entre ciel et terre en un vol insensé vers un avenir douteux et invraisemblable. Je ne savais pas très bien depuis combien de temps j'écrivais mais je commençais à m'essouffler et, posant donc mon stylo, je me levai de ma chaise. En tout, j'avais couvert huit pages du carnet bleu. Cela suggérait au moins deux ou trois heures de travail, bien que le temps eût filé à une telle rapidité qu'il me semblait n'avoir passé là que quelques minutes. En sortant de la pièce, je parcourus le couloir et entrai dans la cuisine. J'eus la surprise d'y trouver Grace, debout devant la cuisinière, en train de préparer une théière.

"Je ne savais pas que tu étais rentré, dit-elle.

— Il y a un moment que je suis là, répondis-je. J'étais dans mon bureau."

Grace parut surprise. "Tu ne m'as pas entendue frapper ?

— Non, désolé. Je devais être très absorbé par ce que j'étais en train de faire.

— Comme tu ne répondais pas, j'ai ouvert la porte pour regarder à l'intérieur. Mais tu n'y étais pas.

— Bien sûr que si. J'étais assis à ma table.

— Ah bon ? Je ne t'ai pas vu. Tu étais sans doute ailleurs. A la salle de bains, peut-être.

— Je ne me rappelle pas être allé à la salle de bains. Pour autant que je sache, je suis resté tout le temps assis à ma table."

Grace haussa les épaules. "Si tu le dis, Sidney", répondit-elle. Elle n'était manifestement pas d'humeur à discuter. Femme intelligente qu'elle était, elle me décocha l'un de ses merveilleux sourires énigmatiques et se retourna vers le réchaud pour finir de préparer le thé.

Il cessa de pleuvoir vers le milieu de l'après-midi et, quelques heures plus tard, une vieille Ford bleue appartenant à un service de voitures de place du quartier nous emmena de l'autre côté du pont de Brooklyn pour notre dîner bimensuel avec John Trause. Depuis que j'étais revenu de l'hôpital, nous nous étions fait une habitude, tous les trois, de nous retrouver un samedi soir sur deux, en alternant les repas chez nous à Brooklyn (préparés par nous pour John) et des plaisirs culinaires plus raffinés dans un nouveau et coûteux restaurant du West Village, Chez Pierre (où John insistait toujours pour s'emparer de l'addition). Selon le programme initial, nous devions nous retrouver ce soir-là au bar de Chez Pierre à sept heures et demie, mais John avait appelé quelques jours avant pour nous avertir qu'il avait un problème à une jambe et qu'il allait devoir annuler. Il s'avéra que c'était une crise de phlébite (une inflammation de la veine provoquée par la présence d'un caillot de sang), et John nous avait ensuite rappelés le vendredi après-midi pour nous dire qu'il se sentait un petit peu mieux. Il n'était pas censé marcher, poursuivit-il, mais si ça ne nous ennuyait pas de venir chez lui et de commander un repas chez un traiteur chinois, nous ne devrions peut-être pas renoncer à notre dîner, après tout. "Je serais trop triste de ne pas vous voir, Gracie et toi, fit-il. Puisqu'il faut de toute façon que je mange quelque chose, pourquoi ne pas faire ça ici tous ensemble ? Du moment que je garde la jambe en l'air, je n'ai plus tellement mal, en réalité[4]."

_____

4. John était la seule personne au monde qui l'appelait encore Gracie. Même ses parents ne le faisaient plus et quant à moi, qui vivais avec elle depuis plus de trois ans, pas une fois je ne lui avais donné ce diminutif. Mais John la connaissait depuis toujours – littéralement, depuis le jour de sa naissance – et il avait accumulé au cours des années un certain nombre de privilèges particuliers qui l'avaient fait passer du rang d'ami de la famille à celui de membre officieux de celle-ci. C'était comme s'il avait accédé au statut d'oncle préféré – ou, si vous préférez, de parrain sans portefeuille.

J'avais volé l'appartement de John pour mon histoire dans le carnet bleu, et lorsque nous arrivâmes à Barrow Street et qu'il nous ouvrit la porte, j'éprouvai la sensation étrange, pas vraiment désagréable, de pénétrer dans un espace imaginaire, d'entrer dans une pièce qui n'existait pas. J'avais rendu dans le passé d'innombrables visites à Trause dans cet appartement, mais à présent que j'y avais pensé plusieurs heures durant, chez moi, à Brooklyn, en le faisant habiter par les personnages inventés de mon histoire, il me semblait appartenir autant à l'univers de la fiction qu'à celui des objets solides et des êtres humains en chair et en os. Chose étonnante, cette sensation ne disparut pas. Si elle évolua, ce fut pour se renforcer au cours de la soirée et quand le repas chinois arriva vers huit heures et demie, je commençais déjà à m'installer dans ce que je devrais appeler (faute d'un meilleur terme) un état de double conscience. Tout en prenant part à ce qui se passait autour de moi, j'étais aussi ailleurs ; alors que je

_____

John aimait Grace, Grace l'aimait et, parce que j'étais l'homme de la vie de Grace, John m'avait accueilli dans le cercle intime de ses affections. Pendant la période suivant mon collapsus, il avait consacré énormément de son temps et de son énergie à soutenir Grace face à la crise, et quand je suis enfin revenu de ma rencontre avec la mort, il a commencé à venir tous les après-midi à l'hôpital pour s'asseoir sur mon lit et me tenir compagnie – pour me maintenir (je l'ai compris par la suite) dans le monde des vivants. Quand nous sommes allés, Grace et moi, dîner chez lui ce soir-là (le 18 septembre 1982), je pense que personne à New York n'était plus proche de John que nous ne l'étions. Et personne n'était plus proche de nous que John. Cela expliquerait pourquoi il attachait une telle importance à nos samedis soir et pourquoi il n'avait pas voulu annuler ce rendez-vous, en dépit de ses ennuis à la jambe. Il vivait seul et, comme il circulait rarement en public, nous étions devenus sa source principale de distraction sociale, sa seule véritable possibilité de s'accorder le plaisir de quelques heures de conversation ininterrompue.

dérivais librement en imagination, me voyant assis à ma table, à Brooklyn, en train d'écrire sur ce lieu dans le carnet bleu, j'étais aussi installé dans un fauteuil à l'étage supérieur d'un duplex de Manhattan, fermement ancré dans mon corps, en train d'écouter ce que John et Grace se disaient et même d'y ajouter quelques mots de mon cru. Ça n'a rien d'inhabituel que quelqu'un soit préoccupé au point de paraître absent – mais, justement, je n'étais pas absent. J'étais là, participant sans réserve à ce qui se passait et, en même temps, je n'étais pas là – car le "là" n'était plus un "là" authentique. C'était un lieu illusoire qui existait dans ma tête, et où je me trouvais aussi. Dans ces deux lieux en même temps. Dans l'appartement et dans l'histoire. Dans l'histoire dans l'appartement que j'écrivais encore dans ma tête.

John paraissait souffrir beaucoup plus qu'il ne voulait bien l'admettre. Il s'appuyait sur une béquille quand il avait ouvert la porte et quand il avait remonté l'escalier en boitant et regagné tant bien que mal sa place sur le canapé – un grand machin affaissé, garni d'une pile de coussins et de couvertures pour lui soutenir la jambe –, j'avais remarqué que son visage se crispait de douleur, que chaque pas lui était pénible. Mais John n'allait pas en faire une affaire. Il s'était battu dans le Pacifique, simple soldat de dix-huit ans à la fin de la Seconde Guerre mondiale, et il appartenait à cette génération d'hommes qui se faisaient un point d'honneur de ne pas s'attendrir sur eux-mêmes, qui reculaient avec dédain devant toute tentative de les materner. A part quelques plaisanteries sur Richard Nixon, qui avait donné au mot *phlébite* une certaine résonance comique au temps de son administration, John refusait obstinément de parler de son infirmité. Non, ce n'est pas tout à fait correct. Quand nous étions entrés dans la pièce du haut, il avait autorisé Grace à l'aider à se réinstaller sur le canapé et à rectifier la position des coussins et couvertures, en s'excusant de ce qu'il appelait sa "décrépitude imbécile". Et puis, une fois en place, il s'était tourné vers moi en disant : "Nous en faisons une paire, hein, Sid ? Toi avec tes vertiges et tes saignements de nez, et moi maintenant avec cette jambe. Nous sommes les mal fichus de l'univers."

Trause n'avait jamais attaché à son apparence une importance excessive, mais ce soir-là il me paraissait particulièrement débraillé et, à voir l'aspect chiffonné de son jean et de son sweat-shirt – sans parler de la teinte grisâtre qui avait envahi le dessous de ses chaussettes blanches –, je supposai qu'il avait porté les mêmes vêtements pendant plusieurs jours de suite. Ses cheveux étaient emmêlés, cela n'avait rien d'étonnant, et les mèches à l'arrière de son crâne étaient aplaties et raidies par tant d'heures passées allongé sur le canapé depuis une semaine. En vérité, John avait l'air abattu, considérablement plus âgé que jamais auparavant, mais quand un homme souffre et, sans doute, dort très mal à cause de la douleur, on ne peut guère lui demander de paraître en pleine forme. Ce que je voyais ne m'inquiétait pas mais Grace, normalement la personne la plus sereine que je connaissais, paraissait agitée et préoccupée par l'état de John. Sans nous laisser le temps de nous occuper de commander le repas, elle le soumit pendant dix bonnes minutes à un interrogatoire sur les médecins, leurs remèdes et leurs pronostics et puis, lorsqu'il l'eut convaincue qu'il n'allait pas mourir, elle passa à une foule de questions pratiques : les courses de ménage, la cuisine, les poubelles, la lessive, le train-train quotidien. "Mme Dumas s'occupe de tout, répondit John, faisant allusion à la Martiniquaise qui entretenait son appartement depuis deux ans, et quand elle ne peut pas venir, sa fille la remplace. Vingt ans, ajouta-t-il, et très intelligente. Agréable à regarder, aussi, soit dit en passant. Elle marche moins qu'elle ne plane dans la pièce, comme si ses pieds ne touchaient pas le sol. Ça me donne l'occasion de parler français."

Une fois écarté le sujet de sa jambe, John parut content d'être avec nous et se montra plus bavard que d'habitude en pareille occasion ; il parla sans arrêt pendant presque toute la soirée. Je ne puis en être certain, mais je crois que c'était la douleur qui le rendait aussi loquace. Les mots devaient constituer une distraction par rapport au tumulte qui circulait dans sa jambe, une sorte de soulagement furieux. Ça, et puis aussi les grandes quantités d'alcool qu'il ingurgitait. A chaque nouvelle bouteille de vin débouchée, John était le premier à tendre son verre et, des trois bouteilles que nous avons bues ce soir-là, la moitié à peu près du contenu aboutit dans son organisme. Cela représentait une bouteille et demie de vin, plus deux verres de scotch qu'il but sec vers la fin. Je l'avais parfois vu boire autant dans le passé mais, si bien lubrifié que fût John, il ne paraissait jamais ivre. Ni diction pâteuse, ni regard vitreux. C'était un fort gaillard – un mètre quatre-vingt-huit, un poil au-dessous de quatre-vingt-dix kilos – et il tenait la boisson.

"Une semaine environ avant d'attraper ce truc à la jambe, nous raconta-t-il, j'ai reçu un coup de téléphone du frère de Tina, Richard[5]. Je n'avais plus eu

_____

5. Tina était la seconde épouse de John. Son premier mariage avait duré dix ans (de 1954 à 1964) et s'était terminé par un divorce. Il n'en parlait jamais devant moi, mais Grace m'avait raconté que, dans sa famille, personne n'avait particulièrement aimé Eleanor. Les Tebbetts voyaient en elle une *Bryn Mawr girl** prétentieuse, issue d'une longue lignée de sangs bleus du Massachusetts, une pisse-froid qui avait toujours toisé de haut la famille laborieuse de John à Paterson, dans le New Jersey. Peu leur importait qu'Eleanor fût devenue un peintre respecté dont la réputation égalait presque celle de John. Ils n'avaient pas été étonnés de leur rupture, et aucun d'entre eux n'avait regretté de la voir partir. La seule chose regrettable, disait Grace, c'était que John avait été obligé de rester en contact avec elle. Non qu'il en eût le moindre désir, mais à cause des fredaines à répétition de leur fils Jacob, un garçon perturbé et furieusement instable.

de ses nouvelles depuis longtemps. Depuis le jour de l'enterrement, à vrai dire, c'est-à-dire huit ans – plus de huit ans. Je n'avais jamais eu beaucoup de contacts avec sa famille pendant que nous étions ensemble et maintenant qu'elle n'était plus là, je ne m'étais pas donné la peine de maintenir les relations – ni eux avec moi, d'ailleurs, mais je ne m'en souciais guère. Tous ces frères Ostrow, avec leur magasin de meubles dégueulasses dans Springfield Avenue, leurs épouses insipides et leurs enfants médiocres. Tina avait dans les huit ou neuf cousins germains, mais elle était la seule qui avait du caractère, la seule qui avait eu l'intelligence de se sortir de ce petit monde du New Jersey et d'essayer de devenir quelque chose. J'ai donc été surpris quand Richard m'a téléphoné

Ensuite il avait rencontré Tina Ostrow, une danseuse et chorégraphe de douze ans plus jeune que lui, et quand il l'avait épousée, en 1966, le clan Tebbetts avait applaudi sa décision. Ils étaient persuadés que John avait enfin trouvé la femme qu'il méritait, et le temps leur avait donné raison. Petite et vibrante, Tina était quelqu'un d'adorable, disait Grace, et elle avait aimé John (selon les termes de Grace) "à la limite de l'idolâtrie". La seule ombre à ce mariage était que Tina n'avait pas vécu assez longtemps pour atteindre son trente-septième anniversaire. Un cancer de l'utérus l'avait lentement enlevée à John en l'espace de dix-huit mois et, après l'avoir mise en terre, disait Grace, il s'était refermé pour longtemps, "il s'est figé et a comme cessé de respirer". Il était parti vivre à Paris pendant un an, et puis à Rome, et puis dans un petit village sur la côte nord du Portugal. Quand il était revenu à New York, en 1978, et s'était installé dans l'appartement de Barrow Street, il y avait trois ans que son dernier roman avait paru et le bruit courait que Trause n'avait plus écrit un mot depuis la mort de Tina. Quatre années s'étaient encore écoulées depuis lors, et il n'avait toujours rien produit – rien, en tout cas, qu'il fût disposé à montrer. Mais il travaillait. Je savais qu'il travaillait. Il me l'avait laissé entendre, mais j'ignorais de quel genre de travail il s'agissait, pour la simple raison que je n'avais jamais eu le courage de le lui demander.

l'autre jour. Il habite en Floride maintenant, m'a-t-il dit, et il était venu à New York pour affaires. Est-ce que ça me disait quelque chose de dîner avec lui ? Un endroit bien, a-t-il précisé, c'était lui qui invitait. Comme je n'avais pas d'autre projet, j'ai accepté. Je ne sais pas pourquoi, mais il n'y avait aucune raison impérative de ne pas le faire, et nous sommes donc convenus de nous retrouver le lendemain soir à huit heures.

"Il faut que vous compreniez, à propos de Richard. Il m'a toujours fait l'effet d'un poids plume, d'un être sans substance. Il est né un an après Tina, c'est-à-dire qu'il doit avoir quarante-trois ans aujourd'hui, et à part quelques moments de gloire à l'école secondaire sur le terrain de basket, il a glandé pendant presque toute sa vie, après deux ou trois échecs universitaires, il est passé d'un boulot sinistre à un autre, ne s'est jamais marié, n'est jamais vraiment devenu adulte. Un type plein de gentillesse, sûrement, mais creux, pas inspiré, avec une sorte de mollesse abrutie qui m'a toujours tapé sur les nerfs. La seule chose que j'aie jamais appréciée en lui, c'était son amour pour Tina. Il l'aimait tout autant que moi – c'est une certitude, une vérité incontestable – et je ne nierai pas qu'il était un bon frère pour elle, un frère exemplaire. Tu étais à l'enterrement, Gracie. Tu te souviens de ce qui s'est passé. Des centaines de gens se sont amenés et, dans la chapelle, tout le monde pleurait, sanglotait, gémissait d'horreur. C'était un déluge de chagrin collectif, une tristesse à une échelle dont je n'avais jamais été témoin. Mais de tous les assistants, c'était Richard qui souffrait le plus. Lui et moi, tous les deux, assis au premier rang. A la fin du service, il a failli tourner de l'œil quand il a voulu se relever. Il m'a fallu toute ma force pour le maintenir debout. J'ai dû, littéralement, l'entourer de mes bras pour l'empêcher de tomber par terre.

"Mais ça, c'était il y a des années. Nous avons vécu ensemble ce traumatisme, et puis je l'ai perdu de vue. En acceptant de dîner avec lui l'autre soir, je m'attendais à passer une soirée ennuyeuse, à devoir haler péniblement quelques heures de conversation embarrassée avant de me ruer vers la porte et de rentrer chez moi. Mais je me trompais. Je suis heureux de déclarer que je me trompais. Je trouve toujours stimulant de découvrir de nouveaux exemples de mes préjugés et de ma stupidité, de me rendre compte que je ne sais pas la moitié de ce que je crois savoir.

"Ça a commencé par le plaisir de voir son visage. J'avais oublié à quel point il ressemblait à sa sœur, combien de traits ils avaient en commun. L'emplacement et la forme des yeux, l'arrondi du menton, la bouche élégante, l'arête du nez – c'était Tina dans un corps d'homme, de petits instantanés, en tout cas, des apparitions éphémères. Ça me bouleversait de me retrouver ainsi auprès d'elle, de sentir de nouveau sa présence, de sentir que quelque chose d'elle avait continué à vivre en son frère. Deux ou trois fois, Richard s'est tourné d'une certaine façon, a fait certains gestes, a eu certains mouvements des yeux, et j'étais si ému que j'avais envie de me pencher par-dessus la table pour l'embrasser. En plein sur les lèvres – osculation totale. Riez si vous voulez, je regrette à présent de ne pas l'avoir fait.

"Richard était toujours Richard, le même Richard qu'autrefois – mais en mieux, me semblait-il, plus à l'aise dans sa peau. Il s'est marié et il a deux petites filles. Ça lui a sans doute fait du bien. Il se peut que ses huit ans de plus lui aient fait du bien. Je ne sais pas. Il boulonne toujours, toujours ses emplois minables – vendeur de pièces détachées d'ordinateur, technicien-conseil, je ne me souviens pas – et il passe toujours toutes ses soirées devant la télévision. Matchs de football, sitcoms, polars, émissions sur la nature – tout lui plaît, à la télé. Mais il ne lit jamais, ne vote jamais, ne se fatigue même pas à faire semblant d'avoir une opinion sur ce qui se passe dans le monde. Il y a seize ans qu'on se connaît et, de tout ce temps, pas une fois il n'a pris la peine d'ouvrir un de mes livres. Je m'en fiche, bien entendu, mais je cite ça en exemple de sa paresse, de son manque total de curiosité. Et pourtant, ça m'a fait plaisir de le retrouver l'autre soir. Ça m'a fait plaisir de l'écouter parler de ses émissions préférées à la télé, de sa femme et de ses deux fillettes, de son tennis qui ne cesse de s'améliorer, des avantages qu'il y a à vivre en Floride plutôt que dans le New Jersey. Le climat est meilleur, vous comprenez. Plus de tempêtes de neige et d'hivers glacials ; l'été chaque jour de l'année. Si ordinaire, mes enfants, si vachement content de lui, et pourtant – comment dirais-je ? – en paix totale avec lui-même, si satisfait de sa vie que je l'en aurais presque envié.

"Donc nous voilà en train de manger un repas quelconque dans un restaurant quelconque d'un quartier quelconque en bavardant de sujets de peu d'importance, quand tout à coup Richard a relevé le nez de son assiette et s'est mis à me confier une histoire. C'est pour ça que je vous ai raconté tout ça – afin d'amener l'histoire de Richard. Je ne sais pas si vous serez de mon avis, mais il me semble que c'est l'une des plus intéressantes que j'aie entendues depuis longtemps.

"Il y a trois ou quatre mois, Richard était chez lui, dans son garage, en train de chercher quelque chose dans un carton, quand il est tombé sur un vieux stéréoscope. Il se rappelait vaguement que ses parents avaient acheté ça quand il était petit, mais il ne se souvenait plus des circonstances, ni de l'usage qu'ils en avaient fait. A moins qu'il n'en ait effacé le souvenir, il était à peu près certain de n'avoir jamais regardé dedans et même de ne jamais l'avoir eu dans les mains. Après l'avoir sorti de sa boîte et avoir commencé à l'examiner, il a constaté qu'il ne s'agissait pas d'une de ces petites camelotes dont on se servait pour visionner des images toutes faites de sites touristiques et de paysages pittoresques. C'était un instrument d'optique solide et bien construit, une précieuse relique de la vogue des images en relief au début des années cinquante. L'engouement n'avait guère duré, mais l'idée consistait à prendre soi-même des photos en trois dimensions à l'aide d'un appareil spécial, à les développer sous forme de diapositives et puis à les regarder dans le stéréoscope, qui devenait une sorte d'album de photos en relief. L'appareil avait disparu, mais Richard a trouvé une boîte de diapos. Il y en avait juste douze, m'a-t-il dit, ce qui semble suggérer que ses parents n'avaient pris qu'un seul film avec leur appareil dernier cri – après quoi ils l'avaient mis de côté quelque part et avaient oublié son existence.

"Sans savoir à quoi s'attendre, Richard a mis une des diapos dans le stéréoscope, il a appuyé sur l'interrupteur, et il a regardé. En un instant, m'a-t-il dit, trente années de sa vie se sont effacées. Il se retrouvait en 1953, dans le salon de la maison familiale à West Orange, New Jersey, debout parmi les invités qui fêtaient le seizième anniversaire de Tina. Tout lui revenait, à présent : la boum, les *sweet sixteen*, le traiteur qui déballait ses denrées dans la cuisine et alignait les verres à champagne sur le comptoir, le carillon de la porte d'entrée, la musique, le bruit des voix, les cheveux de Tina noués en chignon, les froissements de sa longue robe jaune. L'une après l'autre, il a inséré les douze diapos dans l'appareil et il les a regardées. Il y avait là tout le monde, disait-il. Sa mère, son père, ses cousins, ses oncles et tantes, sa sœur, les amis de sa sœur et jusqu'à lui-même, adolescent efflanqué de quatorze ans à la pomme d'Adam protubérante, avec les cheveux coupés en brosse et un nœud papillon rouge à pinces. A ce qu'il m'a expliqué, ce n'était pas comme quand on regarde des photos normales. Ce n'était même pas comme les films d'amateur – devant lesquels on est toujours déçu par les images heurtées et les teintes fanées, l'impression qu'ils appartiennent à un passé lointain. Les images en trois dimensions étaient incroyablement bien conservées, d'une vivacité surnaturelle. Tous les personnages paraissaient vivants, débordants d'énergie, présents dans l'instant, comme s'ils faisaient partie d'un maintenant éternel qui se perpétuait depuis près de trente ans. Les couleurs intenses, les détails les plus minuscules étincelants de clarté et une impression d'espace alentour, de profondeur. Plus il regardait les diapos, disait Richard, plus il avait l'illusion de voir les personnages respirer et chaque fois qu'il arrêtait et passait à la suivante, il lui semblait que s'il avait regardé un petit peu plus longtemps – un instant de plus –, ils auraient bel et bien commencé à bouger.

"Après avoir regardé une fois chaque diapo, il les a toutes repassées et, la deuxième fois, il a pris conscience peu à peu que la plupart des gens figurant sur ces photos étaient morts. Son père, mort d'une crise cardiaque en 1969. Sa mère, d'une insuffisance rénale en 1972. Tina, du cancer en 1974. Et des six oncles et tantes présents ce jour-là, quatre étaient également morts et enterrés. Sur l'une des photos, il était debout sur la pelouse devant la maison avec ses parents et Tina. Juste eux quatre – bras dessus, bras dessous, appuyés les uns sur les autres, quatre visages souriants alignés, ridiculement animés, faisant des mines devant l'objectif – et quand Richard a inséré celle-là pour la deuxième fois dans le stéréoscope, ses yeux se sont soudain remplis de larmes. C'est celle-là qui l'a achevé, disait-il, celle-là était trop pour lui. Il s'est rendu compte que c'était en compagnie de trois fantômes qu'il se tenait là sur cette pelouse, seul survivant d'un après-midi passé depuis trente ans, et une fois les larmes survenues, rien n'a pu les arrêter. Il a reposé le stéréoscope, s'est pris le visage dans les mains et s'est mis à sangloter. C'est le mot qu'il a utilisé quand il m'a raconté son histoire : sangloter. «J'ai sangloté comme un veau, m'a-t-il dit. J'étais complètement KO.»

"Il s'agit de Richard, je vous le rappelle – un homme qui n'a aucune poésie en lui, un type aussi sensible qu'un bouton de porte – et pourtant, à partir du moment où il a découvert ces photos, il n'a plus pu penser à rien d'autre. Le stéréoscope était une lanterne magique qui lui permettait de voyager dans le temps pour rendre visite aux morts. Il regardait les photos le matin avant de partir travailler, et il les regardait le soir une fois rentré chez lui. Toujours dans le garage, toujours tout seul, toujours sans sa femme et ses filles – retournant de manière obsessionnelle, insatiable, à cet après-midi de 1953. Ensorcelé. Ça a duré deux mois et puis, un matin, Richard est entré dans son garage et le stéréoscope ne fonctionnait plus. Le mécanisme s'était enrayé et il ne parvenait plus à déclencher l'interrupteur. Sans doute l'avait-il trop fait marcher, m'a-t-il expliqué, et puisqu'il ne savait pas comment le réparer, il s'est dit que l'aventure était terminée, que cette chose merveilleuse qu'il avait découverte lui avait été définitivement retirée. C'était une perte catastrophique, la plus cruelle des dépossessions. Il ne pouvait même pas regarder les diapos en les tenant face à la lumière. Les images stéréo ne sont pas des photographies normales et le stéréoscope est indispensable pour en donner une vision cohérente. Pas de stéréoscope, pas d'image. Pas d'image, plus de voyages dans le passé. Plus de ces voyages, plus de joie. Une nouvelle tournée de chagrin, une nouvelle tournée de tristesse – comme si, après les avoir ramenés à la vie, il lui fallait réensevelir les morts.

"Telle était la situation quand je l'ai vu il y a quinze jours. L'appareil était cassé et Richard s'efforçait encore de se faire à ce qui lui était arrivé. Je ne peux pas vous dire à quel point son histoire m'a touché. De voir ce lourdaud ordinaire transformé en rêveur philosophe, en âme angoissée avide de l'inaccessible. Je lui ai dit que je ferais tout ce que je pourrais pour l'aider. C'est New York, ici, lui ai-je dit, et comme tout ce qui existe au monde, on peut le trouver à New York, on doit pouvoir y trouver aussi quelqu'un qui peut le réparer. Richard a paru un peu embarrassé par mon enthousiasme, mais il m'a remercié de ma proposition et nous en sommes restés là. Le lendemain matin, je m'en suis occupé. J'ai passé des coups de fil, j'ai fait quelques recherches et en un jour ou deux j'ai déniché le propriétaire d'un magasin d'appareils de photo et de cinéma qui pensait pouvoir le faire. Richard était retourné en Floride, à ce moment-là, et quand je lui ai téléphoné le soir pour lui donner la nouvelle, je pensais que ça l'exciterait, que nous allions tout de suite commencer à parler de la meilleure façon d'emballer le stéréoscope pour l'expédier à New York. Mais il y a eu un long silence à son bout de la ligne. «Je sais pas, John, a-t-il fini par dire. J'y ai beaucoup réfléchi depuis qu'on s'est vus, et ce serait sans doute pas une tellement bonne chose que je continue à regarder tout le temps ces photos. Arlene se faisait pas mal de souci, et j'étais plus très attentif aux gamines. Ça vaut sans doute mieux comme ça. Faut vivre au présent, pas vrai ? Le passé est le passé, et j'aurais beau être tout le temps avec ces images, ça le ferait jamais revenir.»"

Ainsi finissait l'histoire. Une fin décevante, de l'avis de John, mais Grace n'était pas d'accord avec lui. Après deux mois de communion avec les morts, Richard s'était mis en danger, disait-elle, et il courait peut-être le risque de sombrer dans une dépression grave. Je voulus alors intervenir mais à l'instant même où j'ouvrais la bouche pour exprimer mon opinion, je fus victime de l'un de mes infernaux saignements de nez. Ils avaient commencé un mois ou deux avant mon entrée à l'hôpital et, si la plupart de mes autres symptômes avaient désormais disparu, j'avais continué à saigner du nez – toujours aux moments les plus inopportuns, me semblait-il, et toujours pour mon embarras le plus intense. Je détestais manquer ainsi de contrôle sur moi-même, être assis dans une pièce comme je l'étais ce soir-là, par exemple, en train de participer à une conversation, et puis m'apercevoir tout à coup que je pissais le sang, que ma chemise et mon pantalon en étaient éclaboussés, et me savoir infoutu de stopper ça. Les médecins m'avaient dit de ne pas m'inquiéter – il n'y avait aucune conséquence médicale, ce n'était prémonitoire d'aucun problème – mais je ne m'en sentais pas moins désarmé et honteux. Chaque fois que je saignais du nez, je redevenais comme un petit garçon qui a mouillé son froc.

Je me levai d'un bond de mon fauteuil, un mouchoir serré contre la figure, et me précipitai vers la salle de bains la plus proche. Grace me demanda si j'avais besoin d'aide, et je dois lui avoir répondu d'un ton peu amène, je ne me rappelle plus bien quoi. "T'en mêle pas", peut-être, ou "Fiche-moi la paix". Quelque chose d'assez grincheux pour amuser John, en tout cas, car je me souviens nettement de l'avoir entendu rire pendant que je sortais de la pièce. "Revoilà *Old Faithful** qui fait des siennes, dit-il. Orr et son pif ménorragique. Ne te laisse pas abattre, Sidney. Au moins tu sais que tu n'es pas enceint."

Il y avait deux salles de bain dans l'appartement, une à chaque étage du duplex. En temps normal, nous aurions passé la soirée en bas, dans la salle à manger et le living, mais la phlébite de John nous avait fait monter à l'étage, où il demeurait actuellement presque tout le temps. La pièce du haut était une sorte de petit salon supplémentaire, un lieu intime et confortable avec de grandes fenêtres et des bibliothèques couvrant trois des murs et comportant des emplacements pour l'installation stéréo et la télévision – la niche parfaite pour un convalescent. On accédait à la salle de bains de cet étage par la chambre de John et pour atteindre sa chambre, il me fallait traverser son bureau, la pièce où il écrivait. J'allumai la lumière en y entrant mais j'étais trop occupé par mon épanchement nasal pour prêter attention à ce qui s'y trouvait. Je dus passer un quart d'heure dans la salle de bains à me comprimer les narines en penchant la tête en arrière et avant que ces vieux remèdes commencent à agir il s'écoula de moi tant de liquide que je me demandais si je ne devrais pas aller à l'hôpital demander d'urgence une transfusion. Que le sang paraît rouge sur le blanc du lavabo de porcelaine, me disais-je. Quelle vivacité elle a, cette couleur et, esthétiquement, qu'elle est choquante. Les autres fluides issus de nous sont ternes en comparaison, de pâles giclées. Salive blanchâtre, sperme laiteux, urine jaune, morve brunvert. Nous excrétons des couleurs d'automne et d'hiver tandis que court, invisible, dans nos veines, cela même qui nous maintient en vie, l'écarlate d'un artiste fou – aussi rouge et aussi brillant que de la peinture fraîche.

La crise passée, je m'attardai un peu devant le lavabo pour tenter comme je le pouvais de me rendre à nouveau présentable. Il était trop tard pour enlever les taches de mes vêtements (elles s'étaient durcies en petits ronds rouillés qui s'étalaient sur le tissu quand j'essayais de les frotter) mais je me lavai à fond les mains et le visage et me mouillai les cheveux, en me servant du peigne de John pour parachever l'ouvrage. Je me sentais un peu moins misérable, à présent, un peu moins maltraité par la vie. Ma chemise et mon pantalon étaient encore décorés de pois disgracieux, mais le fleuve ne coulait plus et, heureusement, mon nez me faisait moins mal.

Je retraversai la chambre de John et, en entrant dans son bureau, je jetai un coup d'œil à sa table de travail. Je ne regardais pas vraiment de ce côté, je parcourais simplement la pièce des yeux tout en me dirigeant vers la porte mais, posé là, bien en vue, entouré d'un assortiment de stylos, de crayons et de piles de papiers en désordre, il y avait un carnet bleu cartonné – remarquablement semblable à celui que j'avais acheté à Brooklyn le matin même. La table d'un écrivain est un lieu sacré, le sanctuaire le plus privé qui soit au monde, et on n'a pas le droit de s'en approcher sans permission. Je m'étais toujours tenu à distance de la table de John mais, cette fois, j'étais si surpris, si curieux de savoir si ce carnet était le même que le mien qu'oubliant ma discrétion, j'allai voir. Le carnet était fermé et posé sur un petit dictionnaire et sitôt penché pour l'examiner, je constatai que c'était le double exact de celui qui se trouvait chez moi sur ma table. Pour des raisons qui me restent incompréhensibles, cette découverte m'excita prodigieusement. Qu'est-ce que cela pouvait bien me faire, le type de carnet qu'utilisait John ? Il avait vécu pendant deux ans au Portugal et sûrement ces carnets étaient monnaie courante, là-bas, on pouvait se les procurer dans n'importe quelle papeterie. Pourquoi n'aurait-il pas écrit dans un carnet bleu cartonné fabriqué au Portugal ? Pas de raison, pas la moindre raison – et pourtant, étant donné la sensation délicieusement agréable que j'avais éprouvée le matin en achetant mon propre carnet bleu, étant donné que j'avais passé le jour même plusieurs heures productives à écrire dedans (mes premiers efforts littéraires depuis près d'un an), étant donné enfin que j'avais pensé à ces efforts pendant toute la soirée chez John, cela me fit l'effet d'une conjonction étonnante, d'un petit tour de magie noire.

Je n'avais pas l'intention d'en parler quand je revins au salon. C'était trop dingue, en un sens, trop singulier et personnel, et je n'avais pas envie de donner à John l'impression que j'avais l'habitude de fureter en douce dans ses affaires. Mais en entrant dans la pièce, en le voyant allongé sur le canapé, la jambe en l'air, les yeux fixés au plafond avec une expression sombre et abattue, je changeai soudain d'avis. Grace était descendue à la cuisine, où elle lavait la vaisselle et rangeait les restes de notre repas, et je m'assis donc dans le fauteuil qu'elle avait occupé, qui se trouvait juste à côté du canapé, à quelques pas de la tête de John. Il me demanda si je me sentais mieux. Oui, répondis-je, beaucoup mieux, et puis je me penchai vers lui. "Il m'est arrivé aujourd'hui quelque chose de tout à fait extraordinaire, lui dis-je. Pendant ma promenade matinale, je suis entré dans un magasin et j'ai acheté un carnet. C'était un carnet si excellent, un petit objet si plaisant et si attrayant qu'il m'a donné envie de recommencer à écrire. Et donc, à peine rentré à la maison, je me suis assis à ma table et j'ai écrit dedans pendant deux heures d'affilée.

— Voilà une bonne nouvelle, Sidney, fit John. Tu t'es remis au travail.

— L'histoire de Flitcraft.

— Ah, c'est encore mieux.

— On verra. Ce ne sont que quelques notes, jusqu'ici, pas de quoi s'enthousiasmer. Mais j'ai l'impression que le carnet m'a rechargé et je suis impatient d'écrire encore dedans demain. Il est bleu foncé, un très beau bleu foncé, avec une bande de toile au dos et une couverture cartonnée. Fabriqué au Portugal, figure-toi !

— Au Portugal ?

— Je ne sais pas dans quelle ville. Mais il y a une petite étiquette à l'intérieur de la couverture, où il est marqué : MADE IN PORTUGAL.

— Où diable as-tu trouvé un de ces trucs-là ici ?

— Il y a une nouvelle papeterie dans mon quartier. Le Paper Palace, ça appartient à un certain Chang. Il en avait quatre en stock.

— J'avais l'habitude d'acheter ces carnets quand j'allais à Lisbonne. Ils sont très bien, très solides. Une fois qu'on commence à s'en servir, on n'a plus envie d'écrire dans autre chose.

— C'est la sensation que j'ai eue aujourd'hui. J'espère que ça ne veut pas dire que je vais tomber en dépendance.

— Dépendance est sans doute un grand mot, mais il est certain qu'ils sont très séduisants. Méfie-toi, Sid. J'écris là-dedans depuis des années, je sais ce que je te dis.

— Tu en parles comme s'ils étaient dangereux.

— Ça dépend de ce que tu écris. Ces carnets sont très sympathiques mais ils peuvent aussi être cruels et tu dois prendre garde à ne pas t'y perdre.

— Tu ne m'as pas l'air perdu – et je viens d'en voir un sur ta table en revenant de la salle de bains.

— J'en avais fait provision avant de revenir à New York. Malheureusement, celui que tu as vu est mon dernier, et je l'ai presque rempli. Je ne savais pas qu'on pouvait les trouver en Amérique. Je pensais écrire au fabricant pour lui en commander.

— Le type de la papeterie m'a dit que le fabricant avait fermé boutique.

— C'est bien ma chance. Mais ça ne m'étonne pas. Apparemment, ils n'étaient pas très demandés.

— Je peux t'en prendre un lundi, si tu veux.

— Est-ce qu'il en reste des bleus ?

— Noir, rouge et brun. J'ai acheté le dernier bleu.

— Dommage. Le bleu est la seule couleur que j'aime. Maintenant que le fabricant a disparu, j'imagine que je vais devoir prendre de nouvelles habitudes.

— C'est drôle, quand j'ai regardé la pile ce matin, je suis allé droit au bleu, moi aussi. Je me sentais attiré par celui-là, comme si je ne pouvais pas y résister. Qu'est-ce que tu crois que ça veut dire ?

— Ça ne veut rien dire, Sid. Sinon que tu as le cerveau un peu fêlé. Et je suis tout aussi fêlé que toi. Nous écrivons des livres, non ? Que peut-on attendre d'autre de gens comme nous ?"

Le samedi soir, à New York, il y a toujours foule, mais ce soir-là les rues étaient encore plus encombrées que d'habitude et, d'une chose à l'autre, il nous fallut plus d'une heure pour rentrer chez nous. Grace avait réussi à interpeller un taxi juste devant chez John mais quand, une fois montés dedans, nous avons dit au chauffeur que nous allions à Brooklyn, il a prétexté qu'il n'avait pas assez d'essence et a refusé la course. J'ai voulu faire du pétard mais Grace m'a pris par le bras et m'a gentiment tiré hors du taxi. Aucun autre n'est apparu après cela et nous avons donc été à pied jusqu'à la Septième Avenue, en nous faufilant entre des groupes de jeunes bruyants et avinés et une demi-douzaine de mendiants déments. Le Village bouillonnait d'énergie cette nuit-là, c'était une cacophonie de maison de fous, qui paraissait prête à exploser en violence à tout moment, et je trouvais éreintant de côtoyer ces foules en essayant de conserver mon équilibre, accroché au bras de Grace. Nous avons fait le pied de grue pendant dix bonnes minutes à l'angle de Barrow Street et de la Septième Avenue avant qu'un taxi vide ne s'amène, et Grace doit s'être excusée six fois de m'avoir obligé à sortir de l'autre. "Je regrette de ne pas t'avoir laissé te fâcher, disait-elle. C'est de ma faute. Ce n'est vraiment pas du tout bon pour toi de rester planté dans ce froid, mais j'ai horreur de discuter avec des idiots. Ça m'énerve trop."

Mais Grace n'était pas seulement énervée par l'idiotie des chauffeurs de taxi, ce soir-là. Quelques instants après notre installation dans le deuxième taxi, inexplicablement, elle se mit à pleurer. Pas très fort, sans râles ni sanglots, mais les larmes s'accumulaient dans les coins de ses yeux et quand nous fûmes arrêtés à Clarkson Street par un feu rouge, la lumière des réverbères éclaira l'intérieur de la voiture et je vis briller les larmes qui grossissaient dans ses yeux comme de petits cristaux. Jamais Grace ne se laissait aller comme cela. Grace ne pleurait jamais, ne se permettait jamais de démonstrations excessives de sentiments et même à ses moments de plus grand stress (lors de mon collapsus, par exemple, et tout au long des désespérantes premières semaines de mon séjour à l'hôpital), elle avait paru douée d'un talent inné pour se contrôler, pour faire face aux vérités les plus sombres. Je lui demandai ce qui n'allait pas, mais elle se borna à secouer la tête en se détournant. Quand je lui posai ma main sur l'épaule en répétant ma question, elle me chassa d'un geste – chose qu'elle n'avait encore jamais faite. Ce n'était pas un geste très hostile mais, là encore, ça ne lui ressemblait pas de réagir de cette façon et je reconnais que je me sentis un peu piqué. Ne voulant ni m'imposer, ni lui montrer que j'étais blessé, je me retirai dans mon coin de la banquette arrière et attendis en silence tandis que le taxi se frayait lentement un chemin vers le sud par la Septième Avenue. Arrivés à l'intersection des rues Varick et Canal, nous restâmes bloqués dans un embouteillage pendant plusieurs minutes. C'était un embouteillage monumental : voitures et camions klaxonnaient, des chauffeurs échangeaient des obscénités, la pagaille new-yorkaise dans toute sa splendeur. Au milieu de tout ce raffut et de ce désordre, Grace se tourna soudain vers moi en s'excusant. "C'est juste qu'il avait une mine si affreuse, ce soir, me dit-elle, l'air si défait. Tous les hommes que j'aime se déglinguent. Ça devient un peu dur à avaler."

Je ne la crus pas. Ma santé redevenait normale et il ne me paraissait guère plausible que Grace fût à ce point affectée par l'indisposition passagère de John. Quelque autre chose la tracassait, quelque tourment privé qu'elle ne souhaitait pas partager avec moi, et je savais que si je m'obstinais à la questionner, la situation ne ferait qu'empirer. Tendant le bras, je le lui posai sur l'épaule et l'attirai doucement vers moi. Il n'y avait plus de résistance en elle, cette fois. Je sentis que ses muscles se détendaient et un instant plus tard elle se blottissait contre moi, la tête sur ma poitrine. Je mis ma main sur son front et commençai à lui caresser doucement les cheveux du plat de la paume. C'était un vieux rite à nous, l'expression d'une intimité silencieuse qui continuait à définir ce que nous étions ensemble et, parce que je ne me lassais jamais de toucher Grace et ne me lassais jamais d'avoir les mains quelque part sur son corps, je ne cessai pas, je répétai ce geste je ne sais combien de fois tandis que nous progressions dans West Broadway et nous dirigions lentement vers le pont de Brooklyn.

Nous restâmes plusieurs minutes sans parler. Lorsque le taxi tourna à gauche dans Chamber Street et entreprit l'approche du pont, toutes les rampes étaient encombrées et c'est à peine si nous pouvions avancer. Notre chauffeur, un certain Boris Stepanovitch, jurait sous cape en russe, déplorant assurément la folie de prétendre aller à Brooklyn un samedi soir. Je me penchai en avant pour lui parler par la fente permettant de passer de l'argent à travers la cloison de plexiglas griffée. Ne vous en faites pas, lui dis-je. Votre patience sera récompensée. Ah ? fit-il. Et quoi ça veut dire, ça ? Un gros pourboire, répondis-je. Du moment que vous nous ramenez en un morceau, vous aurez votre plus gros pourboire de la nuit.

Grace eut un petit rire en entendant le barbarisme – *quoi ça veut dire, ça ?* – et je l'interprétai comme un signe que son coup de blues passait. Je me recalai contre le dossier de la banquette afin de reprendre mes caresses et pendant que nous montions sur la chaussée du pont et nous traînions à raison d'un mile à l'heure, suspendus au-dessus du fleuve avec, derrière nous, les mille lumières des immeubles et, à notre droite, la statue de la Liberté, je me mis à lui parler – parler sans autre but que de parler – afin de capter son attention et de l'empêcher de m'échapper à nouveau.

"J'ai fait une découverte intéressante, ce soir, dis-je.

— Positive, j'espère.

— J'ai découvert que John et moi, nous avons la même passion.

— Ah ?

— Il se trouve que nous sommes tous les deux amoureux de la couleur bleue. En particulier, d'un modèle défunt de carnets bleus qui étaient fabriqués au Portugal.

— Eh bien, le bleu est une bonne couleur. Très calme, très sereine. Elle est agréable à avoir en tête. Elle me plaît tant que je dois faire un effort conscient pour ne pas l'utiliser sur toutes les couvertures que je conçois.

— Les couleurs expriment vraiment des émotions ?

— Bien sûr.

— Et des qualités morales ?

— Comment ça ?

— Jaune pour la lâcheté. Blanc pour la pureté. Noir pour le mal. Vert pour l'innocence.

— Vert comme l'envie.

— Oui, aussi. Et le bleu, c'est quoi ?

— Je ne sais pas. L'espoir, peut-être.

— Et la tristesse. Comme dans «j'ai le blues».

— N'oublie pas *true blue**.

— Oui, tu as raison. Bleu comme loyauté.

— Mais rouge comme passion. Là, tout le monde est d'accord.

— La Grosse Machine Rouge. Le drapeau rouge du socialisme.

— Le drapeau blanc de la reddition.

— Le drapeau noir de l'anarchisme. Le parti vert.

— Mais rouge pour l'amour et pour la haine. Rouge pour la guerre.

— On arbore ses couleurs pour aller au combat. C'est comme ça qu'on dit, hein ?

— Je pense.

— Est-ce que tu connais l'expression *guerre des couleurs* ?

— Ça ne me dit rien du tout.

— Ça vient de mon enfance. Tu passais tes étés à monter à cheval en Virginie mais moi, ma mère m'envoyait dans un camp de vacances au fin fond de l'Etat de New York. Le camp Pontiac, en l'honneur du chef indien. A la fin de l'été, on divisait tout le monde en deux équipes et pendant quatre ou cinq jours différents groupes des deux camps s'affrontaient.

— Ils s'affrontaient à quoi ?

— Base-ball, basket, tennis, natation, tir à la corde – il y avait même des courses à la cuiller et des concours de chant. Comme les couleurs du camp étaient le rouge et le blanc, on appelait une équipe les Rouges et l'autre les Blancs.

— Et c'était ça, la guerre des couleurs.

— Pour un fou de sport comme moi, c'était formidablement amusant. Certaines années, j'ai fait partie de l'équipe des Blancs et d'autres, de celle des Rouges. Et puis, au bout de quelque temps, une troisième équipe est née, une sorte de société secrète, une association d'âmes sœurs. Il y a des années que je n'y avais plus pensé, mais c'était très important pour moi à l'époque. L'équipe des Bleus.

— Une confrérie secrète. Ça m'a tout l'air de bêtises de gamins.

— C'est ce que c'était. Non… en réalité, non. Quand j'y pense, maintenant, je ne trouve pas ça bête du tout.

— Tu devais être différent, à l'époque. Tu ne veux jamais faire partie de rien.

— Je ne m'étais pas proposé, on m'a choisi. En tant que membre fondateur, à vrai dire. J'ai ressenti ça comme un grand honneur.

— Tu étais déjà Rouge et Blanc. Qu'est-ce que les Bleus avaient de si spécial ?

— Ça a commencé quand j'avais quatorze ans. Un nouveau moniteur est arrivé au camp, cette année-là, un type un peu plus âgé que les autres membres du personnel – qui étaient pour la plupart des étudiants de dix-neuf ou vingt ans. Bruce… Bruce quelque chose… Le nom va me revenir. Bruce avait passé sa licence et il avait déjà fait une année de droit à Columbia. Un petit gnome efflanqué, absolument pas sportif, qui travaillait dans un camp où le sport était roi. Mais intelligent et drôle, toujours en train de vous mettre au défi avec des questions difficiles. Adler. C'est ça. Bruce Adler. Généralement connu comme «le rabbin».

— Et c'est lui qui a inventé l'équipe des Bleus ?

— Plus ou moins. Pour être exact, il l'a recréée comme un exercice de nostalgie.

— Je ne te suis pas.

— Quelques années auparavant, il avait été moniteur dans un autre camp. Les couleurs de ce camp étaient le bleu et le gris. Quand la guerre des couleurs avait commencé, à la fin de l'été, Bruce s'était retrouvé dans l'équipe des Bleus et en regardant autour de lui pour voir qui faisait partie de son équipe, il s'était aperçu que c'était tous les gens qu'il aimait, tous ceux qu'il respectait le plus. L'équipe des Gris, c'était tout le contraire – rien que des gens désagréables et pleurnichards, la lie du camp. Dans l'esprit de Bruce, l'équipe des Bleus en est venue à représenter davantage qu'une série de courses de relais à la noix. Elle représentait un idéal humain, une association intime d'individus tolérants et sympathiques, le rêve d'une société parfaite.

— Ceci devient très étrange, Sid.

— Je sais. Mais Bruce ne prenait pas ça au sérieux. C'était ce qui faisait la beauté de l'équipe des Bleus. Tout ça, c'était une sorte de blague.

— Je ne savais pas que les rabbins avaient le droit de faire des blagues.

— Ils ne l'ont sans doute pas. Mais Bruce n'était pas rabbin. C'était juste un étudiant en droit avec un boulot pour l'été, qui cherchait à se distraire un peu. Quand il est arrivé pour travailler à notre camp, il a parlé de l'équipe des Bleus à un autre moniteur et ensemble ils ont décidé de former une nouvelle branche, de réinventer l'équipe comme une organisation secrète.

— Comment t'ont-ils choisi ?

— Au beau milieu de la nuit. Je dormais profondément dans mon lit, et Bruce et l'autre moniteur m'ont secoué pour m'éveiller. Ils m'ont dit : «Viens, on a quelque chose à te dire», et puis ils m'ont emmené dans les bois, ainsi que deux autres garçons, en nous guidant avec des lampes de poche. Ils avaient allumé un petit feu de camp et nous nous sommes donc assis autour, et ils nous ont expliqué ce que c'était que l'équipe des Bleus, pourquoi ils nous avaient choisis en tant que membres fondateurs et quelles étaient les qualifications qu'ils recherchaient – au cas où nous voudrions recommander d'autres candidats.

— Quelles étaient-elles ?

— Rien de bien spécifique, en réalité. Les membres de l'équipe des Bleus n'étaient pas conformes à un type unique, chacun était un individu distinct et indépendant. Mais on n'acceptait personne qui n'ait un bon sens de l'humour – quelle que soit la façon dont cet humour s'exprimait. Il y a des gens qui sont tout le temps en train de raconter des blagues ; d'autres à qui il suffit de hausser un sourcil au bon moment et, du coup, tout le monde dans la pièce se roule par terre. Un bon sens de l'humour, donc, un goût pour les ironies de l'existence et une capacité d'apprécier l'absurde. Mais aussi une certaine modestie, de la discrétion, de la gentillesse envers les autres, un cœur généreux. Pas de crâneurs ni de sots arrogants, ni menteurs ni voleurs. Un membre de l'équipe des Bleus devait être curieux de tout, grand lecteur, et conscient du fait qu'on ne peut pas plier l'univers à son gré. Un observateur attentif, un type capable de distinctions morales subtiles, un être épris de justice. Il te donnera sa chemise s'il te voit dans le besoin, mais il préférera de loin glisser un billet de dix dollars dans ta poche quand tu ne regardes pas. Est-ce que ça commence à se dessiner ? Je ne peux pas préciser, te dire : C'est ci ou ça. C'est tout à la fois, chaque élément distinct réagit à tous les autres.

— Ce que tu décris, c'est quelqu'un de bien. Purement et simplement. Mon père aurait dit *un honnête homme*. Betty Stolowitz emploie le mot *Mensch*. John dit *pas con*. Tout ça revient au même.

— Sans doute. Mais je préfère *équipe des Bleus*. Ça implique une relation entre les membres, un lien de solidarité. Si tu fais partie de l'équipe des Bleus, tu n'as pas besoin d'expliquer tes principes. Ils ressortent immédiatement de ta façon d'agir.

— Mais les gens n'agissent pas toujours de la même manière. On est bon un jour et mauvais le lendemain. On fait des erreurs. Des gens bien font des trucs moches, Sid.

— Bien sûr. Je ne veux pas parler de perfection.

— C'est ce que tu fais. Tu parles de gens qui ont décidé qu'ils valent mieux que les autres, qui se sentent moralement supérieurs au commun d'entre nous. Je parierais que tes amis et toi, vous aviez une façon secrète de vous serrer la main, non ? Pour vous distinguer de la racaille et des imbéciles, pas vrai ? Pour vous persuader que vous possédiez un savoir particulier que personne d'autre n'était assez intelligent pour partager.

— Bon Dieu, Grace. Ce n'était qu'un petit truc d'il y a vingt ans. Tu n'as pas besoin de le démolir pour l'analyser.

— Mais tu crois toujours à ces conneries. Je l'entends dans ta voix.

— Je ne crois à rien. Etre en vie, voilà à quoi je crois. Etre en vie et être avec toi. C'est tout ce qui compte pour moi, Grace. Il n'y a rien d'autre, nom de Dieu, pas une seule chose dans le monde entier."

C'était une triste fin pour notre conversation. Ma tentative pas très subtile de la distraire de son humeur sombre avait réussi pendant un moment et puis j'étais allé trop loin, j'avais évoqué par hasard un sujet malencontreux et elle s'était dressée contre moi avec cette dénonciation caustique. Ce n'était absolument pas dans son caractère de parler sur un ton aussi belliqueux. Grace prenait rarement à cœur des questions de ce genre, et lorsque nous avions eu des discussions similaires dans le passé (ces dialogues flottants, sinueux, sans sujet défini, qui dansent simplement au hasard, d'une association à une autre), elle avait tendance à se montrer amusée par les idées que je lui lançais, sans les prendre au sérieux ni leur opposer d'argument, contente en général de jouer le jeu et de me laisser exprimer mes opinions absurdes. Mais pas ce soir-là, pas le soir du jour en question, et parce qu'elle avait soudain recommencé à lutter contre ses larmes, submergée par le même désarroi qui l'avait envahie au début de la course, je compris qu'elle était vraiment malheureuse, incapable de s'arrêter de broyer du noir à propos de la chose sans nom qui la tourmentait. Il y avait des quantités de questions que j'avais envie de lui poser, mais de nouveau je m'en abstins, sachant qu'elle ne se confierait à moi que quand elle se sentirait prête à parler – à supposer que cela arrive.

Nous avions franchi le pont, à ce moment-là, et nous roulions dans Henry Street, une rue étroite flanquée de maisons de briques rouges, qui allait des Brooklyn Heights jusque chez nous, à Cobble Hill, juste au-dessous d'Atlantic Avenue. Ce n'était pas personnel, je le comprenais. Le petit éclat de Grace était moins dirigé contre moi que provoqué par quelque chose que j'avais dit – étincelle provenant d'une collision accidentelle entre mes propos et ses préoccupations. *Des gens bien font des trucs moches.* Grace avait-elle fait quelque chose de mal ? C'était impossible à savoir, mais quelqu'un se sentait coupable de quelque chose, pensai-je, et même si c'étaient mes paroles qui avaient déclenché la réaction défensive de Grace, j'étais à peu près certain qu'elle n'avait rien à voir avec moi. Comme pour me donner raison, quelques instants après que nous eûmes traversé Atlantic Avenue et entamé la dernière étape du trajet, Grace tendit la main, me saisit la nuque et, m'attirant vers elle, appuya sa bouche contre la mienne en y glissant lentement la langue en un long baiser provocant – *osculation totale*, avait dit Trause. "Fais-moi l'amour ce soir, chuchota-t-elle. Dès que nous aurons passé la porte, arrache mes vêtements et fais-moi l'amour. Brise-moi en deux, Sid."

Nous avons dormi tard, le lendemain matin, et ne nous sommes levés que vers onze heures et demie, midi. Une cousine de Grace se trouvait en ville pour la journée et elles s'étaient donné rendez-vous au Guggenheim à deux heures, avec l'intention d'aller aussi passer quelques heures au Met dans la collection permanente. Regarder des tableaux était l'activité préférée de Grace pendant les week-ends, et lorsqu'elle partit de chez nous à une heure, elle paraissait d'humeur raisonnablement sereine[6]. Je lui

---

6. Elle trouvait dans l'art une grande partie de son inspiration pour son travail graphique et, avant que je ne tombe malade au début de l'année, nous avions souvent passé nos samedis

proposai de l'accompagner jusqu'à la station de métro, mais elle était déjà un peu en retard et comme la station est à bonne distance de la maison (tout en haut de Montague Street), elle n'avait pas envie que je m'impose un effort excessif en marchant trop rapidement sur une telle distance. Je descendis l'escalier et sortis dans la rue avec elle, mais au premier carrefour, après nous être dit au revoir, nous partîmes chacun dans une direction différente. Grace se hâtait par Court Street vers les Heights, et je descendis en flânant jusqu'au Landolfi Candy Store, où

---

après-midi à nous balader ensemble dans des galeries et des musées. En un sens, c'était l'art qui avait rendu notre mariage possible et sans l'intervention de l'art, je ne crois pas que j'aurais trouvé le courage de lui faire la cour. Il était heureux que nous nous soyons rencontrés dans le cadre neutre de Holst & McDermott, officiellement un lieu de travail. Si nous nous étions trouvés ensemble en toutes autres circonstances – à un dîner, par exemple, ou dans un bus ou un avion –, je n'aurais pas pu reprendre contact avec elle sans manifester mes intentions, et je sentais d'instinct qu'il fallait approcher Grace avec prudence. Si je dévoilais mon jeu trop tôt, j'étais à peu près sûr de perdre à jamais toutes mes chances.

Heureusement, j'avais une bonne excuse. Elle avait été chargée de concevoir la couverture de mon livre et, sous prétexte d'une nouvelle idée à discuter avec elle, je l'ai appelée à son bureau deux jours après notre première rencontre pour lui demander si je pouvais venir la voir. "Comme vous voudrez, n'importe quand", m'a-t-elle répondu. Ce n'importe quand n'a pas été facile à organiser. J'avais un travail régulier, à cette époque (j'enseignais l'histoire à la John Jay High School, à Brooklyn), et je ne pouvais pas arriver à son bureau avant quatre heures. Il se trouvait que l'agenda de Grace était encombré tout au long de la semaine de rendez-vous en fin d'après-midi. Quand elle m'a suggéré qu'on se voie le lundi ou le mardi suivants, je lui ai répondu que je ne serais pas en ville car je devais faire une conférence (ce qui était vrai, mais j'aurais sans doute dit la même chose si ça ne l'avait pas été), et Grace s'est donc laissé convaincre et

j'achetai un paquet de cigarettes. Ma promenade de santé n'alla pas plus loin ce jour-là. J'étais impatient de retourner au carnet bleu et donc, au lieu d'accomplir ma balade habituelle dans le quartier, je fis demi-tour et rentrai chez nous. Dix minutes plus tard, j'étais à l'appartement, assis à ma table dans la pièce au bout du couloir. J'ouvris le carnet à la page où je l'avais quitté samedi et me mis au travail. Je ne me donnai pas la peine de relire ce que j'avais fait jusque-là. Je me contentai de prendre mon stylo et de recommencer à écrire.

---

m'a offert de me consacrer un peu de temps après le bureau, le vendredi. "Je dois être quelque part à huit heures, m'a-t-elle dit, mais si nous nous retrouvons à cinq heures et demie, nous devrions disposer d'une bonne heure sans problème."

J'avais volé le titre de mon livre à un dessin de Willem De Kooning datant de 1938. *Autoportrait avec frère imaginaire* est une petite œuvre délicate représentant deux garçons debout côte à côte, l'un des deux âgé d'un an ou deux de plus que l'autre, l'un en pantalon long, l'autre genoux nus. J'admirais beaucoup ce dessin, mais c'est le titre qui m'intéressait et je l'avais adopté non parce que je souhaitais évoquer De Kooning mais à cause des mots en eux-mêmes, que je trouvais très évocateurs et qui me paraissaient correspondre au roman que j'avais écrit. Dans le bureau de Betty Stolowitz, au début de la semaine, j'avais suggéré qu'on mette ce dessin sur la couverture. J'avais à présent l'intention de dire à Grace que cette idée me paraissait mauvaise – que les traits de crayon étaient trop légers et ne seraient pas assez visibles, que l'effet serait étouffé. Mais je ne m'en souciais pas vraiment. Si j'avais plaidé contre le dessin dans le bureau de Betty, j'aurais plaidé pour maintenant. Tout ce que je voulais, c'était une occasion de revoir Grace – et l'art était mon sésame, le seul sujet qui ne compromettrait pas mes chances.

Le fait qu'elle eût accepté de me voir après ses heures de bureau me donnait de l'espoir mais, en même temps, l'idée qu'elle sortait à huit heures détruisait cet espoir. Il n'était guère douteux qu'elle avait rendez-vous avec un homme (les jolies femmes sortent toujours avec un homme le vendredi

Bowen est dans l'avion, il vole dans la nuit vers Kansas City. Après le tourbillon de chutes de gargouilles et de courses folles vers l'aéroport, une sensation de calme s'installe, un vide serein au-dedans de lui. Bowen ne s'interroge pas sur ce qu'il est en train de faire. Il n'a pas de regrets, ne reconsidère pas sa décision de quitter la ville et d'abandonner son boulot, n'éprouve pas le plus petit pincement de remords d'avoir plaqué Eva. Il sait combien ce sera dur pour elle, mais il réussit à se persuader qu'elle finira par y gagner, qu'une fois remise du choc

---

soir), mais il était impossible de savoir quelle était la profondeur de leur relation. C'était peut-être un premier rendez-vous, et ce pouvait être un dîner tranquille avec son fiancé ou son compagnon. Je savais qu'elle n'était pas mariée (Betty Stolowitz me l'avait laissé entendre après que Grace était sortie de son bureau à la fin de notre première rencontre) mais la gamme des autres possibilités était sans limites. Quand je lui avais demandé si Grace avait quelqu'un dans sa vie, Betty m'avait répondu qu'elle ne savait pas. Grace ne parlait pas de sa vie privée et personne dans la maison n'avait la moindre idée de ce qu'elle faisait en dehors du bureau. Deux ou trois des éditeurs avaient essayé de l'inviter depuis qu'elle avait commencé à travailler là, mais elle avait tout refusé.

J'ai appris rapidement que Grace n'était pas portée aux confidences. Durant les dix mois écoulés entre notre rencontre et notre mariage, pas une fois elle n'a divulgué un secret ni fait allusion à des liaisons antérieures avec d'autres hommes. Je ne lui ai d'ailleurs jamais demandé de me raconter quelque chose dont elle semblait n'avoir pas envie de parler. Tel était le pouvoir du silence de Grace. Si on voulait l'aimer de la façon dont elle exigeait d'être aimée, il fallait accepter la ligne qu'elle avait tracée entre elle et les mots.

(Un jour, dans une de nos premières conversations à propos de son enfance, elle a évoqué une poupée que ses parents lui avaient donnée pour ses sept ans. Elle l'avait appelée Pearl, l'avait emmenée partout avec elle pendant quatre ou cinq ans et la considérait comme sa meilleure amie. Ce que Pearl avait de remarquable, c'était qu'elle parlait et comprenait tout ce qu'on lui disait. Mais jamais Pearl ne disait un mot en présence de Grace. Non parce qu'elle ne

de sa disparition, elle aura la possibilité de commencer une nouvelle vie, plus satisfaisante. Pas vraiment une attitude admirable ou sympathique, mais Bowen est la proie d'une idée, et cette idée est si vaste, elle dépasse de si loin ses nécessités et obligations personnelles qu'il lui semble n'avoir pas le choix : il lui faut y obéir, quitte à se conduire de manière irresponsable, quitte à faire des choses que la veille encore il aurait trouvées moralement répugnantes. "Les hommes meurent par hasard – ainsi l'exprimait Hammett – et ne vivent qu'aussi longtemps

---

pouvait pas parler, mais parce qu'elle préférait ne pas le faire.)

Elle avait quelqu'un dans sa vie à l'époque de notre rencontre – j'en ai la certitude – mais je n'ai jamais su ni son nom ni à quel point les sentiments qu'elle éprouvait pour lui étaient sérieux. Très sérieux, j'imagine, car les six premiers mois ont été tempétueux en ce qui me concerne, et ils ont mal fini, par l'annonce que m'a faite Grace qu'elle voulait rompre et que je ne devais plus lui faire signe. Pourtant, à travers tous les déboires que j'ai essuyés pendant ces quelques mois, toutes les victoires éphémères et les minuscules bouffées d'optimisme, les rebuffades et les capitulations, les soirs où elle était trop occupée pour me voir et les nuits où elle m'autorisait à partager son lit, à travers tous les hauts et les bas de cette cour désespérée et vouée à l'échec, Grace a toujours été pour moi un être enchanté, un point de contact lumineux entre le désir et le monde, l'amour implacable. Tenant parole, je ne lui ai plus fait signe, mais six ou sept semaines plus tard elle a soudain réapparu et m'a déclaré qu'elle avait changé d'avis. Bien qu'elle ne m'ait donné aucune explication, j'ai cru comprendre que l'homme qui avait été mon rival était désormais écarté. Non seulement elle voulait recommencer à me voir, disait-elle, mais elle souhaitait aussi qu'on se marie. *Mariage* était bien le mot que je n'avais jamais prononcé devant elle. Je l'avais eu en tête dès le premier instant où je l'avais vue, mais je n'avais jamais osé le dire, de peur de l'effrayer. Maintenant, Grace m'offrait le mariage. Je m'étais résigné à vivre le restant de mes jours avec un cœur en pièces, et à présent elle me disait que je pouvais vivre avec elle – en un morceau, toute ma vie en un morceau avec elle.

qu'un sort aveugle les épargne... En mettant dans ses affaires un ordre logique, Flitcraft avait perdu, et non trouvé, la cadence de la vie. Avant de s'être éloigné de vingt pas de la poutre tombée, il savait qu'il ne connaîtrait plus jamais la paix tant qu'il ne se serait pas ajusté à ce nouvel aperçu de l'existence. Le temps de déjeuner, il avait trouvé le moyen de cet ajustement. La chute d'une poutre pouvait inopinément mettre fin à sa vie : il changerait sa vie inopinément, juste en s'en allant."

Je n'éprouvais pas le besoin d'approuver les agissements de Bowen pour écrire à leur propos. Bowen était Flitcraft, et Flitcraft s'était conduit de la même façon envers sa femme dans le roman de Hammett. Telles étaient les données de l'histoire et je n'allais pas me défiler devant le marché conclu avec moi-même de coller aux données de l'histoire. En même temps, je comprenais qu'il y avait plus en jeu que le seul Bowen et ce qui lui arrive après qu'il est monté dans l'avion. Eva aussi devait être prise en considération et si absorbé que je fusse dans la suite des aventures de Nick à Kansas City, je ne rendrais pas justice à cette histoire si je ne retournais pas à New York pour explorer ce qui lui arrivait, à elle. Son sort m'était aussi important que celui de son mari. Bowen est en quête d'indifférence, d'une affirmation tranquilles des choses-telles-qu'elles-sont, tandis qu'Eva est en guerre avec ces choses, victime des circonstances, et dès lors que Nick ne revient pas de sa course au coin de la rue, elle devient le champ clos d'une tempête d'émotions : panique et crainte, tristesse et colère, désespoir. Je me réjouissais à la perspective de pénétrer cette douleur, sachant que je pourrais vivre ces passions avec elle et les décrire dans les jours prochains.

Une demi-heure après avoir décollé de La Guardia, Nick ouvre sa serviette, en sort le manuscrit de Sylvia Maxwell et se met à lire. C'était là le troisième élément du récit qui prenait forme dans ma tête et je décidai qu'il fallait l'introduire le plus tôt possible – avant même que l'avion n'atterrît à Kansas City. D'abord, l'histoire de Nick ; ensuite, celle d'Eva ; et, enfin, le livre que Nick lit et continue à lire pendant que leurs deux histoires se développent : le récit dans le récit. Nick est un littéraire, après tout, et par conséquent sensible au pouvoir des mots. Peu à peu, du fait de l'attention qu'il porte à ceux de Sylvia Maxwell, il aperçoit un lien entre lui et le sujet du roman, comme si, d'une façon oblique et extrêmement métaphorique, le livre lui parlait, à lui, sur un ton d'intimité, de sa propre situation actuelle.

A ce moment-là, je n'avais qu'une idée très vague de ce que je voulais que soit *La Nuit de l'oracle*, rien de plus que la première ébauche hésitante d'une silhouette. En ce qui concernait l'action, il me fallait encore tout combiner, mais je savais que ce devait être un bref roman philosophique sur la prédiction de l'avenir, une fable sur le temps. Le protagoniste est Lemuel Flagg, un lieutenant anglais aveuglé par l'explosion d'un mortier dans les tranchées de la Première Guerre mondiale. Saignant de ses blessures, désorienté et hurlant de douleur, il s'éloigne du champ de bataille et perd contact avec son régiment. Il fonce en titubant, en trébuchant, ignorant où il se trouve, il pénètre dans la forêt des Ardennes et s'effondre sur le sol. Un peu plus tard, le même jour, son corps inconscient est découvert par deux enfants français, François et Geneviève. Ce sont des orphelins de guerre qui vivent à eux deux dans une cabane abandonnée au milieu des bois – purs personnages de conte de fées dans un pur décor de conte de fées. Ils portent Flagg chez eux, le soignent et le remettent sur pied, et lorsque la guerre s'achève, quelques mois plus tard, il les emmène avec lui en Angleterre. C'est Geneviève qui raconte l'histoire : en 1972, elle se remémore l'étrange carrière et finalement le suicide de son père adoptif. La cécité a donné à Flagg le don de prophétie. Pris de crises soudaines, des sortes de transes, il tombe à terre et se met à gesticuler comme un épileptique. Cela dure de huit à dix minutes et pendant tout ce temps son esprit est envahi par des images de l'avenir. Les crises lui tombent dessus sans avertissement et il n'est pas en son pouvoir de les arrêter ni de les contrôler. Ce don est à la fois une malédiction et une bénédiction. Il devient riche et influent mais, en même temps, ces attaques entraînent des souffrances physiques intenses – sans parler des souffrances mentales, car beaucoup des visions de Flagg lui donnent connaissance de choses qu'il préférerait ignorer. Le jour de la mort de sa mère, par exemple, ou le site d'une catastrophe ferroviaire en Inde où deux cents personnes vont perdre la vie. Il s'efforce de mener une existence discrète avec ses enfants, mais l'étonnante exactitude de ses prédictions (qui vont de la météo aux résultats des élections parlementaires en passant par les scores des matchs probatoires de cricket) fait de lui l'un des hommes les plus célèbres de l'Angleterre d'après-guerre. Et puis, alors qu'il est au sommet de sa renommée, les choses tournent mal pour lui en amour et son talent finit par le détruire. Il tombe amoureux d'une certaine Bettina Knott et pendant deux ans elle lui rend son amour, au point d'accepter sa demande en mariage. Pendant la nuit précédant le mariage, toutefois, Flagg a une autre de ses crises, pendant laquelle il est visité par la certitude que Bettina le trompera avant un an. Ses prédictions n'ont jamais manqué de s'accomplir et il sait donc que son mariage est voué à l'échec. Ce qui est tragique, c'est que Bettina est innocente, absolument pas coupable, puisqu'elle n'a même pas rencontré l'homme avec lequel elle trompera son mari. Incapable d'affronter l'angoisse que le destin lui a préparée, Flagg se poignarde en plein cœur et meurt.

L'avion atterrit. Bowen glisse dans sa serviette le manuscrit à moitié lu, sort du terminal et trouve un taxi. Il ne sait rien de Kansas City. Il n'y a jamais mis les pieds, il n'a jamais rencontré personne qui habite à moins de cent miles de la ville et il serait bien en peine de la situer sur une carte. Il demande au chauffeur de le conduire au meilleur hôtel de l'endroit et le chauffeur, un Noir corpulent qui porte le nom improbable d'Ed Victory, éclate de rire. J'espère que vous êtes pas superstitieux, dit-il.

Superstitieux ? répète Nick. Quel est le rapport ?

Vous voulez le meilleur hôtel. Ça serait le Hyatt Regency. Je ne sais pas si vous lisez les journaux, mais il y a eu une grande catastrophe au Hyatt l'an dernier. Les passerelles suspendues se sont détachées du plafond. Elles se sont écrasés dans le grand hall et ça a fait plus d'une centaine de morts.

Oui, je m'en souviens. Il y avait une photo en première page du *Times*.

C'est de nouveau ouvert, maintenant, mais y a des gens qui ont la chair de poule à l'idée d'y loger. Si vous avez pas la chair de poule, et si vous êtes pas superstitieux, c'est l'hôtel que je vous recommande.

D'accord, dit Nick. Va pour le Hyatt. J'ai déjà été frappé par la foudre aujourd'hui. Si elle veut me frapper une deuxième fois, elle saura où me trouver[7].

---

7. Le choix de Kansas City comme point de chute pour Bowen était arbitraire – c'est le premier endroit qui m'est venu à l'esprit. Sans doute parce que c'est une ville tellement éloignée de New York, coincée en plein centre des terres : Oz dans toute sa glorieuse étrangeté. C'est après avoir embarqué Nick à destination de Kansas City que je me suis rappelé la catastrophe du Hyatt Regency, un événement authentique qui s'était passé quatorze mois auparavant (en juillet 1981). Près de deux mille personnes se trouvaient alors rassemblées dans le grand hall – un immense atrium à ciel ouvert de quelque seize cents mètres carrés. Tout le monde regardait en l'air pour suivre un concours de danse qui se tenait sur l'une des passerelles supérieures (également appelées "passerelles flottantes" ou bien *skyways*) quand les grosses poutrelles métalliques supportant la structure se sont descellées et écroulées, s'écrasant dans le hall quatre étages plus bas. Vingt et un ans après, c'est encore considéré comme l'une des pires catastrophes hôtelières dans l'histoire américaine.

Ed rit de la réponse de Nick et les deux hommes continuent à bavarder tout en roulant vers le centre-ville. Il s'avère qu'Ed est sur le point de prendre sa retraite. Il y a trente-quatre ans qu'il est chauffeur de taxi, et ce soir est son dernier soir. C'est sa dernière course, son dernier retour de l'aéroport et Bowen est son dernier client – l'ultime passager qui voyagera jamais dans son taxi. Nick demande s'il a des projets pour s'occuper désormais et Edward M. Victory (car c'est là son nom complet) enfonce la main dans la poche de sa chemise, en sort une carte de visite et la passe à Nick. BUREAU DE PRÉSERVATION HISTORIQUE, lit-on sur la carte – avec le nom, l'adresse et le numéro de téléphone d'Ed imprimés dans le bas. Nick est sur le point de lui demander ce que signifient ces mots mais avant qu'il ait pu formuler sa question, le taxi s'arrête devant l'hôtel et Ed tend la main pour recevoir le prix de la dernière course qui lui sera jamais payée. Bowen y ajoute vingt dollars de pourboire, souhaite bonne chance au chauffeur désormais retraité et pénètre par la porte à tambour dans le hall de cet hôtel tragique.

Parce qu'il n'a pas beaucoup d'argent sur lui et devra payer avec une carte de crédit, Nick s'inscrit sous son vrai nom. Le hall reconstruit semble dater de quelques jours seulement et Nick ne peut s'empêcher de se dire que lui et l'hôtel sont dans la même situation : tous deux tentent d'oublier leur passé, tous deux tentent de commencer une nouvelle vie. Le palace étincelant avec ses ascenseurs transparents, ses lustres gigantesques et ses murs à l'aspect de métal poli, et lui avec les vêtements qu'il a sur le dos, deux cartes de crédit dans son portefeuille et un roman à moitié lu dans sa sacoche de cuir. Il s'offre le luxe d'une suite, prend l'ascenseur jusqu'au dixième étage et n'en redescendra plus avant trente-six heures. Nu sous le peignoir mis à sa disposition par l'hôtel, il mange des repas commandés au service d'étage, regarde par la fenêtre, s'étudie dans le miroir de la salle de bains et lit le livre de Sylvia Maxwell. Il le termine ce premier soir avant de se coucher et puis passe la totalité du lendemain à le relire, et puis à le relire encore, et puis à le lire une quatrième fois, en s'enfonçant dans ces deux cent dix-neuf pages comme si sa vie même en dépendait. L'histoire de Lemuel Flagg le touche profondément mais Bowen ne lit pas *La Nuit de l'oracle* parce qu'il cherche à être ému ou distrait, et il ne se plonge pas dans le roman afin de remettre à plus tard la décision à prendre quant à ce qu'il va faire. Il sait ce qu'il a à faire, et le livre est le seul moyen à sa portée pour y arriver. Il doit s'entraîner à ne pas penser au passé. Voilà la clé de toute la folle aventure qui a débuté pour lui quand la gargouille s'est écrasée sur le trottoir. S'il a perdu son ancienne vie, il doit se comporter comme s'il venait de naître, comme si le passé ne pesait pas sur lui plus que sur un nouveau-né. Il a des souvenirs, bien sûr, mais ces souvenirs ne sont plus significatifs, ils ne font plus partie de la vie qui vient de commencer pour lui et, chaque fois que ses pensées s'égarent en direction de son ancienne vie à New York – qui est effacée, qui n'est plus désormais qu'une illusion –, il fait tout son possible pour détourner son esprit du passé et se concentrer sur le présent. C'est pour cela qu'il lit le livre. C'est pour cela qu'il le lit et le relit sans cesse. Il faut qu'il échappe à la séduction des prétendus souvenirs d'une existence qui n'est plus la sienne et, parce que la lecture du manuscrit nécessite une reddition totale, une attention sans faille du corps comme de l'esprit, il lui est possible, lorsqu'il se perd dans les pages du roman, d'oublier qui il était.

Le troisième jour, Nick finit par s'aventurer au-dehors. Il marche dans la rue, entre dans un magasin de vêtements pour hommes et passe une heure à flâner entre les rayons, les étagères et les casiers. Petit à petit, il se compose une garde-robe neuve, complète des pantalons et chemises aux sous-vêtements et chaussettes. Mais lorsque, pour payer ses achats, il donne à l'employé sa carte American

Express, la machine la rejette. Le compte a été annulé, lui explique l'employé. Bien que décontenancé par ce rebondissement inattendu, Nick fait comme si de rien n'était. Pas d'importance, dit-il. Je vais payer avec ma carte Visa. Quand l'employé passe celle-ci dans la machine, il s'avère qu'elle non plus n'est plus valide. L'instant est embarrassant pour Nick. Il aimerait en plaisanter, mais aucune remarque amusante ne lui vient à l'esprit. Il présente ses excuses à l'employé pour le dérangement, se détourne et sort du magasin.

L'embrouille s'explique sans difficulté. Bowen y a vu clair avant même d'être rentré à l'hôtel, et dès lors qu'il comprend pourquoi Eva a fait annuler ses cartes, il admet bon gré, mal gré qu'il aurait fait la même chose à sa place. Un mari s'en va mettre une lettre à la poste et ne revient pas. Que doit en penser sa femme ? La désertion est une possibilité, bien entendu, mais cette idée ne viendrait que plus tard. La première réaction serait l'inquiétude, et alors la femme ferait défiler un catalogue d'accidents et de dangers potentiels. Renversé par un camion, poignardé dans le dos, dévalisé l'arme au poing et puis assommé. Et si son mari avait été victime d'un vol, alors le voleur lui aurait pris son portefeuille et se serait emparé de ses cartes de crédit. Faute de preuve à l'appui de l'une ou l'autre hypothèse (aucun crime signalé, pas de cadavre découvert dans la rue), l'annulation des cartes de crédit aurait semblé la moindre des précautions.

Nick n'a que soixante-huit dollars en poche. Il n'a pas de chéquier sur lui, et quand, avant d'arriver au Hyatt, il s'arrête à un distributeur automatique, il apprend que sa carte de la Citibank a également été annulée. Sa situation est devenue d'un coup désespérée. Tous ses accès à l'argent sont bloqués, et quand l'hôtel s'apercevra que la carte American Express avec laquelle il s'est inscrit lundi soir n'est pas valide, il sera dans le pire des pétrins, peut-être même en butte à des poursuites judiciaires. Il envisage de téléphoner à Eva et de rentrer chez lui, mais ne peut s'y résoudre. Il n'est pas venu de si loin pour faire volte-face et rappliquer à la première difficulté et la vérité, c'est qu'il n'a pas envie de retourner à la maison, il n'a pas envie de rentrer. Au lieu de cela, il prend l'ascenseur jusqu'au dixième étage, entre dans sa suite et compose le numéro de Rosa Leightman. Il agit sur une simple impulsion, sans avoir la moindre idée de ce qu'il voudrait lui dire. Heureusement, Rosa est sortie, et Nick laisse donc un message sur son répondeur – un monologue décousu qui n'a guère de sens, même pour lui.

Je suis à Kansas City, dit-il. Je ne sais pas pourquoi j'y suis, mais j'y suis, maintenant et peut-être pour longtemps, et j'ai besoin de vous parler. Je préférerais pouvoir vous parler de vive voix, mais c'est sans doute trop vous demander que de prendre l'avion pour venir ici dans d'aussi brefs délais. Même si vous ne pouvez pas venir, rappelez-moi, je vous en prie. Je suis au Hyatt Regency, chambre 1046. J'ai lu plusieurs fois le livre de votre grand-mère, et je crois que c'est ce qu'elle a écrit de mieux. Merci de me l'avoir confié. Et merci d'être venue dans mon bureau lundi. Ne soyez pas fâchée si je vous dis ça, mais je n'ai pas arrêté de penser à vous. Vous m'avez fait l'effet d'un coup de massue et quand vous vous êtes levée pour quitter la pièce, mon cerveau était réduit en miettes. Est-il possible de tomber amoureux de quelqu'un en dix minutes ? Je ne sais rien de vous. Je ne sais même pas si vous êtes mariée ou vivez avec quelqu'un, si vous êtes libre ou non. Mais ce serait merveilleux de pouvoir vous parler, merveilleux de pouvoir vous revoir. C'est beau, ici, soit dit en passant. Tout est étrange et plat. Je suis debout devant la fenêtre et je regarde la ville. Des centaines d'immeubles, des centaines de rues, mais tout est silencieux. La vitre ne laisse pas passer le bruit. La vie est de l'autre côté de la fenêtre mais ici, à l'intérieur, tout paraît mort, irréel. Mon problème, c'est que je ne peux plus rester très longtemps dans cet hôtel. Je connais un homme qui habite à l'autre bout de la ville. C'est la seule personne que j'aie rencontrée jusqu'ici, et je vais partir à sa recherche dans quelques minutes. Il s'appelle Ed Victory. J'ai sa carte dans ma poche et je vais vous donner son numéro de téléphone, au cas où je quitterais l'hôtel avant que vous n'appeliez. Il saura peut-être où me trouver. 816-765-4321. Je répète : 816-765-4321. Etrange ! Je viens de remarquer que les chiffres se suivent en ordre décroissant, un à la fois. Je n'ai encore jamais vu un numéro de téléphone qui faisait ça. Croyez-vous que cela ait un sens ? Non, sans doute. Sauf si ça en a un, bien sûr. Je vous le dirai si je le découvre. Sans nouvelles de vous, je rappellerai dans deux jours. *Adiós.*

Une semaine va se passer avant qu'elle n'écoute ce message. Si Nick avait téléphoné vingt minutes plus tôt, elle aurait décroché, mais Rosa vient de sortir de chez elle et ne sait donc rien de cet appel. Pendant que Nick enregistre ses paroles dans la machine, elle est assise dans un taxi jaune, trois carrefours avant l'entrée du Holland Tunnel, en route pour l'aéroport de Newark d'où un vol de l'après-midi l'emmènera à Chicago. On est mercredi. Sa sœur se marie samedi et, parce que la cérémonie aura lieu dans la maison de ses parents et parce qu'elle sera demoiselle d'honneur, Rosa y va à l'avance afin d'aider aux préparatifs. Il y a un certain temps qu'elle n'a plus vu ses parents et elle profitera donc de l'occasion pour passer quelques jours de plus avec eux après le mariage. Elle compte rentrer à New York le mardi matin. Un homme vient de lui faire une déclaration d'amour sur son répondeur, et toute une semaine va s'écouler sans qu'elle en sache rien.

Dans un autre quartier de New York, le même mercredi après-midi, Eva, la femme de Nick, s'est aussi mise à penser à Rosa Leightman. Nick a disparu depuis environ quarante heures. Pas un mot de la police concernant des accidents ou des crimes où serait impliqué un homme dont la description correspondrait à celle de son mari, pas un billet ni un coup de téléphone de kidnappeurs éventuels, et Eva commence à envisager la possibilité que Nick se soit fait la belle, qu'il l'ait quittée de son propre gré. Jusqu'ici, elle ne l'a jamais soupçonné d'avoir une aventure, mais quand elle repense à ce qu'il a dit de Rosa dans le restaurant, lundi soir, et quand elle se rappelle à quel point il paraissait épris d'elle – allant jusqu'à confesser à haute voix cette attirance –, elle en vient à se demander s'il n'est pas lancé dans une escapade amoureuse, blotti entre les bras de la blonde maigriotte aux cheveux hirsutes.

Elle trouve le numéro de Rosa dans l'annuaire des téléphones et appelle chez elle. Il n'y a pas de réponse, bien entendu, puisque Rosa est déjà dans l'avion. Eva laisse un bref message et raccroche. Devant l'absence de réaction, elle appelle de nouveau le soir et laisse un deuxième message. Ce schéma se répète pendant plusieurs jours – un appel le matin et un appel le soir – et plus le silence de Rosa se prolonge, plus Eva devient enragée. Finalement, elle se rend à l'immeuble où habite Rosa à Chelsea, elle monte trois volées d'escalier et frappe à la porte de son appartement. Rien ne se passe. Elle frappe encore, envoie des coups de pied dans la porte et la secoue sur ses gonds, et il n'y a toujours pas de réponse. Eva interprète cela comme une preuve définitive de ce que Rosa se trouve avec Nick – une déduction irrationnelle, mais à présent Eva, échappant à toute logique, s'est lancée éperdument dans l'élaboration d'une histoire expliquant l'absence de son mari et inspirée par ses angoisses les plus sombres, ses pires inquiétudes concernant son mariage et elle-même. Elle griffonne quelques mots sur un bout de papier qu'elle glisse sous la porte de Rosa. *Il faut que je vous parle de Nick*, a-t-elle écrit. *Appelez-moi tout de suite. Eva Bowen.*

A ce moment-là, il y a belle lurette que Nick a quitté l'hôtel. Il a trouvé Ed Victory, qui habite une petite chambre au dernier étage d'une pension de famille dans l'une des banlieues les plus sordides

de la ville, un quartier d'entrepôts abandonnés et déglin-
gués et d'immeubles incendiés. Les rares passants
dans les rues sont des Noirs, mais il s'agit ici d'une
zone d'horreur et de dévastation qui n'a rien de commun avec les enclaves de pauvreté noire que Nick
a vues dans d'autres villes américaines. C'est moins
dans un ghetto urbain qu'il vient de pénétrer que dans
une scorie de l'enfer, un no man's land jonché
de bouteilles vides, de seringues hors d'usage et de
carcasses rouillées de voitures désossées. La pension de famille est la seule construction intacte du
pâté de maisons, sûrement le dernier vestige de ce
que ce quartier a été quatre-vingts ou cent ans plus
tôt. Dans n'importe quelle autre rue, elle aurait passé
pour un immeuble condamné mais dans ce contexte,
malgré sa peinture jaune écaillée, son seuil et son
toit affaissés et les neuf fenêtres de sa façade aveu-
glées par des panneaux de contreplaqué, cette maison
à deux étages a un air presque accueillant. Nick
frappe à la porte, mais personne ne vient. Il frappe de
nouveau et, quelques instants plus tard, il a devant lui
une vieille femme vêtue d'une robe de chambre verte
en pilou et coiffée d'une mauvaise perruque rousse
– déconcertée, méfiante, elle lui demande ce qu'il
veut. Ed, répond Bowen, Ed Victory. Je lui ai parlé au
téléphone il y a une heure environ. Il m'attend.
Pendant un temps très long, la vieille ne dit rien. Elle
dévisage Nick de la tête aux pieds, l'étudiant de ses
yeux morts comme s'il était une sorte de créature
inclassable, observant la serviette de cuir qu'il tient à
la main et puis de nouveau son visage, essayant de se
figurer ce qu'un Blanc peut bien venir faire dans sa
maison. Nick prend dans sa poche la carte de visite
d'Ed et la lui montre, espérant la persuader qu'il est là
dans une intention légitime, mais la femme est à
moitié aveugle et quand elle se penche en avant pour
regarder la carte, Nick comprend qu'elle n'arrive pas à
déchiffrer les mots. Il a pas des ennuis, au moins ?
demande-t-elle. Aucun ennui, assure Nick. Pas que je
sache, en tout cas. Et vous êtes pas un flic ? fait-elle. Je

suis ici parce que j'ai besoin de conseils, dit Nick, et
Ed est la seule personne qui puisse m'en donner. Une
autre longue pause suit, et enfin la vieille montre
l'escalier du doigt. 3 G, dit-elle, la porte de gauche.
Faudra frapper fort quand vous serez là. Ed dort à
cette heure-ci, d'habitude, et il entend pas trop bien.

La femme sait ce qu'elle dit car, lorsque Nick a
monté l'escalier obscur et repéré la porte d'Ed Victory
au bout du couloir, il lui faut frapper dix ou douze
fois avant que l'ex-chauffeur de taxi ne lui dise d'entrer. Massif et rond, avec ses bretelles qui lui pendent
sur les bras et le haut de son pantalon déboutonné,
le seul individu que Nick connaisse à Kansas City
est assis sur son lit et pointe un revolver droit sur le
cœur de son visiteur. C'est la première fois que quelqu'un pointe un revolver sur Nick mais, avant qu'il
ait pris suffisamment peur pour reculer et sortir de
la chambre, Victory abaisse son arme et la dépose
sur la table de chevet.

C'est vous, dit-il. Le New-Yorkais foudroyé.

Prêt en cas de violence ? demande Nick, qui ressent à retardement la terreur d'une possible balle
dans la poitrine, même si le danger est passé.

Nous vivons un temps de violence, déclare Ed, et
la violence règne en ce lieu. On ne saurait être trop
prudent. Surtout si on a soixante-sept ans et le pied
pas trop agile.

Personne ne court plus vite qu'une balle.

Ed grogne en guise de réponse, après quoi il prie
Bowen de s'asseoir en désignant du geste, avec une
allusion inattendue à un passage de *Walden*, l'unique
siège de la pièce. Thoreau a dit qu'il avait trois sièges
dans sa maison, rappelle-t-il. Un pour la solitude,
deux pour l'amitié et trois pour la société. Je n'ai que
celui pour la solitude. Ajoutez-y le lit, et ça fera peut-
être deux pour l'amitié. Mais il n'y a pas de société ici.
Ça, j'en ai eu mon compte en pilotant mon taxi.

Bowen s'installe sur la chaise de bois et parcourt
du regard la petite chambre bien en ordre. Elle le
fait penser à une cellule monacale ou au refuge d'un

ermite : un lieu incolore, spartiate, ne contenant que le strict nécessaire à la vie. Un lit étroit, une commode étroite, une plaque électrique, un minifrigo, un bureau et une bibliothèque où sont rangées plusieurs dizaines de livres, parmi lesquels huit ou dix dictionnaires et une collection fatiguée de la *Colliers's Encyclopedia* en vingt volumes. La chambre représente un univers de frugalité, d'intériorité et de discipline et, alors qu'il reporte son attention vers Victory qui, assis sur le lit, l'observe calmement, Bowen enregistre un ultime détail qui jusqu'ici lui avait échappé. Il n'y a pas une image au mur, pas une seule photographie, aucun artefact personnel ne s'offre à la vue. Le seul ornement est un calendrier punaisé juste au-dessus du bureau – datant de 1945 et ouvert au mois d'avril.

Je suis dans le pétrin, dit Bowen, et j'ai pensé que vous pourriez peut-être m'aider.

Ça dépend, répond Ed en tendant la main vers un paquet de cigarettes Pall Mall sans filtre sur la table de chevet. Il en allume une à l'aide d'une allumette de bois, en tire une longue bouffée et se met aussitôt à tousser. Des années de caillots glaireux s'entrechoquent dans ses bronches étrécies et, pendant vingt secondes, la chambre s'emplit d'éclats sonores convulsifs. La crise passée, Ed grimace un sourire et dit à Bowen : Quand on me demande pourquoi je fume, je réponds que c'est parce que j'aime tousser.

Je ne voulais pas vous déranger, dit Nick. Peut-être le moment est-il mal choisi.

Vous ne me dérangez pas. Un type me file vingt dollars de pourboire, et deux jours après il s'amène en déclarant qu'il a des difficultés. Ça me rend assez curieux.

J'ai besoin d'un travail. N'importe quel travail. Je suis bon en mécanique automobile, et je me suis dit que vous pourriez avoir vos entrées dans la société de taxis qui vous employait.

Un New-Yorkais avec une serviette en cuir et un beau costard m'annonce qu'il veut être mécanicien. Il file un pourboire dément à un chauffeur de taxi et puis il prétend qu'il est fauché. Et maintenant vous allez me dire que vous ne voulez répondre à aucune question. Je me trompe ou pas ?

Aucune question. Je suis le type qui a été frappé par la foudre, rappelez-vous. Je suis mort et, quoi que j'aie pu être avant, ça n'a plus d'importance. La seule chose qui compte, c'est maintenant. Et maintenant, il faut que je me fasse un peu d'argent.

Les gens qui gèrent cette boîte ne sont qu'une bande de filous et de sots. Oubliez cette idée, New York. Mais si vous êtes vraiment désespéré, j'ai peut-être quelque chose pour vous au Bureau. Il faut un dos solide et une bonne tête pour les chiffres. Si vous possédez ces deux qualifications, je vous engage. A un salaire décent. J'ai peut-être l'air d'un gueux, mais j'ai des paquets de fric, plus de fric que je ne sais comment en dépenser.

Le Bureau de préservation historique. Votre affaire.

Pas une affaire. C'est plus de l'ordre du musée, des archives privées.

J'ai le dos solide, et je sais additionner et soustraire. De quel genre de travail s'agit-il ?

Je suis en train de réorganiser mon système. Il y a le temps, et il y a l'espace. Ce sont les deux seules possibilités. L'ordre actuel est géographique, spatial. Maintenant je voudrais tout changer en faveur d'un ordre chronologique. C'est mieux, et je regrette de ne pas y avoir pensé plus tôt. Ça suppose de trimballer pas mal de poids, et ma carcasse n'est plus de taille à faire ça sans aide. J'ai besoin d'un assistant.

Et si je disais que je suis disposé à être cet assistant, quand commencerais-je ?

Tout de suite, si vous voulez. Laissez-moi le temps de boutonner mon pantalon, et je vous y conduis. Ensuite vous pourrez décider si ça vous intéresse ou pas.

Je m'interrompis là pour manger un morceau (quelques crackers et une boîte de sardines), que j'arrosai de deux verres d'eau. Il était près de cinq heures, et Grace avait dit qu'elle serait rentrée vers six heures, six heures et demie. Je voulais consacrer encore un peu de temps au carnet bleu avant son retour, continuer jusqu'à la dernière minute. En retournant à mon bureau au bout du couloir, je m'arrêtai à la salle de bains pour pisser rapidement et me passer un peu d'eau sur la figure – je me sentais revigoré, prêt à me replonger dans mon histoire. Mais à l'instant où je sortais de la salle de bains, la porte d'entrée de l'appartement s'ouvrit et Grace parut, blême et l'air épuisée. Il était prévu que sa cousine Lily l'accompagnerait à Brooklyn (pour dîner avec nous et passer la nuit sur le canapé convertible du salon, avant de partir tôt matin pour New Haven, où elle faisait sa deuxième année d'architecture à Yale), mais Grace était seule et avant que j'aie pu lui demander ce qui n'allait pas, elle m'adressa un pauvre sourire, courut vers moi dans le couloir et, prenant un virage à gauche abrupt, se précipita dans la salle de bains. A peine entrée, elle tomba à genoux et se mit à vomir dans le cabinet.

Dès que le déluge fut apaisé, je l'aidai à se relever et à gagner notre chambre. Elle était d'une pâleur affreuse et, avec mon bras droit sur son épaule et mon bras gauche autour de sa taille, je sentais trembler son corps entier – comme parcouru de petites décharges électriques. C'est sans doute le repas chinois d'hier soir, me dit-elle, mais je lui répondis que je ne le pensais pas, puisque j'avais mangé les mêmes plats qu'elle et que mon estomac se portait bien. Tu dois être en train d'attraper quelque chose, dis-je. Oui, répondis Grace, tu as sûrement raison, ce doit être un microbe – ce mot auquel nous revenons toujours pour décrire les contagions invisibles qui flottent par la ville et s'insinuent dans les réseaux sanguins et les organes internes des gens. Mais je ne suis jamais malade, ajouta-t-elle, tout en me laissant avec passivité la déshabiller et la mettre au lit. Je lui touchai le front, qui ne me parut ni chaud ni froid, et puis je pêchai le thermomètre au fond du tiroir de la table de nuit et le lui fichai dans la bouche. Sa température était normale. Voilà qui est encourageant, dis-je. Si tu dors bien cette nuit, tu te sentiras sans doute mieux demain matin. A quoi Grace répondit : Il faut que j'aille mieux. Il y a une réunion importante au bureau, demain, et je ne peux pas la manquer.

Je lui préparai une tasse de thé léger et une tranche de pain grillé, et pendant une heure environ je restai assis auprès d'elle sur le lit, à lui parler de sa cousine Lily, qui l'avait mise dans un taxi après que la première vague de nausées l'eut envoyée précipitamment aux toilettes du Met. Après quelques gorgées de thé, Grace déclara que le malaise passait – pour en être à nouveau victime un quart d'heure après, ce qui entraîna une nouvelle course à la salle de bains de l'autre côté du couloir. Après cette deuxième attaque, elle commença à se calmer, mais il lui fallut encore trente à quarante minutes avant d'être assez détendue pour s'endormir. Pendant ce temps, nous avons bavardé un peu, nous nous sommes tus un moment, et puis nous avons de nouveau bavardé, et tout au long de ces minutes avant qu'elle ne se laisse enfin aller, je lui caressais la tête de ma paume ouverte. J'aimais avoir la sensation de jouer les infirmières, lui disais-je, même si ce n'était que pour quelques heures. Cela avait si longtemps été le contraire que j'avais oublié qu'il pouvait y avoir un autre malade que moi dans la maison.

"Tu ne comprends pas, dit Grace. C'est ma punition pour hier soir.

— Punition ? Qu'est-ce que tu racontes ?

— Pour avoir été désagréable avec toi dans le taxi. Je me suis conduite comme une teigne.

— Mais non. Et même si c'était le cas, je ne crois pas que Dieu se venge des gens en leur envoyant la grippe intestinale."

Grace ferma les yeux et sourit. "Tu m'as toujours aimée, pas vrai, Sidney ?

— Dès le premier instant où je t'ai vue.

— Tu sais pourquoi je t'ai épousé ?

— Non. Je n'ai jamais eu le courage de le demander.

— Parce que je savais que tu ne me laisserais pas tomber.

— Tu as parié sur le mauvais cheval, Grace. Il y a presque un an, maintenant, que je te laisse tomber. D'abord je te traîne aux enfers à cause de cette maladie, et puis je nous couvre de dettes avec neuf cents notes médicales impayées. Sans ton boulot, nous serions à la rue. Tu me portes sur tes épaules, Ms Tebbetts. Je suis un homme entretenu.

— Ce n'est pas d'argent que je parle.

— Je sais bien. Mais, tout de même, qu'est-ce que je t'en fais voir !

— C'est moi qui te suis redevable, Sid. Plus que tu ne le sais... plus que tu ne le sauras jamais. Tant que je ne te déçois pas, je peux vivre n'importe quoi.

— Je ne comprends pas.

— Tu n'as pas besoin de comprendre. Continue à m'aimer, et tout le reste s'arrangera."

C'était la deuxième conversation stupéfiante que nous avions en dix-huit heures. Cette fois encore, Grace avait fait allusion à quelque chose qu'elle refusait de nommer, une sorte de tourbillon intérieur qui semblait lui harceler la conscience et devant lequel je me sentais impuissant, tentant en vain de comprendre ce qui se passait. Et pourtant, comme elle était tendre ce soir-là, si contente d'accepter mes soins, si heureuse de m'avoir assis auprès d'elle sur le lit. Après tout ce que nous avions vécu ensemble depuis un an, après sa fermeté et sa maîtrise de soi pendant ma longue maladie, il me semblait impossible qu'elle pût jamais faire quoi que ce soit qui me déçoive. Et même si cela arrivait, j'étais assez fou et loyal pour ne pas y attacher d'importance. Je voulais rester son mari pour le restant de mes jours, et si Grace avait dérapé à un moment ou à un autre, ou agi d'une façon dont elle n'était pas fière, qu'est-ce

que cela pouvait bien me faire, tout bien considéré ?
Je n'étais pas là pour la juger. J'étais son mari, pas un
inspecteur de la police morale, et j'avais l'intention
de me tenir à ses côtés quoi qu'il arrive. *Continue à
m'aimer*. Ses instructions étaient simples et, à moins
qu'elle ne décide de les annuler un jour, j'étais résolu
à obéir à ses désirs jusqu'à la fin des fins.

Elle s'endormit un peu avant six heures et demie.
Comme je sortais de la chambre sur la pointe des
pieds et me dirigeais vers la cuisine pour y prendre
un verre d'eau, je me rendis compte que j'étais content que Lily ait renoncé à son projet de passer la
nuit chez nous et pris le train plus tôt pour rentrer
à New Haven. Non parce que je n'aimais pas la
jeune cousine de Grace – à vrai dire, je l'aimais beaucoup, et j'écoutais avec plaisir son accent virginien,
qui était nettement plus fort que celui de Grace –
mais parce que l'obligation de lui faire la conversation tout au long de la soirée pendant que Grace
dormirait dans notre chambre aurait été un peu au-
dessus de mes forces. Je n'avais pas imaginé que je
pourrais encore travailler après leur retour de Manhattan, mais à présent que le dîner était à l'eau, plus
rien ne m'empêchait de me replonger dans le carnet
bleu. Il était encore tôt ; Grace était au lit pour la
nuit ; et après mon minirepas de sardines et de bis-
cuits, ma faim était apaisée. Je retournai donc au
bout du couloir, repris ma place devant ma table et
ouvris le carnet pour la deuxième fois de la journée. Sans me relever une seule fois de ma chaise, je
travaillai sans discontinuer jusqu'à trois heures et
demie du matin.

Le temps a passé. Le lundi suivant, sept jours après
la disparition de Bowen, sa femme reçoit le tout dernier relevé de compte de la carte American Express
qu'elle a fait annuler. En examinant la liste des dépenses, elle arrive à la dernière, en bas de la page – pour
le vol Delta Airline à destination de Kansas City, le

lundi précédent – et comprend tout à coup que Nick est vivant, qu'il doit être vivant. Mais pourquoi Kansas City ? Elle s'efforce d'imaginer pourquoi son mari serait parti dans une ville où il ne connaît personne (ni parents, ni auteurs faisant partie de son "écurie", ni anciens amis), mais aucun motif plausible ne lui vient à l'esprit. En même temps, elle commence à douter de son hypothèse concernant Rosa Leightman. Cette fille vit à New York et si Nick s'est effectivement tiré avec elle, pourquoi diable l'aurait-il emmenée dans le Middle West ? Sauf si Rosa Leightman est originaire de Kansas City, bien entendu, mais cette explication paraît à Eva saugrenue, complètement tirée par les cheveux.

Elle n'a plus de théorie, plus de récit inventé à quoi se fier, et la colère qui bouillonne en elle depuis une semaine se dissipe peu à peu jusqu'à disparaître tout à fait. Du vide et de la confusion qui s'ensuivent, une nouvelle émotion naît et occupe ses pensées : l'espoir, ou quelque chose de très proche. Nick est vivant et, puisque le relevé de la carte de crédit ne fait état que de l'achat d'un seul billet, il y a de fortes chances pour qu'il soit seul. Eva téléphone à la police de Kansas City et demande le bureau des personnes disparues, mais le sergent qui lui répond ne lui est d'aucun secours. Des maris disparaissent tous les jours, dit-il, et, sauf en cas de présomption d'un acte criminel, la police ne peut rien y faire. Au bord du désespoir, laissant enfin libre cours à la tension et au chagrin qui se sont accumulés en elle depuis quelques jours, Eva traite le sergent de salaud sans cœur et raccroche. Elle va prendre l'avion pour Kansas City, décide-t-elle, et se lancer elle-même à la recherche de Nick. Trop agitée pour rester plus longtemps en place, elle décide de partir le soir même.

Elle appelle son répondeur au bureau, donne à sa secrétaire des instructions détaillées concernant les affaires à traiter cette semaine et explique qu'elle a un problème familial à régler sans délai. Elle sera absente de la ville pendant quelque temps, dit-elle, mais gardera le contact par téléphone. Jusqu'à présent, elle n'a parlé à personne de la disparition de Nick, sauf à la police de New York, qui n'a rien pu faire pour elle. Mais elle l'a dissimulée à ses amis et à ses collègues de travail, s'est refusée à y faire la moindre allusion devant ses parents et, quand on a commencé à l'appeler du bureau de Nick, le mardi, pour savoir où il était, elle a esquivé en expliquant qu'il avait attrapé un virus intestinal et gisait au fond de son lit. Le lundi suivant, lorsqu'il aurait dû être complètement rétabli et avoir repris le travail, elle a raconté qu'il allait beaucoup mieux mais que, sa mère ayant dû être hospitalisée d'urgence en fin de semaine à la suite d'une mauvaise chute, il avait pris l'avion pour Boston afin de l'assister. Ces mensonges constituaient une sorte d'autoprotection, motivée par l'embarras, l'humiliation et la peur. Quelle sorte d'épouse était-elle si elle ne pouvait pas rendre compte des déplacements de son mari ? La vérité était un marécage d'incertitudes, et l'idée d'avouer à qui que ce fût que Nick l'avait abandonnée ne lui était même pas venue à l'esprit.

Armée de plusieurs photos récentes de Nick, elle emballe quelques affaires dans une petite valise et se rend à La Guardia, après avoir réservé par téléphone une place sur le vol de neuf heures trente. Lorsqu'elle atterrit à Kansas City, plusieurs heures après, elle trouve un taxi et demande au chauffeur de lui recommander un hôtel, répétant presque mot pour mot la question posée par son mari à Ed Victory le lundi précédent. La seule différence est qu'elle dit "bon" au lieu de "meilleur", mais quelles que soient les nuances de cette distinction, la réaction du chauffeur est identique. Il la conduit au Hyatt et, sans se rendre compte qu'elle met ses pas dans ceux de son mari, Eva s'adresse à la réception et demande une chambre pour une personne. Elle n'est pas femme à jeter l'argent par les fenêtres en s'offrant une suite coûteuse, mais sa chambre se trouve néanmoins au dixième étage, où elle donne sur le même couloir que l'appartement où Nick a passé les deux premières nuits suivant son arrivée en ville. A part le fait que sa chambre est située une fraction de degré plus au sud que celle de Nick, Eva jouit de la même vue sur la ville que lui : la même multitude d'immeubles, le même réseau de rues et le même ciel avec les mêmes nuages suspendus que ceux qu'il a énumérés pour Rosa Leightman lorsque, debout devant la fenêtre, il parlait à son répondeur avant de filer de l'hôtel sans payer sa note.

Eva passe une mauvaise nuit dans le lit inconnu, elle a la gorge sèche, elle se lève deux ou trois fois pour se rendre à la salle de bains, pour boire encore un verre d'eau, pour contempler fixement les chiffres d'un rouge éclatant du réveil digital et écouter le bourdonnement des ventilateurs dans les bouches d'aération du plafond. Elle s'assoupit vers cinq heures, dort sans interruption pendant trois heures environ et se fait alors apporter le petit-déjeuner dans sa chambre. A neuf heures et quart, douchée, habillée et fortifiée par un grand pot de café noir, elle prend l'ascenseur jusqu'au rez-de-chaussée afin de commencer ses recherches. Tous les espoirs d'Eva sont centrés sur les photographies qu'elle a dans son sac. Elle va se promener dans la ville et montrer le portrait de Nick au plus de monde possible, en commençant par les hôtels et les restaurants, et en poursuivant avec les magasins et marchés d'alimentation, et puis les sociétés de taxis, les immeubles de bureaux et Dieu sait quoi encore, en priant pour que quelqu'un le reconnaisse et lui offre une piste à suivre. Si rien ne se passe le premier jour, elle fera faire des copies de l'une des photos et les fera afficher dans toute la ville : sur les murs, sur les réverbères, dans les cabines téléphoniques – en même temps qu'elle la fera publier dans le *Kansas City Star* et dans toute la presse régionale. Debout dans l'ascenseur qui l'amène dans le hall d'entrée, elle imagine le texte qui accompagnera l'annonce : DISPARU. Ou bien : AVEZ-VOUS VU CET

HOMME ? Suivi du nom de Nick, de son âge, sa taille, son poids et la couleur de ses cheveux. Et puis un numéro de téléphone et la promesse d'une récompense. Elle est encore en train d'essayer d'évaluer quel devrait en être le montant quand les portes de l'ascenseur s'ouvrent. Mille dollars ? Cinq mille dollars ? Dix mille dollars ? Si ce stratagème ne donne pas de résultat, elle se dit qu'elle passera au degré suivant en recourant aux services d'un détective privé. Pas n'importe quel ex-flic pourvu d'une licence d'enquêteur, mais un expert, un homme spécialisé dans la recherche des disparus, des êtres évaporés du monde.

Trois minutes après l'arrivée d'Eva dans le hall, un événement miraculeux se produit. Elle montre la photo de Nick à l'employée de la réception et la jeune femme aux cheveux blonds et aux dents éblouissantes de blancheur l'identifie sans hésitation. S'ensuit une recherche dans les registres et, même à l'allure léthargique qui était celle des ordinateurs en 1982, il ne faut pas longtemps pour confirmer que Nick Bowen a pris une chambre à l'hôtel, y a passé deux nuits et a disparu sans se soucier de signaler son départ. L'empreinte d'une carte de crédit se trouvait dans le fichier mais après que son numéro a été communiqué à American Express, il s'est avéré qu'elle était invalide. Eva demande à voir le directeur afin de régler la note de Nick, et une fois assise dans son bureau, lorsqu'elle lui tend sa propre carte récemment validée pour couvrir les dépenses du délinquant, elle fond en larmes, se laissant vraiment aller pour la première fois depuis la disparition de son mari. Mr Lloyd Sharkey se sent embarrassé devant ce débordement d'angoisse féminine, mais avec la douceur et l'onctuosité d'un vétéran du service professionnel, il offre à Mrs Bowen toute assistance qui soit en son pouvoir. Peu après, Eva, remontée au dixième étage, est en conversation avec la femme de chambre mexicaine responsable du ménage dans la chambre 1046. Celle-ci l'informe que la pancarte

DO NOT DISTURB est restée accrochée à la poignée de la porte de Nick pendant toute la durée de son séjour et qu'elle ne l'a jamais vu. Dix minutes plus tard, Eva se trouve en bas, dans les cuisines, en train de parler à Leroy Washington, le garçon d'étage qui a servi à Nick certains de ses repas. Il reconnaît le mari d'Eva sur la photo et ajoute que Mr Bowen se montrait généreux côté pourboires, mais qu'il ne parlait guère et paraissait "préoccupé". Eva demande si Nick était seul ou accompagné d'une femme. Seul, répond Washington. Sauf s'il y avait une dame cachée dans la salle de bains ou dans le placard, mais les repas étaient toujours pour une personne et, pour autant qu'il puisse dire, on n'avait jamais dormi que d'un côté du lit.

Maintenant qu'elle a réglé sa note d'hôtel, et maintenant qu'elle est à peu près certaine qu'il n'est pas parti avec une autre femme, Eva recommence à se sentir épouse, épouse à part entière se démenant pour retrouver son époux et sauver leur couple. Aucune nouvelle information ne ressort de ses inter-views avec d'autres membres du personnel du Hyatt Regency. Elle n'a pas la moindre idée de l'endroit où Nick pourrait s'être rendu après avoir quitté l'hôtel et, pourtant, elle se sent encouragée, comme si, du fait de savoir qu'il est venu là, à l'endroit même où elle se trouve, elle pouvait déduire qu'il n'est pas loin – même s'il ne s'agit de rien de plus que d'une coïncidence suggestive, une congruence spa-tiale qui ne signifie rien.

Dès qu'elle se retrouve dans la rue, néanmoins, le caractère désespéré de sa situation revient l'acca-bler. Car il reste que Nick est parti sans un mot – il l'a quittée, il a quitté son travail, il a quitté tout ce qu'il avait à New York – et que la seule explication qui lui vienne à présent à l'esprit, c'est qu'il a craqué, en proie à quelque violente dépression nerveuse. Etait-il si malheureux de vivre avec elle ? Est-ce elle qui l'a poussé à un geste aussi radical, elle qui l'a amené au bord du désespoir ? Oui, songe-t-elle, elle lui a sans doute fait cela. Et, ce qui aggrave les choses, il est sans le sou. Une âme en peine, un demi-fou, errant dans une ville inconnue sans un sou en poche. Et ça aussi, c'est de ma faute, se dit-elle, toute cette malheureuse affaire est de ma faute.

Ce même matin où Eva entreprend sa vaine tournée d'enquête, entrant, ressortant et entrant encore dans des restaurants et des boutiques du centre de Kansas City, Rosa Leightman a repris l'avion pour New York. Elle ouvre la porte de son appartement de Chelsea à une heure et la première chose qu'elle voit, c'est le billet d'Eva gisant sur le seuil. Prise au dépourvu, intriguée par le ton insistant du message, elle pose son sac sans se soucier de le déballer et appelle aussitôt le premier des deux numéros figurant au bas du billet. Comme personne ne répond dans l'appartement de Barrow Street, elle laisse quelques mots sur le répondeur pour expliquer qu'elle était absente et qu'on peut désormais l'atteindre à son numéro personnel. Ensuite, elle appelle le bureau d'Eva. La secrétaire lui dit que Mrs Bowen est en voyage d'affaires mais qu'elle doit appeler dans l'après-midi et qu'à ce moment-là on lui fera passer le message. Rosa n'y comprend rien. Elle n'a rencontré Nick Bowen qu'une seule fois et ne sait rien de lui. La conversation dans son bureau s'est très bien passée, pensait-elle, et même si elle a senti qu'il était attiré par elle (ça se voyait à ses yeux, à la façon dont il ne cessait de la regarder), son comportement a été celui d'un gentleman, réservé, voire un peu distant. Un homme plus perdu qu'agressif, se rappelle-t-elle, avec, indiscutablement, une légère aura de tristesse. Marié, elle s'en rend compte à présent, et donc hors jeu, inéligible. Mais touchant, d'une certaine manière, un type sympathique aux instincts bienveillants.

Elle défait sa valise et parcourt son courrier avant d'écouter son répondeur. Il est alors près de deux heures, et la première chose qu'elle entend, c'est la voix de Bowen qui lui déclare son amour et lui demande de le rejoindre à Kansas City. Rosa, stupéfaite, écoute avec une consternation mêlée d'émerveillement. Ce que dit Nick la déconcerte tellement qu'elle doit repasser deux fois le message avant d'être certaine d'avoir noté sans faute le numéro d'Ed Victory – malgré le diminuendo des chiffres régulièrement décroissants, qui rend le numéro quasi impossible à oublier. Elle a la tentation d'arrêter le répondeur et d'appeler tout de suite Kansas City, mais elle décide d'écouter d'abord les quatorze autres messages afin de savoir si Nick l'a rappelée. Il l'a rappelée. Le vendredi, et de nouveau le dimanche. "J'espère que ce que j'ai dit l'autre jour ne vous a pas effrayée, commence le deuxième message, mais j'en pensais chaque mot. Je n'arrive pas à vous oublier. Vous occupez sans cesse mon esprit et bien que vous paraissiez me signifier que ça ne vous intéresse pas – quelle autre signification pourrait avoir votre silence ? –, j'apprécierais que vous m'appeliez. Nous pourrions à tout le moins parler du livre de votre grand-mère. Utilisez le numéro d'Ed, celui que je vous ai déjà donné : 816-765-4321. Soit dit en passant, ces chiffres ne sont pas un fait du hasard. Ed les a demandés tout exprès. Il dit qu'ils constituent une métaphore – de quoi, je ne sais pas. Je crois qu'il veut que je comprenne tout seul." Le dernier message est le plus bref des trois et, à ce moment-là, Nick a pratiquement renoncé à elle : "C'est moi, dit-il. Un dernier essai. Je vous en prie, appelez-moi, même si c'est pour me dire que vous n'avez pas envie de parler."

Rosa compose le numéro d'Ed Victory, mais personne ne décroche au bout de la ligne et, après avoir laissé le téléphone sonner plus d'une douzaine de fois, elle conclut que c'est un vieil appareil dépourvu de répondeur. Sans prendre le temps d'analyser ce qu'elle ressent (elle ne sait pas ce qu'elle ressent), Rosa raccroche, convaincue qu'elle a l'obligation morale de prendre contact avec Bowen – et que ce doit être fait le plus tôt possible. Elle envisage d'envoyer un télégramme, mais quand elle appelle les renseignements à Kansas City pour demander l'adresse d'Ed, l'opératrice lui répond que ce numéro est sur liste rouge, ce qui signifie qu'elle n'a pas le droit de lui donner cette information. Rosa essaie alors de nouveau le bureau d'Eva, avec l'espoir que la femme de Nick aura rappelé, mais la secrétaire lui dit qu'elle n'a pas de nouvelles. En réalité, Eva est tellement absorbée dans le drame qu'elle vit à Kansas City qu'elle va oublier pendant plusieurs jours de reprendre contact avec son bureau et quand elle parlera enfin à la secrétaire, Rosa sera partie, elle aussi, en route vers Kansas City dans un car Greyhound. Pourquoi ce départ ? Parce que, au cours de ces quelques jours, elle a appelé Ed Victory près d'une centaine de fois sans que personne réponde au téléphone. Parce que, en l'absence de tout autre signe de Nick, elle a fini par se persuader qu'il a des ennuis – peut-être graves, peut-être menaçants pour sa vie. Parce qu'elle est jeune et aventureuse et momentanément sans travail (entre deux boulots d'illustratrice free-lance) et peut-être – on ne peut que conjecturer là-dessus – parce qu'elle est éprise de l'idée qu'un homme qu'elle connaît à peine lui a avoué ouvertement qu'il ne peut arrêter de penser à elle, qu'il est tombé amoureux d'elle au premier regard.

Revenant au mercredi précédent, à l'après-midi où Bowen a gravi l'escalier de la pension de famille où habite Ed et s'est vu proposer le poste d'assistant au Bureau de préservation historique, je repris alors la chronique de mon Flitcraft contemporain…

Ed reboutonne son pantalon, écrase sa Pall Mall à demi fumée et précède Nick dans l'escalier. Ils sortent dans la fraîcheur de ce début de printemps et marchent pendant un bon bout de temps, tournent à gauche, tournent à droite, poursuivent lentement leur chemin à travers un labyrinthe de rues aux maisons délabrées et arrivent à un dock abandonné au bord de la rivière, cette frontière liquide qui sépare le côté Missouri de la ville de son côté Kansas. Ils continuent à marcher jusqu'à ce qu'ils aient l'eau immédiatement devant eux, plus le moindre immeuble en vue et rien d'autre en perspective qu'une demi-douzaine de voies de chemin de fer qui courent parallèlement les unes aux autres et ne semblent plus être en service, étant donné leur degré de rouille et le nombre des traverses brisées et fendues entassées alentour sur la caillasse et sur la terre. Un vent fort monte de la rivière lorsque les deux hommes franchissent la première paire de rails et Nick ne peut s'empêcher de penser au vent qui soufflait lundi soir dans les rues de New York, juste avant que la gargouille tombe de l'immeuble et manque l'écraser. Essoufflé et fatigué par leur longue marche, Ed s'arrête soudain alors qu'ils traversent la troisième paire de rails et montre le sol du doigt. Une plaque carrée de bois nu patiné par l'âge est encastrée dans le sol, une sorte d'écoutille ou de trappe, mêlée à l'environnement avec tant de discrétion que Nick se dit que seul, il ne l'aurait pas remarquée. Ayez l'obligeance de soulever ce truc-là du sol et de le déposer sur le côté, lui demande Ed. Je le ferais bien moi-même, mais je suis devenu si corpulent, ces derniers temps, que je ne crois plus pouvoir me pencher sans perdre l'équilibre.

Nick exécute la requête de son nouvel employeur et, un instant plus tard, les deux hommes descendent une échelle de fer fixée à un mur de ciment. Ils atteignent le fond, à trois mètres cinquante environ de la surface. A la lumière qui passe par la trappe ouverte au-dessus d'eux, Nick constate qu'ils se trouvent dans un couloir étroit, en face d'une porte en contreplaqué nu. On ne voit ni poignée ni bouton, mais il y a un cadenas du côté droit, à peu près à hauteur de poitrine. Ed prend une clé dans sa poche et l'introduit dans la fente au-dessous du boîtier. Une fois le mécanisme du ressort débloqué, il prend le cadenas en main, repousse le loquet avec son pouce et fait glisser l'extrémité libérée de l'arceau hors de l'œil du moraillon. Son geste a l'aisance d'une longue pratique, Nick s'en rend compte, c'est sûrement le fruit de visites innombrables au cours des années dans cette cache humide et souterraine. Ed exerce sur la porte une légère pression et tandis qu'elle tourne sur ses gonds, Nick s'efforce de percer les ténèbres devant lui, où il ne distingue rien. Ed le pousse gentiment de côté et franchit le seuil et, l'instant d'après, Nick entend le "clic" d'un interrupteur, et puis un autre, et puis un troisième et peut-être même un quatrième. En une succession bégayante d'éclairs et d'oscillations bourdonnantes, plusieurs rampes de tubes fluorescents s'allument au plafond et Nick voit devant lui un vaste entrepôt, un espace dépourvu de fenêtres qui doit mesurer approximativement quinze mètres sur neuf. Rangées avec régularité sur toute la longueur de la pièce, des étagères de métal gris la remplissent entièrement, toutes dressées jusqu'au plafond, à un peu plus de trois mètres de hauteur. Bowen a l'impression d'avoir pénétré dans les réserves de quelque bibliothèque secrète, une collection de livres interdits, à la lecture desquels ne peuvent être admis que des initiés.

Le Bureau de préservation historique, annonce Ed, avec un petit geste de la main. Regardez. Ne touchez à rien, mais regardez aussi longtemps que vous voudrez.

La situation est tellement bizarre, tellement éloignée de tout ce que Nick aurait pu imaginer qu'il n'arrive même pas à deviner ce qui l'attend. Il parcourt une première rangée de rayonnages et s'aperçoit qu'ils sont pleins d'annuaires des téléphones. Des centaines d'annuaires des téléphones, des milliers d'annuaires des téléphones, organisés alphabétiquement par villes et rangés en ordre chronologique. Le hasard fait qu'il se trouve devant la rangée qui contient Baltimore et Boston. En examinant les dates sur les dos des volumes, il constate que le premier de ceux de Baltimore date de 1927. Il y a plusieurs interruptions après cela mais à partir de 1946 la collection est complète jusqu'à l'année en cours, 1982. Le premier annuaire de Boston est encore plus ancien, il date de 1919 mais, là aussi, un certain nombre de volumes manquent jusqu'en 1946, quand toutes les années deviennent présentes. Se basant sur ces maigres indices, Nick suppose qu'Ed a commencé la collection en 1946, l'année suivant la fin de la Seconde Guerre mondiale, qui se trouve être aussi l'année de naissance de Bowen. Trente-six années consacrées à une vaste entreprise apparemment dépourvue de sens, et qui correspondent exactement à l'espace de sa propre vie.

Atlanta, Buffalo, Cincinnati, Chicago, Detroit, Houston, Kansas City, Los Angeles, Miami, Minneapolis, les cinq *boroughs* de New York, Philadelphie, Saint Louis, San Francisco, Seattle – chacune des métropoles américaines se trouve à portée de main, en compagnie de quantité de villes plus petites, de comtés ruraux d'Alabama, de bourgades suburbaines du Connecticut et de territoires non enregistrés dans le Maine. Mais ça ne s'arrête pas à l'Amérique. Quatre des vingt-quatre rangées à deux faces des bibliothèques métalliques géantes sont affectées aux villes et bourgades de pays étrangers. Ces archives ne sont pas aussi systématiques et exhaustives que leurs équivalents domestiques, mais en plus du Canada et du Mexique, la plupart des nations de l'Europe occidentale et orientale s'y trouvent représentées : Londres, Madrid, Stockholm, Paris, Munich, Prague, Budapest. A son grand étonnement, Nick s'aperçoit qu'Ed a même trouvé le moyen d'acquérir un annuaire des téléphones de Varsovie daté 1937-1938 : *Spis Abonentów Warszawskiej Sieci TELEFONÓW*. Alors qu'il lutte contre la tentation de le retirer de son étagère, Nick prend conscience du fait que presque tous les Juifs répertoriés dans ce volume sont morts depuis longtemps – assassinés avant même qu'Ed ait commencé sa collection.

Le tour dure dix à quinze minutes et partout où va Nick, Ed le suit avec un sourire en coin, savourant la stupéfaction de son visiteur. Lorsqu'ils sont arrivés à l'ultime rangée d'étagères, à l'extrémité sud de la pièce, Ed dit enfin : Le bonhomme ne sait que penser. Il se demande : De quoi diable s'agit-il ?

On peut le dire comme ça, répond Nick.

Une idée quelconque – ou juste la confusion totale ?

Je ne suis pas certain, mais j'ai l'impression que ce n'est pas qu'un jeu pour vous. Je crois que ça, je le comprends. Vous n'êtes pas un type qui fait collection pour faire collection. Capsules de bouteille, emballages de cigarettes, cendriers d'hôtel, petits éléphants de verre : il y a des gens qui passent leur temps à rechercher ce genre de camelotes. Mais ces annuaires ne sont pas de la camelote. Ils signifient quelque chose pour vous.

Cette pièce contient le monde, réplique Ed. Ou du moins une partie. Les noms des vivants et des morts. Le Bureau de préservation historique est une maison du souvenir, mais c'est aussi une châsse pour le temps présent. En rassemblant ces deux choses en un lieu, je me démontre que l'humanité n'est pas finie.

Je ne crois pas que je vous suis.

J'ai vu la fin de toute chose, Homme Foudroyé. Je suis descendu dans les entrailles de l'enfer, et j'ai vu la fin. Si vous revenez d'un voyage pareil, quel que soit le temps qui vous reste à vivre, une partie de vous sera morte à jamais.

Quand est-ce arrivé ?

Avril 1945. Mon unité se trouvait en Allemagne, et c'est nous qui avons libéré Dachau. Trente mille squelettes ambulants. Vous avez vu des photos, mais les photos ne vous racontent pas comment c'était. Il faut y aller et sentir soi-même cette puanteur, il faut être là et toucher ça de ses propres mains. Des êtres humains ont fait ça à des êtres humains, et ils ont fait ça avec la conscience tranquille. C'était la fin de l'humanité, monsieur Belles Pompes. Dieu a détourné de nous son regard et il a abandonné le monde à jamais. Et j'étais là, j'ai vu ça de mes yeux.

Combien de temps êtes-vous resté dans le camp ?

Deux mois. J'étais cuisinier, j'étais donc aux cuisines. Mon boulot consistait à nourrir les survivants. Je suis sûr que vous avez lu des histoires racontant comment certains d'entre eux ne pouvaient pas s'arrêter de manger. Les affamés. Ils avaient rêvé si longtemps de manger, ils n'y pouvaient rien. Ils mangeaient tant que leur ventre éclatait, et ils mouraient. Des centaines. Le deuxième jour, une femme est venue me trouver avec un bébé dans les bras. Elle avait perdu la tête, cette femme, je le voyais bien, je le voyais à la façon dont ses yeux ne cessaient de danser dans leurs orbites, et si maigre, si mal nourrie que je ne pouvais pas comprendre comment elle parvenait à tenir sur ses pieds. Elle ne m'a rien demandé pour elle, mais elle voulait que je donne du lait à son bébé. Je l'aurais fait avec plaisir, mais quand elle m'a passé le bébé, j'ai vu qu'il était mort, qu'il était mort depuis des jours. Il avait le visage ratatiné et noir, plus noir que le mien, cet être minuscule qui ne pesait presque rien, rien que de la peau ratatinée, du pus séché et des os menus. La femme me suppliait toujours de lui donner du lait et j'en ai donc versé un peu sur les lèvres du bébé. Je ne savais pas quoi faire d'autre. J'ai versé du lait sur les lèvres du bébé mort, et alors la femme a repris son enfant – si heureuse, si heureuse qu'elle s'est mise à chantonner, presque à chanter, vraiment, à chanter comme en roucoulant, joyeusement. Je ne sais pas si j'ai jamais vu quelqu'un de plus heureux qu'elle à ce moment-là, quand elle s'éloignait avec son bébé mort dans les bras, en chantant parce qu'elle avait enfin pu lui donner un peu de lait. Je suis resté figé sur place à la regarder partir. Elle a titubé sur environ cinq mètres et puis ses genoux ont cédé et, avant que j'aie pu courir pour la rattraper, elle est tombée morte dans la boue. C'est ça qui a tout déclenché pour moi. Quand j'ai vu mourir cette femme, j'ai su que je devrais faire quelque chose. Je ne pouvais pas simplement rentrer chez moi après la guerre et oublier. Il fallait que je conserve ça dans ma tête, que je continue à y penser tous les jours pendant le reste de ma vie.

Nick ne comprend toujours pas. Il peut saisir l'énormité de ce qu'Ed a vécu, sympathiser avec l'angoisse et l'horreur qui continuent de le hanter, mais la façon dont ces sentiments ont trouvé leur expression dans la folle entreprise de collectionner des annuaires des téléphones échappe à son entendement. Il peut imaginer une centaine d'autres façons de traduire l'expérience des camps de la mort sous la forme d'une activité durant la vie entière, mais pas ces étranges archives souterraines remplies de noms de personnes en provenance du monde entier. Mais qui est-il pour juger de la passion d'un autre homme ? Bowen a besoin d'un travail, il apprécie la compagnie d'Ed et il n'éprouve aucune appréhension à l'idée de passer les semaines ou les mois prochains à l'aider à réorganiser le système de rangement de ses livres, si inutile que puisse être ce travail. Les deux hommes se mettent d'accord en ce qui concerne le salaire, les horaires, etc., et scellent le contrat d'une poignée de main. Mais Nick se trouve encore dans la situation embarrassante d'avoir à demander une avance sur ses gages futurs. Il a besoin de vêtements et d'un endroit où loger et les soixante et quelques dollars restant dans son portefeuille ne suffiront pas à couvrir ces dépenses. Son nouveau patron, cependant, a un cran d'avance sur lui. Il y a une mission Goodwill à moins d'un mile de l'endroit où nous sommes, annonce-t-il, et Nick pourra se procurer de nouvelles fringues pour quelques dollars l'après-midi même. Rien de luxueux, bien sûr, mais pour ce qu'il aura à faire ici, il lui faudra des vêtements de travail, pas un coûteux complet d'homme d'affaires. D'ailleurs, il en a déjà un et s'il lui vient jamais l'envie de faire quelques pas en ville, il n'a qu'à le réenfiler.

Ce problème résolu, Ed résout dans la foulée le problème du logement. Il y a un studio sur place, déclare-t-il à Nick, et si l'idée de passer ses nuits sous terre ne le dérange pas, Bowen est le bienvenu, il peut l'occuper gratuitement. Faisant signe à Nick de le suivre, Ed se dirige vers le fond d'une des rangées centrales, se dandinant avec précaution sur ses chevilles douloureuses et enflées jusqu'au mur en parpaings gris à la limite ouest de la pièce. J'y couche souvent moi-même, dit-il, en plongeant la main dans sa poche pour en ramener ses clés. C'est assez confortable.

Il y a une porte métallique dans le mur au ras de sa surface, et comme elle est d'un gris identique à celui de la cloison, Nick ne l'a pas remarquée quand il est passé à cet endroit quelques minutes plus tôt. De même que la porte d'entrée en bois à l'autre bout de la pièce, celle-ci n'a ni bouton, ni poignée, et elle s'ouvre vers l'intérieur sur une légère poussée de la main d'Ed. Oui, dit Nick poliment en y entrant, c'est confortable, bien qu'il trouve la chambre plutôt sinistre, aussi nue et peu meublée que celle d'Ed dans la pension de famille. Mais tous les rudiments s'y trouvent – à l'exception, bien sûr, d'une fenêtre, d'une perspective à contempler. Un lit, une table, une chaise, un frigo, une plaque électrique, un w.-c., une armoire remplie de boîtes de conserve. Pas si terrible, en réalité, et en définitive, Nick n'a pas le choix : il ne peut qu'accepter l'offre d'Ed. Celui-ci paraît content que Nick se dise d'accord pour s'installer là et, pendant qu'il referme la porte et que les deux hommes se dirigent vers l'échelle qui leur permettra de regagner la surface du sol, il explique à Nick qu'il a entrepris la construction de cette chambre vingt ans plus tôt. En automne soixante-deux, précise-t-il, en pleine crise des missiles cubains. Je croyais qu'ils allaient lâcher leur gros machin sur nous et j'ai pensé qu'il me faudrait un endroit pour me planquer. Vous savez, un comment-ça-s'appelle-déjà ?

Un abri antiatomique ?

C'est ça. Alors j'ai percé le mur et j'ai ajouté cette petite pièce. La crise était passée avant que j'aie terminé, mais on ne sait jamais, pas vrai ? Ces cinglés qui gouvernent le monde sont capables de tout.

Nick ressent une vague inquiétude à entendre Ed tenir ces propos. Non qu'il ne partage pas son opinion concernant les dirigeants du monde, mais il se demande à présent s'il ne s'est pas associé avec un déséquilibré, un excentrique instable et/ou fou. C'est possible, assurément, se dit-il, mais Ed Victory est l'homme que le sort lui a présenté, et s'il veut s'en tenir au principe de la gargouille décrochée, il doit persévérer dans la direction qu'il a prise – pour le meilleur ou pour le pire. Sans cela, son départ de New York n'est plus qu'un geste creux et enfantin. S'il ne peut accepter ce qui lui arrive, l'accepter et l'assumer activement, il ferait mieux de reconnaître son échec et de téléphoner à sa femme pour lui annoncer son retour.

Finalement, il s'avère que ces angoisses ne sont pas fondées. Les jours passent, les deux hommes travaillent ensemble dans la crypte sous les voies de chemin de fer à trimballer des annuaires d'un bout à l'autre de la salle dans des caisses à pommes en bois montées sur patins à roulettes, et Nick se rend compte qu'Ed n'est rien de moins qu'un vaillant personnage, un homme de parole. Jamais il ne prie son assistant de s'expliquer ni de raconter son histoire, et Nick en vient à admirer cette discrétion, surtout de la part d'un homme aussi loquace qu'Ed, dont l'être entier respire la curiosité que lui inspire le monde. Ed a des manières si raffinées, pour tout dire, qu'il ne demande même pas son nom à Nick. A un moment donné, Bowen suggère à son patron de l'appeler Bill mais, comprenant que ce nom est une invention, Ed l'utilise rarement, préférant interpeller son employé sous les noms d'Homme Foudroyé, New York et Belles Pompes. Nick est pleinement satisfait de cet arrangement. Vêtu des diverses tenues achetées à la mission Goodwill (chemises de flanelle, jeans et pantalons kaki, chaussettes blanches en éponge et baskets usées), il s'interroge sur les premiers propriétaires des hardes qu'il porte. Les fripes ne peuvent provenir que de deux sources, et on ne les donne que pour l'une de deux raisons. Quelqu'un se désintéresse d'un vêtement et en fait don à une œuvre, ou bien quelqu'un meurt et ses héritiers disposent de ses affaires en échange d'une maigre réduction d'impôts. Nick aime l'idée de se balader dans les habits d'un mort. A présent qu'il a cessé d'exister, il lui paraît juste d'adopter la garde-robe d'un homme qui a, lui aussi, cessé d'exister – comme si cette double négation rendait plus complet, plus permanent l'effacement de son passé.

Néanmoins, Bowen doit rester sur ses gardes. Ed et lui font des pauses fréquentes dans leur travail et chaque fois qu'ils interrompent leur labeur, Ed se plaît à passer le temps en conversation, en ponctuant souvent ses propos d'une lampée de bière. Nick fait la connaissance de Wilhamena, la première femme d'Ed, qui a disparu un beau matin de 1953 avec un représentant en boissons alcoolisées originaire de Detroit, et celle de Rochelle, la seconde, qui lui a donné trois filles avant de mourir en 1969 d'une affection cardiaque. Nick découvre en Ed un conteur agréable, mais il s'abstient prudemment de lui poser la moindre question précise – afin de ne pas ouvrir la voie à des questions le concernant. Par un pacte tacite, ils sont convenus de ne pas chercher à découvrir les secrets l'un de l'autre et, quel que soit le désir qu'a Nick de savoir si Victory est le vrai nom d'Ed, si l'espace souterrain qui abrite le Bureau de préservation historique lui appartient ou s'il se l'est simplement approprié à l'insu des autorités, il n'en exprime rien et se contente d'écouter ce qu'Ed lui raconte de son plein gré. Les moments les plus dangereux sont ceux où Nick manque se trahir et, chaque fois que cela se produit, il s'engage à surveiller plus attentivement ce qu'il dit. Un jour où Ed lui parle de ses expériences à l'armée pendant la

Seconde Guerre mondiale, il évoque le nom d'un jeune soldat qui a intégré son régiment fin quarante-quatre, John Trause. A peine dix-huit ans, dit Ed, mais le gamin le plus vif et le plus éveillé que j'aie jamais rencontré. C'est un écrivain célèbre maintenant, continue-t-il, et ça n'a rien d'étonnant si on pense à l'intelligence de ce garçon. C'est alors que Bowen commet un faux pas presque catastrophique. Je le connais, déclare-t-il et quand Ed, relevant la tête, lui demande comment va John ces temps-ci, Nick brouille aussitôt sa piste en atténuant son propos. Pas personnellement, dit-il. Je veux parler de ses livres, j'ai lu ses livres, et là-dessus le sujet est abandonné et ils passent à d'autres choses. Mais la vérité, c'est que Nick travaille avec John et qu'il est l'éditeur responsable de la liste de ses ouvrages disponibles. Il y a moins d'un mois, en réalité, qu'il a fini de s'occuper d'une série de couvertures récemment commandées pour l'édition en *paperback* de l'œuvre de Trause. Il le connaît depuis des années et la principale raison pour laquelle il a proposé ses services à la maison d'édition qui l'emploie (ou qui l'employait encore quelques jours plus tôt), c'est que les romans de John Trause y étaient publiés.

Nick a commencé à travailler pour Ed le jeudi matin, et la réorganisation des annuaires représente une tâche si accablante, si colossale en termes de masse à traiter – la grosseur et le poids d'innombrables volumes de mille pages à enlever des étagères, à voiturer vers d'autres parties de la salle et à hisser sur de nouvelles étagères – qu'ils progressent lentement, bien plus lentement qu'ils ne l'avaient prévu. Ils décident de continuer sans s'arrêter pendant le week-end et quand arrive le mercredi de la semaine suivante (qui est aussi le jour où Eva entre dans une boutique de photocopie pour composer l'affiche qui diffusera le signalement de son mari disparu, et également celui où Rosa Leightman rentre à New York et écoute sur son répondeur les messages transis d'amour de Bowen), l'inquiétude croissante qu'inspire à Nick la santé d'Ed atteint les proportions d'une réelle angoisse. L'ex-taxi est âgé de soixante-sept ans et pèse au moins soixante-sept livres de trop. Il fume trois paquets de cigarettes sans filtre par jour et il marche avec difficulté, il a des problèmes respiratoires et des problèmes menacent chacune de ses artères encombrées de cholestérol. Déjà victime de deux crises cardiaques, il n'est pas en état de faire le travail que Nick et lui s'efforcent d'accomplir. Rien que pour descendre et remonter l'échelle tous les jours, il lui faut une volonté et un effort de concentration énormes, qui l'épuisent au point qu'il peut à peine respirer quand il arrive en haut ou en bas. Nick s'en est aperçu depuis le début et il n'a cessé d'encourager Ed à s'asseoir et à se reposer, lui certifiant qu'il est capable de mener seul la tâche à bien, mais Ed est un obstiné, un visionnaire, et à présent que son rêve de réorganiser son musée des annuaires des téléphones a enfin commencé à se réaliser, il ignore les conseils de Bowen et se précipite à tout moment pour l'aider. Le mercredi matin, la situation s'assombrit encore. Alors qu'il revient d'un de ses voyages à l'autre bout de la salle en remorquant sa caisse à pommes vide, Bowen trouve Ed assis par terre, adossé à l'une des bibliothèques. Il a les yeux fermés et la main droite appuyée sur son cœur.

Douleurs cardiaques, dit Nick, sautant à la conclusion évidente. Graves ?

Donne-moi une minute, fait Ed, ça va aller.

Mais Nick refuse d'accepter cette réponse et insiste pour accompagner Ed aux urgences de l'établissement médical le plus proche. Après quelques protestations de pure forme, Ed accepte d'y aller.

Plus d'une heure va s'écouler avant qu'ils soient tous deux installés sur la banquette arrière d'un taxi, en route vers le St Anselm Charity Hospital. Il y a d'abord le problème ardu de pousser le corps volumineux d'Ed jusqu'en haut de l'échelle et de l'aider à sortir ; ensuite, le défi également désespéré de trouver un taxi dans ce quartier sinistre et abandonné. Nick court pendant vingt minutes avant de trouver un téléphone public en état de marche, et quand il réussit enfin à attraper la société des Taxis rouge et blanc (jadis l'employeur d'Ed), il faut encore un quart d'heure avant que la voiture n'arrive. Nick dirige le chauffeur vers les voies de chemin de fer au bord de la rivière. Ils récupèrent un Ed languissant, étalé sur le ballast, en proie à des douleurs considérables (mais encore conscient, encore assez maître de lui pour plaisanter pendant qu'ils l'aident à monter dans le taxi) et partent pour l'hôpital.

Cette urgence médicale explique que Rosa Leightman n'ait pas réussi à atteindre Ed au téléphone à la fin de cette journée. L'homme connu sous le nom de Victory, mais dont le permis de conduire et la carte de Sécurité sociale sont établis au nom de Johnson, vient de subir sa troisième crise cardiaque. A l'heure où Rosa l'appelle de son appartement à New York, il se trouve déjà en réanimation à St Anselm et, si l'on en croit les données cardiovasculaires inscrites sur la fiche au pied de son lit, il ne retournera pas de sitôt dans sa pension de famille. De ce mercredi soir à·son départ pour Kansas City, le samedi matin, Rosa continuera à l'appeler à toute heure du jour et de la nuit, mais il n'y aura jamais personne pour entendre la sonnerie du téléphone.

Dans le taxi qui l'emmène à l'hôpital, Ed pense déjà à l'avenir et se prépare à ce qui promet d'être de mauvaises nouvelles, tout en faisant semblant de n'être pas inquiet. Je suis un gros, dit-il à Nick, et les gros ne meurent pas. C'est une loi naturelle. La vie peut nous rouer de coups, nous ne sentons rien. C'est pour ça qu'on est si bien rembourrés – pour nous protéger de moments comme celui-ci.

Nick conseille à Ed d'arrêter de parler. Economise tes forces, lui recommande-t-il, et tandis qu'Ed lutte pour surmonter la douleur qui lui brûle la poitrine, descend dans son bras gauche et monte dans sa mâchoire, ses pensées se tournent vers le Bureau de préservation historique. Je vais sans doute devoir passer quelque temps à l'hôpital, dit-il, et l'idée d'interrompre le travail que nous avons commencé me fait de la peine. Nick le persuade qu'il est prêt à continuer seul et Ed, ému par la loyauté de son assistant, ferme les yeux pour stopper les larmes qui s'y accumulent spontanément et déclare qu'il est un homme bon. Ensuite, parce qu'il est trop faible pour le faire lui-même, il demande à Bowen de glisser la main dans les poches de son pantalon et d'en tirer son portefeuille et son trousseau de clés. Nick extrait les deux objets des poches d'Ed et, un instant plus tard, Ed lui enjoint d'ouvrir le portefeuille et de prendre l'argent qui s'y trouve. Laisse-moi juste vingt dollars, dit-il, mais prends le reste pour toi – à-valoir pour services rendus. C'est alors que Nick apprend que le vrai nom d'Ed est Johnson, mais il décide aussitôt que cette découverte est de peu d'importance et ne fait pas de commentaire. Il compte l'argent, totalisant plus de six cents dollars, et enfonce la liasse dans la poche avant droite de son propre pantalon. Après cela, presque hors d'haleine et s'efforçant de parler malgré la douleur, Ed énumère en une litanie l'usage de chacune des clés de son trousseau : la porte d'entrée de la pension, la porte de sa chambre à l'étage, sa boîte postale, le cadenas de la porte en bois du Bureau et la porte de l'appartement souterrain. Alors que Bowen glisse sur l'anneau sa propre clé de l'appartement, Ed lui signale qu'il attend dans la semaine un gros envoi d'annuaires européens, et que Nick ne doit pas oublier d'aller s'en informer vendredi au bureau de poste. Un long silence suit cette information pendant qu'Ed se retire en lui-même et lutte pour reprendre son souffle et puis, juste avant d'arriver à l'hôpital, il rouvre les yeux et dit à Nick qu'il est le bienvenu s'il veut loger dans sa chambre à la pension pendant qu'il n'y est pas. Nick réfléchit un instant et puis refuse la proposition. C'est très gentil de ta part, dit-il, mais il n'y a pas de raison de changer quoi que ce soit. Je suis content de vivre dans mon trou.

Il passe plusieurs heures à attendre dans l'hôpital, voulant être sûr qu'Ed est hors de danger avant de s'en aller. Un triple pontage est prévu pour le lendemain matin, et quand Nick sort de St Anselm à trois heures, c'est avec l'assurance que lorsqu'il reviendra lui rendre visite dans l'après-midi, Ed sera en voie de guérison complète. C'est du moins ce que le cardiologue lui a donné à croire. Mais rien n'est certain dans le domaine de la pratique médicale, surtout lorsqu'il est question de lames tranchant la chair de corps malades, et quand Edward M. Johnson, plus connu sous le nom d'Ed Victory, expire le jeudi matin sur la table d'opération, ce même cardiologue qui a formulé pour Nick un diagnostic aussi prometteur ne peut plus qu'admettre qu'il s'est trompé.

A ce moment-là, Nick n'est plus en situation de parler au médecin pour lui demander pourquoi son ami ne s'en est pas tiré. Moins d'une heure après être revenu, le mercredi, dans la salle d'archives souterraine, Bowen commet l'une des pires bévues de son existence et, parce qu'il est persuadé qu'Ed va vivre – et en restera persuadé bien après la mort de son patron –, il n'a aucune idée de l'envergure réelle de la calamité qu'il s'est attirée sur la tête.

Le trousseau de clés et l'argent qu'Ed lui a donnés se trouvent dans la poche avant droite de son pantalon quand il descend l'échelle menant à l'entrée du Bureau. Après avoir ouvert le cadenas de la porte de bois, Nick met les clés dans la poche gauche du vieux falzar usagé acheté au magasin de la mission Goodwill. Il se trouve qu'il y a un grand trou dans cette poche et les clés passent à travers, dégringolent le long de la jambe de Nick et atterrissent à ses pieds. Il se penche et les ramasse mais, au lieu de les remettre dans la poche droite, il les garde en main, les emporte à l'endroit où il a l'intention de se remettre au travail et les pose sur une étagère devant une rangée d'annuaires – afin d'éviter qu'elles ne forment dans son pantalon une bosse qui lui défonce la cuisse pendant qu'il s'évertue à soulever, à transporter, à s'accroupir et à se relever. Il fait particulièrement humide et froid ce jour-là dans le sous-sol. Nick travaille pendant une heure, avec l'espoir que l'exercice va le réchauffer, mais le froid s'installe de plus en plus profondément dans ses os et il finit par décider de se retirer dans l'appartement au fond de la salle, qui est équipé d'un radiateur électrique portable. Il pense aux clés, retourne à l'endroit où il a laissé le trousseau et le reprend en main. Mais alors, au lieu de se diriger aussitôt vers l'appartement, il se rappelle l'annuaire de Varsovie daté 1937-1938 qui avait attiré son attention lors de sa première visite du Bureau avec Ed. Il va le chercher de l'autre côté de la salle pour l'emporter dans l'appartement et l'étudier pendant sa pause. Il dépose à nouveau les clés sur une étagère mais cette fois, absorbé par sa recherche du volume, il oublie de les prendre avec lui lorsqu'il l'a repéré. Dans des circonstances normales, cela n'aurait pas causé de problème. Il aurait eu besoin des clés pour ouvrir la porte de l'appartement et, se rendant compte de son erreur, il serait retourné les chercher. Mais ce matin-là, dans la frénésie provoquée par l'effondrement soudain d'Ed, la porte est restée ouverte et Nick, qui marche vers cette porte en feuilletant déjà l'annuaire de Varsovie et en pensant à certaines des histoires horribles qu'Ed lui a racontées au sujet de 1945, est distrait au point de ne pas prendre garde à ce qu'il fait. S'il pense le moins du monde aux clés, il considérera comme évident qu'il les a mises dans sa poche droite, et il entre donc sans hésiter dans la chambre, allume le plafonnier et referme la porte derrière lui d'un coup de pied – s'emprisonnant par ce geste. Ed a installé une porte qui se verrouille d'elle-même et dès lors qu'on entre dans cette chambre, on ne peut en ressortir qu'en la rouvrant de l'intérieur avec la clé.

Croyant celle-ci dans sa poche, Nick ne se rend toujours pas compte de ce qu'il a fait. Il allume le radiateur électrique, s'assied sur le lit et se plonge dans une lecture plus approfondie de l'annuaire de Varsovie, en accordant toute son attention à ses pages brunies et cassantes. Une heure se passe, et quand il se sent suffisamment réchauffé pour se remettre au travail, Nick prend enfin conscience de son erreur. Sa première réaction est d'en rire, mais quand l'atroce vérité de ce qu'il vient de se faire le pénètre peu à peu, il arrête de rire et passe les deux heures suivantes à chercher frénétiquement un moyen de sortir de là.

Il s'agit d'un abri anti-bombe à hydrogène, pas d'une chambre ordinaire, et les murs à double isolation ont un bon mètre vingt d'épaisseur, la dalle en béton s'enfonce sous ses pieds à plus de quatre-vingt-dix centimètres de profondeur et même le plafond, dont Bowen pense qu'il devrait être la zone la plus vulnérable, est constitué d'une combinaison de plâtre et de ciment d'une solidité à toute épreuve. Il y a des bouches d'aération en haut des quatre murs mais après avoir réussi à détacher l'une des grilles de son cadre en métal, Bowen comprend que l'ouverture est trop étroite pour permettre le passage d'un homme, même un homme plutôt petit, tel que lui.

Là-haut, sous le soleil éclatant de l'après-midi, l'épouse de Nick est occupée à coller des images de son visage sur chaque mur et chaque réverbère du centre-ville de Kansas City et le lendemain, quand les habitants de la périphérie sauteront du lit et se rendront dans leur cuisine pour avaler le café de leur petit-déjeuner, ils tomberont sur la même image en page 7 du journal du matin : AVEZ-VOUS VU CET HOMME ?

Epuisé par ses efforts, Bowen s'assied sur le lit et, calmement, tente d'évaluer sa situation. Malgré tout, il décide qu'il n'y a pas lieu de paniquer. Il y a à manger plein le frigo et l'armoire, il y a de l'eau et de la bière en abondance et, si on en vient au pire, il pourrait se débrouiller pour tenir le coup pendant une quinzaine de jours dans un confort relatif. Mais ce ne sera pas aussi long que ça, se dit-il, pas même à moitié aussi long. Ed va sortir de l'hôpital dans quelques jours et dès qu'il sera de nouveau assez mobile pour descendre l'échelle, il viendra au Bureau et le délivrera.

Faute d'autre possibilité, Bowen se résigne à attendre la fin de son confinement solitaire ; il espère découvrir en lui assez de patience et de force de caractère pour tenir bon dans cette absurde infortune. Pour passer le temps, il relit le manuscrit de *La Nuit de l'oracle* et parcourt les pages de l'annuaire des téléphones de Varsovie. Il réfléchit, il rêve et il fait mille pompes par jour. Il fait des projets d'avenir. Il s'efforce de ne pas penser au passé. Bien qu'il ne croie pas en Dieu, il se dit que Dieu est en train de le mettre à l'épreuve – et qu'il ne doit pas manquer d'accepter son malheur avec grâce et équanimité.

Quand le car de Rosa Leightman arrive à Kansas City le dimanche soir, il y a cinq jours que Nick se trouve dans cette chambre. La délivrance est proche, se dit-il, Ed va arriver d'un instant à l'autre maintenant, et dix minutes après qu'il a eu cette pensée, l'ampoule du plafonnier s'éteint, grillée, et Nick se retrouve assis seul dans l'obscurité, les yeux fixés sur la lueur orange des filaments du radiateur.

Les médecins m'avaient averti que ma guérison dépendait de la régularité de mes horaires et de la longueur de mes nuits de sommeil. Travailler jusqu'à trois heures et demie du matin n'était guère intelligent, et quand je me glissai auprès de Grace dans notre lit à quatre heures moins le quart, il me paraissait entendu que je devrais sans doute payer le prix de cet écart de régime. Encore un saignement de nez, peut-être, ou de nouveau la tremblote, ou un mal de tête intense et prolongé – quelque chose qui promettait de me mettre à mal et de rendre la journée du lendemain plus pénible que la plupart. Et pourtant, lorsque j'ouvris les yeux à neuf heures et demie, je ne me sentais pas plus mal que d'habitude le matin au réveil. Peut-être le traitement n'était-il pas le repos, me dis-je, mais le travail. Peut-être qu'écrire était le remède qui me rétablirait complètement.

Après ses crises de nausées du dimanche, j'avais supposé que Grace prendrait congé le lundi mais quand je me tournai vers la gauche pour voir si elle dormait encore, je m'aperçus que son côté du lit était vide. J'allai voir dans la salle de bains, elle n'y était pas. En entrant dans la cuisine, je trouvai un billet sur la table. *Je me sens beaucoup mieux*, m'y disait-elle, *et je vais donc travailler. Merci d'avoir été si gentil avec moi hier soir. Tu es l'amour des amours, Sid, équipe des Bleus à cent pour cent.* Après quoi, au-dessous de sa signature, elle avait ajouté un P.-S. au bas de la page : *J'ai failli oublier. Nous n'avons plus de ruban adhésif et je voudrais emballer le cadeau d'anniversaire de mon père ce soir afin qu'il le reçoive à temps. Pourrais-tu m'en prendre un rouleau quand tu iras faire ta promenade ?*

C'était peu de chose, je le savais, mais cette demande me paraissait symboliser toute la qualité de Grace. Elle travaillait comme graphiste pour une des principales maisons d'édition de New York et s'il y avait une chose dont son département ne manquait pas, c'était bien de ruban adhésif. Quasiment tous les employés d'Amérique piquent dans leur bureau. Des hordes de salariés empochent quotidiennement stylos, crayons, enveloppes, trombones et bandes élastiques, et rares sont ceux dont la conscience s'offusque le moins du monde de ces menus larcins. Mais Grace n'était pas de ces gens-là. Non par respect de la loi, ni à cause d'une quelconque rectitude pharisaïque, ni parce que, dans l'enfance, une éducation religieuse lui avait appris à trembler au rappel des dix commandements, mais parce que la notion de vol était étrangère à l'idée qu'elle se faisait d'elle-même, contraire à tous ses instincts quant à la façon dont elle voulait vivre sa vie. Elle n'approuvait peut-être pas le concept, mais Grace était un membre authentique et permanent de l'équipe des Bleus, et je trouvais touchant qu'elle eût pensé à rappeler le sujet dans son billet. C'était encore une façon de me dire qu'elle regrettait son petit éclat du samedi soir, dans le taxi, une façon discrète et tout à fait caractéristique de s'excuser. Gracie tout entière.

J'avalai les quatre pilules que je prenais chaque matin au petit-déjeuner, je bus un peu de café, mangeai quelques toasts, et puis je me rendis au bout du couloir et j'ouvris la porte de mon cabinet de travail. J'avais l'intention de continuer mon histoire jusqu'à l'heure du déjeuner. A ce moment-là, j'irais rendre une deuxième visite au magasin de Chang – non seulement pour le ruban adhésif de Grace, mais aussi pour acheter tous les carnets portugais qui s'y trouveraient encore en stock. Peu importait s'ils n'étaient pas bleus. Noirs, rouges ou bruns, ils feraient aussi bien l'affaire et je souhaitais en avoir le plus grand nombre possible sous la main. Pas pour tout de suite, sans doute, mais pour me constituer des réserves en vue de projets à venir, et plus je tardais à retourner chez Chang, plus grandes étaient les chances qu'il n'y en ait plus.

Jusqu'alors, écrire dans le carnet bleu ne m'avait donné que du plaisir, un sentiment exaltant et fou de plénitude. Les mots jaillissaient de moi comme si j'écrivais sous dictée, notant les phrases prononcées par une voix qui parlait dans la langue cristalline des rêves, des cauchemars et des pensées librement associées. Le matin du 20 septembre, pourtant, deux jours après le jour en question, cette voix se tut soudain. J'ouvris le carnet et quand je parcourus des yeux la page devant moi, je me rendis compte que j'étais perdu, que je ne savais plus ce que je faisais. J'avais mis Bowen dans la chambre. J'avais fermé la porte et éteint la lumière, et à présent je ne savais plus du tout comment le sortir de là. Des quantités de solutions me venaient à l'esprit, mais toutes me paraissaient mécaniques, banales, ternes. L'idée d'enfermer Nick dans l'abri souterrain me paraissait irrésistible – à la fois terrifiante et mystérieuse, au-delà de toute explication rationnelle – et je ne voulais pas y renoncer. Mais dès lors que j'avais poussé l'histoire en ce sens, je m'étais écarté des données originales de l'exercice. Mon héros ne marchait plus sur les traces de Flitcraft. Hammett donne à sa parabole une fin nettement comique et, même si elle paraît en un sens inéluctable, je trouvais sa conclusion un peu trop prévisible à mon goût. Après deux années d'errance, Flitcraft se pose à Spokane et s'y marie avec une femme qui est presque un double de sa première épouse. Ainsi que le dit Sam Spade à Brigid O'Shaughnessy : "Je crois qu'il ne savait même pas qu'il se réinstallait tout naturellement dans l'ornière dont il s'était échappé à Tacoma. Mais c'est ce qui m'a toujours plu dans cette histoire. Il s'est adapté à la chute de poutres, et puis comme il n'en tombait plus, il s'est adapté à leur non-chute." Malin, symétrique et ironique – mais pas assez fort pour le genre d'histoire que j'avais envie de raconter. Je restai assis à ma table pendant plus d'une heure, le stylo à la main, mais je n'écrivis pas un mot. Peut-être était-ce à cela que John faisait allusion quand il avait parlé de la "cruauté" des carnets portugais. On volait sur leurs pages pendant quelque temps, emporté par un sentiment de puissance, tel un Superman mental fonçant dans un ciel bleu éclatant avec sa cape flottant au vent derrière lui, et puis, sans avertissement, on s'écrasait au sol. Après autant d'excitation, après avoir autant pris mes désirs pour des réalités (au point, je le confesse, d'avoir imaginé que je pourrais faire un roman de cette histoire, ce qui m'aurait permis de gagner un peu d'argent et de recommencer à assumer ma part du ménage), je me sentais écœuré, honteux d'avoir laissé trois douzaines de pages écrites à la hâte me donner l'illusion que j'avais tout à coup renversé ma situation. Tout ce que j'avais accompli, c'était de m'acculer dans un coin. Il existait peut-être un moyen de m'en sortir, mais pour le moment je n'en voyais aucun. La seule chose que je voyais, ce matin-là, c'était mon malheureux petit homme – assis dans l'obscurité de sa chambre souter-raine, attendant que quelqu'un vienne à sa rescousse.

Il faisait doux ce jour-là, des températures voisines de seize degrés, mais les nuages étaient revenus et quand je sortis de chez nous à onze heures et demie, la pluie paraissait imminente. Je ne me donnai pas la peine, néanmoins, de remonter pour prendre un parapluie. Monter et redescendre les trois volées de l'escalier m'aurait demandé trop d'efforts et je déci-dai de prendre le risque, comptant sur la chance pour que la pluie attende que je sois rentré.

Je m'en fus dans Court Street à faible allure, car je commençais à ressentir les effets de ma nuit de tra-vail, un peu des anciens vertiges qui me mettaient sens dessus dessous. Il me fallut plus d'un quart d'heure pour arriver au pâté de maisons compris entre les rues Carroll et President. La boutique du cordonnier était ouverte, comme elle l'avait été le samedi matin, de même que la bodega, deux portes plus loin, mais le magasin qui les séparait était vide. Quarante-huit heures plus tôt exactement, les affaires de Chang marchaient à plein régime, avec une vitrine artistiquement décorée et un stock débordant d'ar-ticles de papeterie à l'intérieur mais à présent, à mon intense stupeur, tout avait disparu. Une grille fermée d'un cadenas avait été tirée devant la façade et quand je collai mon œil aux ouvertures en forme de losange, je vis qu'une petite pancarte manuscrite était fixée à la vitrine : MAGASIN A LOUER. 858-1143.

J'étais si intrigué que je restai planté là un bon moment, en contemplation devant le local vide. Les affaires étaient-elles si mauvaises que Chang avait impulsivement décidé de renoncer ? Avait-il démonté sa boutique dans une crise démente de chagrin et de défaitisme, et liquidé tout son stock au cours d'un seul week-end ? Pendant un instant ou deux, je me demandai si je n'avais pas imaginé ma visite au Paper Palace, le samedi matin, ou si le sens de la chrono-logie ne s'était pas embrouillé dans ma tête, avec pour résultat que je me souvenais d'un événement qui s'était passé longtemps auparavant – non pas deux jours, mais deux semaines ou deux mois plus tôt. J'entrai dans la bodega et interrogeai l'homme qui se trouvait derrière le comptoir. Grâce au ciel, il était aussi abasourdi que moi. Le magasin de Chang était là samedi, me dit-il, et s'y trouvait encore quand il était rentré chez lui à sept heures. "Ça doit s'être passé pendant la nuit, continua-t-il, ou hier, peut-être. J'étais en congé. Demandez à Ramón, c'est lui qui fait le dimanche. Quand je suis arrivé ce matin, tout était nettoyé. Pour étrange, l'ami, voilà qui est étrange. Juste comme si un magicien avait agité sa baguette magique et, pouf, plus de Chinois."

Je trouvai du ruban adhésif ailleurs et puis je poussai jusque chez Landolfi pour acheter un paquet de cigarettes (des Pall Mall, en l'honneur de feu Ed Victory) et quelques journaux à lire en déjeunant. A peu de distance de Landolfi se trouvait, à l'enseigne de Chez Rita, un petit café bruyant où j'avais passé le temps pendant une bonne partie de l'été. Il y avait presque un mois que je n'y étais plus allé et je trouvai gratifiant que la serveuse et le préposé au comptoir me saluent tous deux chaleureusement à mon entrée. Chamboulé comme je l'étais, ça me fit du bien de savoir qu'on ne m'avait pas oublié. Je commandai mon sandwich au fromage habituel et m'installai avec mes journaux. Le *Times* d'abord, ensuite le *Daily News* pour les sports (les Mets avaient perdu sur toute la ligne dimanche contre les Cardinals) et enfin un coup d'œil à *Newsday*. J'étais passé maître dans l'art de gaspiller mon temps, à cette époque, et avec mon travail en panne et rien d'urgent qui m'appelât à l'appartement, je ne me sentais pas pressé de partir, d'autant que la pluie avait commencé à tomber et que j'avais été trop paresseux pour remonter l'escalier et prendre un parapluie avant de sortir.

Si je n'avais pas traîné si longtemps chez Rita, commandé un deuxième sandwich et une troisième tasse de café, je n'aurais jamais vu l'article imprimé tout en bas de la page 37 de *Newsday*. La veille, j'avais écrit plusieurs paragraphes sur les expériences d'Ed Victory à Dachau. Bien qu'Ed fût un personnage inventé, l'histoire qu'il racontait, celle où il donnait du lait à un bébé mort, était vraie. Je l'avais empruntée à un livre que j'avais lu un jour sur la Seconde Guerre mondiale[8] et, avec les mots d'Ed qui me résonnaient encore à l'oreille ("C'était la fin de l'humanité"), je suis tombé sur cet article maladroitement rédigé à propos d'un autre bébé mort, une autre dépêche des entrailles de l'enfer. Je peux le citer mot pour mot parce que je l'ai devant moi en ce moment. Je l'ai déchiré du journal cet après-midi-là, il y a vingt ans, et, depuis, je l'ai toujours gardé dans mon portefeuille.

NÉ AUX TOILETTES,
UN BÉBÉ DANS LA POUBELLE
Défoncée au crack, une prostituée de vingt-deux ans a accouché dans les toilettes d'un taudis du Bronx et puis jeté son bébé mort dans une poubelle extérieure, a annoncé la police hier.

---

8. *The Lid Lifts (Le couvercle se soulève)*, de Patrick Gordon-Walker (Londres, 1945). Plus récemment, la même histoire a été racontée à nouveau par Douglas Botting dans *From the Ruins of the Reich : Germany 1945-1949 (Des ruines du Reich : Allemagne 1945-1949)* (Crown Publishers, New York, 1985), p. 43.

Pour mémoire, je voudrais signaler aussi que je possède un exemplaire de l'annuaire 1937-1938 des téléphones de Varsovie. Je l'ai reçu d'un ami journaliste qui s'est rendu en Pologne en 1981 pour couvrir le mouvement Solidarité. Il l'a apparemment trouvé quelque part dans un marché aux puces et, sachant que mes grands-parents paternels étaient tous deux nés à Varsovie, il m'en a fait cadeau après son retour à New York. Je l'appelle mon *livre des fantômes*. Au bas de la page 220, j'ai trouvé un couple marié dont l'adresse était : Wejnerta 19 – Janina et Stefan Orlowsky. C'est ainsi qu'on épelait mon nom de famille en polonais et, bien que je ne sache pas avec certitude si ces gens étaient ou non de mes parents, il m'a semblé qu'il y avait de fortes chances pour qu'ils le fussent.

SPIS ABONENTÓW WARSZAWSKIEJ SIECI

TELEFONÓW

POLSKIEJ AKCYJNEJ SPÓŁKI TELEFONICZNEJ

ROK 1937/38

07 Biuro Zleceń 07
05 Zegar 05

Numery oznaczone gwiazdką * należy brać ze Spisu
Abon. 1936/37 r. do czasu ogłoszenia w gazetach
o uruchomieniu centrali w Mokotowie.

11 40 44 **Orlean Ch.,** Karmelicka 29
12 20 51 **Orlean Josef,** m., Muranowska 36
12 08 51 **Orlean Josek,** m., Św. Jerska 9
2 37 68 **Orlean Mieczysław,** m., Chłodna 22
12 07 94 **Orlean Ruta,** m., Gęsia 29
6 18 99 **Orleańska Paulina,** Złota 8
2 06 98 **Orleański D.,** m., Moniuszki 8
8 83 21 **Orleńska O.,** artystka teatr. miejsk., m., Marszałkowska 1

12 61 33 **Orlewicz Stanisław,** dr., płk., Pogonowskiego 42
12 69 99 **Orlewicz Stefan,** m., Pogonowskiego 40
11 91 94 **„Orlę",** Zjedn. Polsk. Młodzieży Prac., okr. Stoł., Leszno 21

2 14 24 **Orlicki Stanisław,** adwokat, Orla 6
11 77 10 **Orlik Józefa,** m., Babice, parc. 165
10 06 84 **Orlikowscy B-cia,** handel win, wódek i tow kolonj., Ząbkowska 22

6 24 38 **Orlikowska Janina,** m., Alberta 2
9 28 26 **Orlikowski Antoni,** lek. dent., pl. 3-ch Krzyży 8
10 12 19 **Orlikowski Jan,** skł. towarów kolonjalnych, Targowa 54

10 26 02 **Orlikowski Jan,** m., Targowa 19
12 73 03 **Orlikowski Stanisław,** m., Zajączka 24
4 22 70★ **Orliński Bolesław,** m., Racławicka 94
5 83 97 **Orl ński Maks,** dr. med., chor. nerw., Wielka 14
8 11 10 **Orliński Tadeusz,** dziennik., Jerozolimska 31
9 96 24 **Orlot Leroch Rudolf,** mjr., Koszykowa 79a
„Orlorog", daw. Orłowski L., Rogowicz J. i S-ka, Sp. z o. o., fabr. izol. kork., bud. wodochr., bituminy, asfaltów
9 81 23 — wydz. techn., pl. 3-ch Krzyży 13
— „ — — (dod.) gab. inż. J. Rogowicza
— „ — — (dod.) biuro i buchalterja
5 05 59 — fabryka, Bema 53
8 07 66 **Orłow Grzegorz,** m., Mokotowska 7
7 01 69 **Orłów Ludwik,** przeds. rob. budowl., Buska 9
11 52 63 **Orłow P. A.,** sprzed. lamp i przyb. gazowych, Zamenhofa 26

4 19 01★ **Orłowscy Janina i Stefan,** m., Wejnerta 19
8 80 57 **Orłowska Halina,** m., Polna 72
3 16 29 **Orłowska Lilia,** Kopernika 12
4 28 36★ **Orłowska Marja,** kawiarnia, Rakowiecka 9
12 52 54 **Orłowska Marja,** m., Cegłowska 14
9 27 63 **Orłowska-Czerwińska Sława,** artystka Opery, Wspólna 37

3 19 47 **Orłowska Stefanja,** mag. kapeluszy damsk., Chmielna 4

9 40 41 **Orłowska-świostek Zofja,** lek. dent., Wspólna 63
5 61 75 **Orłowska Zofja,** m., Al. 3 Maja 5
6 88 98 **Orłowski Adam,** inspektor skarb., Chłodna 52
8 16 66 **Orłowski Edward,** dr. med., Hoża 15
2 47 59 **Orłowski Feliks,** szofer, Elektryczna 1
11 06 01 **Orłowski Izrael,** m., Gęsia 30
8 53 04 **Orłowski Jan,** m., 6-go Sierpnia 18
5 98 63 **Orłowski Juljan,** Sienna 24
2 57 24 **Orłowski M.,** handel win i tow. kolonj., Marjensztat 7
3 24 65 **Orłowski Maksymiljan,** dr. med., rentgenolog, Graniczna 6

11 69 91
12 61 62 **Orth Anna,**
Orthwein, Karasi...

5 01 58 — dyrektor,
— „ — — (dod.) m...
2 63 45 **Ortman Stefa...**

2 10 21 **„Ortopedja"...**
11 56 93 **„Ortozan",** ...
8 75 14 **Ortwein Edwa...**
2 22 30 **„Orwil",** Sp...
5 86 86
9 39 69 **„Oryginalna...**
9 55 89 **Orynowski W...**
8 14 23 **Orynżyna Jan...**
7 10 92 **Orzażewski E...**
10 17 29 **Orzażewski K...**
8 16 19 **Orzażewski R...**
11 69 79 **Orzech J. B.,**
9 98 19 **Orzech L.,** d...
2 16 01 **Orzech M.,**

5 33 43 **Orzech Maury...**
12 13 01 **Orzech Morle...**
5 38 00 **Orzech Paweł...**
11 84 29 **Orzech Pinku...**
6 59 39 **Orzech Szymo...**
2 16 01 **Orzechowa N...**
6 44 22
9 42 28 **Orzechowska...**
2 63 15 **Orzechowska...**
9 71 24 **Orzechowska...**
8 16 26 **Orzechowska...**
10 17 31 **Orzechowska...**

8 93 81 **Orzechowska...**
4 08 59★ **Orzechowska...**
8 84 02 **Orzechowski...**
6 50 92 **Orzechowski...**
5 36 59 **Orzechowski...**
12 74 22 **Orzechowski...**

6 35 30 **Orzechowski...**
5 83 80 **Orzechowski...**
5 04 72 **Orzechowski...**

5 30 09 **Orzechowski...**
9 66 51 **Orzechowski...**

4 35 24★ **Orzechowski...**

12 52 55 **Orzechowski...**
4 32 83★ **Orzechowski...**
5 83 22 **Orzechowski...**
12 56 23 **Orzechowski...**
2 76 02 **Orzechowski...**
2 04 25 **Orzechowski...**
11 43 31 **Orzełski Marj...**
6 77 66 **„Orzeł",** zob...

D'après les policiers, la femme était occupée avec un client, hier, vers une heure du matin, lorsqu'elle a quitté la chambre qu'ils occupaient au 450, Cyprus Pl., et s'est rendue aux toilettes pour fumer un joint. Assise sur une cuvette, la femme "sent qu'elle perd les eaux, sent quelque chose sortir", selon le Sgt. Michael Ryan.

Mais la police estime que la femme – défoncée au crack – n'était apparemment pas consciente d'avoir accouché.

Vingt minutes après, la femme a remarqué le bébé mort dans la cuvette, elle l'a enveloppé d'une serviette et l'a jeté dans une poubelle. Elle est alors retournée auprès de son client et ils ont repris leurs rapports, raconte Ryan. Une dispute a bientôt éclaté, toutefois, au sujet du paiement, et la police affirme que la femme a poignardé son client vers une heure quinze du matin.

Selon la police, la femme, identifiée comme Kisha White, s'est enfuie à son appartement dans la 188e Rue. Plus tard, White est revenue récupérer son bébé dans la poubelle. Une voisine, témoin de son retour, a appelé la police.

Après avoir lu cet article une première fois, je me suis dit : Voilà l'histoire la plus atroce que j'aie jamais lue. C'était déjà assez dur d'encaisser l'histoire du bébé, mais quand j'arrivai, au bas du quatrième paragraphe, à l'incident du coup de poignard, je compris que j'étais en train de lire un récit où il était question de la fin de l'humanité, que cette chambre dans le Bronx était, sur terre, l'endroit précis où la vie humaine avait perdu toute signification. Je restai pendant quelques instants immobile, cherchant à retrouver mon souffle, cherchant à stopper mes tremblements, et puis je relus l'article. Cette fois, mes yeux se remplirent de larmes. Des larmes si soudaines, si inattendues que je me cachai aussitôt le visage dans les mains pour être sûr que personne ne les verrait. Si le café n'avait pas été rempli de monde, je me serais sans doute effondré en san-glots. Je n'allai pas jusque-là mais il me fallut rassembler toutes mes forces pour m'en empêcher.

Je rentrai chez nous en marchant sous la pluie. Après avoir ôté mes vêtements trempés et m'être rhabillé de sec, je me rendis dans mon cabinet de travail, je m'assis à ma table et j'ouvris le carnet bleu. Pas aux pages que je venais de remplir, mais à la fin, au dernier verso avant la face interne de la couverture. L'article m'avait tellement bouleversé que je ressentais la nécessité d'écrire quelque chose en réaction, d'affronter sans détour la détresse qu'il avait provoquée. J'y consacrai une heure environ, en écrivant à l'envers dans le carnet, d'abord la page 96, et puis la 95, et ainsi de suite. Une fois terminée ma petite diatribe, je refermai le carnet, me levai et me rendis à la cuisine. Je me versai un verre de jus d'orange et, en remettant le carton dans le frigo, je jetai par hasard un coup d'œil au téléphone posé sur une petite table dans un coin de la pièce. J'eus la surprise de voir clignoter la lumière du répondeur. Il n'y avait pas de message quand j'étais rentré après mon déjeuner chez Rita et à présent il y en avait deux. Etrange. Insignifiant, sans doute, mais étrange. Car le fait était que je n'avais pas entendu le téléphone sonner. Avais-je été absorbé dans ce que je faisais au point de ne pas remarquer ce bruit ? Possible. Mais, dans ce cas, c'était la première fois que cela m'arrivait. Notre téléphone a une sonnerie particulièrement bruyante et on l'entend d'un bout à l'autre du couloir, jusque dans mon bureau – même quand la porte est fermée.

Le premier message était de Grace. Elle avait une échéance à respecter dans son travail et ne pourrait pas quitter le bureau avant sept heures et demie, huit heures. Si j'avais faim, ajoutait-elle, je devais commencer à dîner sans elle, et elle réchaufferait les restes à son retour.

Le second message était de mon agent, Mary Sklarr. A ce qu'il semblait, quelqu'un venait de l'appeler de

Los Angeles pour lui demander si cela m'intéresserait d'écrire un nouveau scénario, et elle souhaitait que je la rappelle afin qu'elle puisse me donner des détails[9]. C'est ce que je fis, mais il fallut un certain temps avant qu'elle en vienne aux faits. Comme le faisaient tous mes proches, Mary commença la conversation en me demandant des nouvelles de ma santé. Ils avaient tous pensé m'avoir perdu et bien qu'il y eût à présent quatre mois que j'étais rentré de l'hôpital, ils ne pouvaient toujours pas croire que j'étais vivant, qu'ils ne m'avaient pas enseveli au début de cette année dans l'un ou l'autre cimetière.

"En pleine forme, dis-je. Quelques temps morts, quelques faiblesses de-ci, de-là mais pour l'essentiel, ça va bien. Ça s'améliore de semaine en semaine.

---

9. Quatre ans auparavant, j'avais adapté l'une des nouvelles de mon premier livre, *Tabula rasa*, pour un jeune réalisateur du nom de Vincent Frank. C'était un film mineur, à petit budget, l'histoire d'un musicien qui se remet d'une longue maladie et reprend lentement sa vie en main (une histoire qui allait se révéler prophétique), et quand le film était sorti en juin 1980, il avait assez bien marché. *Tabula rasa* n'était passé que dans quelques salles d'art et d'essai disséminées dans le pays, mais on l'avait considéré comme un succès critique et – ainsi que Mary aimait à me le rappeler – il avait contribué à attirer sur mon nom l'attention d'un public dit plus grand. Les ventes de mon livre avaient paru s'améliorer un peu, c'est vrai, et quand je lui ai confié, quelques mois plus tard, mon nouveau roman, *Petit dictionnaire des émotions humaines*, elle a négocié avec Holst & McDermott un contrat au montant deux fois supérieur à celui qu'on m'avait offert pour mon premier livre. Cette avance, s'ajoutant à la somme modeste que j'avais gagnée grâce au scénario, m'a permis d'abandonner le poste d'enseignant dans le secondaire qui était depuis sept ans mon gagne-pain. Jusqu'alors, j'avais été l'un de ces écrivains obscurs et fervents qui écrivent entre cinq et sept heures du matin, qui écrivent la nuit et en fin de semaine, et qui ne partent jamais nulle part pendant les vacances d'été afin de rester chez eux dans un appartement torride de Brooklyn

— Le bruit court que tu t'es remis à écrire. Vrai ou faux ?

— Qui t'a dit ça ?

— John Trause. Il a téléphoné ce matin, et on en est venus à parler de toi.

— C'est vrai. Mais je ne sais pas encore où je vais avec ça. Ce ne sera peut-être rien.

— Espérons que non. J'ai dit aux cinéastes que tu avais commencé un nouveau roman et que ça ne t'intéresserait sans doute pas.

— Mais ça m'intéresse. Ça m'intéresse beaucoup. Surtout si c'est correctement payé.

— Cinquante mille dollars.

— Bon Dieu ! Avec cinquante mille dollars, nous serions tirés d'affaire, Grace et moi.

— C'est un projet idiot, Sid. Pas du tout ton genre. De la science-fiction.

---

pour rattraper le temps perdu. Aujourd'hui, un an et demi après mon mariage avec Grace, je me trouvais dans la situation luxueuse d'un gribouilleur indépendant sans autre patron que lui-même. Nous n'étions pas vraiment ce qu'on pourrait appeler riches mais si je continuais à produire à une allure régulière, nos revenus combinés nous permettraient de garder la tête hors de l'eau. Après la sortie de *Tabula rasa*, j'avais reçu quelques propositions d'écrire d'autres films, mais les projets ne m'intéressaient pas et je les avais refusés afin de me consacrer à mon roman. Et puis, lorsque Holst & McDermott ont sorti le livre en février 1982, je n'ai pas su qu'il était publié. Il y avait déjà cinq semaines que j'étais à l'hôpital et je n'étais plus conscient de rien – pas même de la conviction des médecins que ma mort n'était qu'une question de jours.

Tabula rasa avait été une production syndicale et pour pouvoir figurer au générique en tant qu'auteur du scénario, j'avais dû m'inscrire à l'Union des écrivains. La qualité de membre entraînait l'obligation de payer une cotisation trimestrielle et de céder un petit pourcentage de ses gains mais, en retour, on bénéficiait entre autres choses d'une assurance maladie très convenable. Sans cette assurance, ma maladie m'aurait entraîné à la prison pour dettes. Presque tous les

— Ah. Je vois ce que tu veux dire. Pas vraiment mon style, hein ? Mais il s'agit de science fictive ou de fiction scientifique ?

— Il y a une différence ?

— Je ne sais pas.

— Ils veulent faire un remake de *La Machine à explorer le temps*.

— H. G. Wells ?

— C'est ça. Le réalisateur sera Bobby Hunter.

— Le type qui fait ces films d'action à gros budget ? Qu'est-ce qu'il sait de moi ?

— C'est un fan. Apparemment, il a lu tous tes livres, et il a adoré *Tabula rasa*, le film.

— Je suppose que je devrais me sentir flatté. Mais je ne comprends toujours pas. Pourquoi moi ? Je veux dire : pourquoi moi pour ça ?

---

frais ont été couverts mais, comme toujours dans le domaine médical, il y avait d'innombrables autres questions à régler : sommes déductibles, frais supplémentaires pour traitements expérimentaux, pourcentages mystérieux et calculs à échelle mobile pour toutes sortes de remèdes et de matériel jetable, une effrayante série de factures qui m'avaient enfoncé de trente-six mille dollars dans le rouge. Tel était le fardeau que nous avions à porter, Grace et moi, et au fur et à mesure que mes forces me revenaient, je m'inquiétais de plus en plus du moyen de nous libérer de cette dette. Le père de Grace avait proposé de nous aider, mais le juge n'était pas riche et, les deux jeunes sœurs de Grace étant encore étudiantes, nous n'avions pas pu accepter. Nous nous bornions à rembourser une petite somme chaque mois, espérant grignoter lentement la montagne, mais au train où nous allions, nous n'en aurions pas terminé lorsque nous aurions atteint le troisième âge. Grace travaillait dans l'édition, c'est dire que son salaire était, au mieux, modeste, et moi je n'avais plus rien gagné depuis près d'un an. Quelques droits d'auteur microscopiques, quelques à-valoir de l'étranger, mais rien de plus. Cela explique pourquoi j'ai rappelé Mary aussitôt après avoir écouté son message. Je n'avais jamais envisagé d'écrire d'autres scénarios, mais si le prix était convenable pour celui-ci, je n'avais aucune intention de refuser ce boulot.

— Ne t'en fais pas, Sid. Je vais les rappeler et leur dire non.

— Donne-moi d'abord deux jours pour y réfléchir. Je vais lire le livre et voir ce qui arrive. On ne sait jamais. Peut-être que je vais découvrir une idée intéressante.

— D'accord, à ta guise. Je vais leur dire que tu y penses. Pas de promesse, mais tu veux ruminer ça avant de te décider.

— Je suis à peu près certain qu'il y a un exemplaire de ce livre ici, dans l'appartement. Un vieux poche que j'ai acheté quand j'étais gamin. Je me mets tout de suite à le lire, et je t'appelle dans un jour ou deux."

L'édition de poche coûtait trente-cinq cents en 1961 et comprenait deux des premiers romans de Wells, *La Machine à explorer le temps* et *La Guerre des mondes*. *La Machine à explorer le temps* faisait moins de cent pages et sa lecture ne me prit guère plus d'une heure. Je la trouvai très décevante – une mauvaise histoire maladroitement écrite, une critique sociale déguisée en récit d'aventures et lourde sur les deux plans. Il ne me semblait pas possible qu'on pût vouloir faire une adaptation littérale de ce livre. Une telle version avait déjà été faite et si ce Bobby Hunter connaissait mon œuvre aussi bien qu'il le prétendait, cela devait signifier qu'il souhaitait que j'emmène l'histoire ailleurs, que, partant du livre, je trouve un moyen d'en tirer quelque chose de nouveau. Sinon, pourquoi s'adressait-il à moi ? Il y avait des centaines de scénaristes professionnels plus expérimentés que moi. N'importe lequel aurait pu transformer le roman de Wells en un scénario acceptable – qui, imaginais-je, aurait fini par ressembler au film avec Rod Taylor et Yvette Mimieux que j'avais vu autrefois, agrémenté d'effets spéciaux plus impressionnants.

Si j'étais sensible à quelque chose dans ce livre, c'était à la trouvaille fondatrice, cette notion même de voyage dans le temps. Et pourtant il me semblait que cela aussi, Wells l'avait traité de travers. Il envoie son héros dans l'avenir mais, plus j'y pensais, plus ma conviction grandissait que la plupart d'entre nous préférerions visiter le passé. L'histoire qu'avait racontée Trause à propos de son beau-frère et du stéréoscope illustrait bien la force de l'emprise que les morts conservent sur nous. Si on m'avait proposé le choix entre un saut vers l'avant ou vers l'arrière, je n'aurais pas hésité. J'aurais préféré de loin me retrouver parmi des gens qui ont cessé de vivre plutôt que parmi des gens pas encore nés. Avec tant d'énigmes historiques à résoudre, comment ne pas se sentir curieux de ce dont le monde avait l'air, disons, dans l'Athènes de Socrate ou dans la Virginie de Thomas Jefferson ? Ou bien, à l'instar du beau-frère de Trause, comment résister à l'envie de revoir ceux qu'on a perdus ? Voir son père et sa mère le jour où ils se sont rencontrés, par exemple, ou parler à ses grands-parents quand ils étaient enfants ? Qui refuserait une telle possibilité en échange d'un aperçu sur un avenir inconnu et incompréhensible ? Lemuel Flagg avait vu l'avenir dans *La Nuit de l'oracle*, et ça l'avait détruit. Nous ne souhaitons pas savoir quand nous allons mourir ni quand les gens que nous aimons vont nous trahir. Mais nous sommes avides de découvrir les morts avant leur mort, de faire la connaissance des morts en tant qu'êtres vivants.

Je comprenais que Wells avait eu besoin d'envoyer son personnage en avant dans le temps afin d'exprimer ce qu'il pensait des injustices du système de classes anglais, que l'on pouvait porter à des niveaux cataclysmiques en le situant dans l'avenir mais, même si je lui accordais le droit de faire cela, son livre avait un autre défaut, plus grave. Si un homme vivant à Londres à la fin du XIXe siècle pouvait inventer une machine à explorer le temps, il tombait sous le sens que d'autres hommes, dans l'avenir, seraient capables de la même chose. Sinon par eux-mêmes, du moins avec l'aide du voyageur dans le temps. Et si des représentants des futures générations pouvaient aller et venir à travers les années et les siècles, alors le passé comme l'avenir seraient pleins de gens qui n'appartiendraient pas au temps dans lequel ils se promènent. A la fin, tous les temps seraient viciés, encombrés d'intrus et de touristes en provenance d'autres temps et, dès lors que des gens venus de l'avenir commenceraient à influencer des événements du passé et des gens venus du passé à influencer des événements futurs, la nature du temps changerait. Au lieu d'être une succession d'instants discrets progressant lentement dans une seule direction, il s'éparpillerait en un vaste synchronisme flou. Pour le dire simplement, dès lors qu'une seule personne commencerait à voyager dans le temps, le temps tel que nous le connaissons n'existerait plus.

Néanmoins, cinquante mille dollars représentaient une somme importante et je n'allais pas me laisser arrêter par quelques failles dans la logique de l'histoire. Je reposai le livre et me mis à aller et venir dans l'appartement, en passant d'une pièce à l'autre, en parcourant les titres des livres sur les rayonnages, en écartant les rideaux pour contempler la rue mouillée au-dehors, en n'accomplissant rien pendant plusieurs heures. A sept heures, j'allai à la cuisine préparer un repas pour accueillir Grace à son retour de Manhattan. Une omelette aux champignons, une salade verte, des pommes de terre bouillies et des brocolis. Mes talents culinaires étaient limités mais j'avais été cuistot autrefois, derrière un comptoir de restauration rapide, et j'étais assez doué pour improviser des repas simples et légers. Il fallait commencer par éplucher les pommes de terre et lorsque je me mis à les débarrasser de leur peau au-dessus d'un sac de papier brun, la trame de mon histoire m'apparut enfin. Ce n'était qu'un début, avec de nombreux angles à arrondir et une foule de détails à ajouter plus tard, mais j'en étais assez content. Non parce que cela me paraissait bon, mais parce que je pensais que cela pouvait marcher pour Bobby Hunter – dont l'opinion était la seule qui importât.

Il y aurait deux voyageurs dans le temps, décidai-je, un homme du passé et une femme du futur. L'action irait alternativement de l'un à l'autre jusqu'à leur embarquement et alors, à peu près au tiers du film, ils se rencontreraient dans le présent. Je ne savais pas encore quels noms leur donner et pour l'instant je les appelai donc Jack et Jill.

Jack ressemble au héros de Wells – mais c'est un Américain, pas un Anglais. En 1895, il a vingt-huit ans, il est le fils d'un gros éleveur décédé et il vit dans un ranch au Texas. Financièrement indépendant, peu soucieux de reprendre les affaires de son père, il laisse la gestion du ranch à sa mère et à sa sœur aînée pour se consacrer à la recherche et à l'expérimentation scientifiques. Après deux ans de travail incessant sans résultat, il réussit à construire une machine à explorer le temps. Il part pour son premier voyage. Il ne fait pas un saut de mille ans dans l'avenir, comme le personnage de Wells, mais avance seulement de soixante-huit ans et débarque de son appareil étincelant par une journée fraîche et ensoleillée de la fin de novembre 1963.

Jill appartient au monde du milieu du XXIIe siècle. On possède alors la maîtrise des voyages dans le temps, mais on ne la met que rarement en pratique et des restrictions sévères en réglementent l'usage. Conscient des risques de rupture et de désastre qu'elle implique, l'Etat n'accorde à chacun qu'un seul voyage durant sa vie. Et ce n'est pas pour le plaisir de visiter d'autres moments de l'histoire, mais en tant que rite d'initiation à l'âge adulte. Une célébration est organisée en votre honneur et, le soir même, vous êtes envoyé dans le passé pour parcourir le monde pendant un an et observer vos ancêtres. Vous commencez deux cents ans avant votre naissance, en remontant à peu près sept générations, et puis vous revenez progressivement au présent. Le but du voyage est de vous enseigner l'humilité et la compassion, la tolérance envers le prochain. Parmi la centaine d'aïeux que vous rencontrerez en chemin, la gamme entière des possibilités humaines vous sera révélée, chacun des numéros de la loterie génétique aura son tour. Le voyageur comprendra qu'il est issu d'un immense chaudron de contradictions et qu'au nombre de ses antécédents se comptent des mendiants et des sots, des saints et des héros, des infirmes et des beautés, de belles âmes et des criminels violents, des altruistes et des voleurs. A se trouver confronté à autant de vies au cours d'un laps de temps aussi bref, on gagne une nouvelle compréhension de soi-même et de sa place dans le monde. On se voit comme un élément d'un ensemble plus grand que soi, et on se voit comme un individu distinct, un être sans précédent, avec son avenir personnel irremplaçable. On comprend, finalement, qu'on est seul responsable de son devenir.

Certaines règles sont en vigueur pendant toute la durée du voyage. On ne doit pas révéler sa véritable identité ; on ne doit pas intervenir dans les actions de qui que ce soit ; on ne peut autoriser personne à monter dans la machine. Enfreindre n'importe laquelle de ces règles entraîne le bannissement de son temps et l'obligation de vivre en exil pendant le restant de ses jours.

L'histoire de Jill commence le matin de son vingtième anniversaire. La fête terminée, elle dit au revoir à ses parents et à ses amis et se sangle dans son véhicule intertemporel fabriqué par l'Etat. Elle emporte une liste de noms et un dossier consacré à ceux de ses ancêtres qu'elle rencontrera au cours de son voyage. Le cadran du panneau de contrôle a été réglé à la date du 20 novembre 1963, deux cents ans exactement avant sa naissance. Elle étudie une dernière fois les papiers, les fourre dans sa poche et met en marche le moteur de la machine. Dix secondes plus tard, sous les gestes d'adieux de ses amis et parents en pleurs, l'engin disparaît de leur vue et le voyage de Jill a commencé.

La machine de Jack s'est arrêtée dans un pré aux environs de Dallas. C'est le 27 novembre, cinq jours après l'assassinat de Kennedy, et Oswald est déjà mort, abattu par Jack Ruby dans un corridor souterrain de l'hôtel de ville. Six heures après son arrivée, Jack a lu assez de journaux et écouté assez d'émissions de radio et de télévision pour comprendre qu'il est arrivé en pleine tragédie nationale. Il a déjà vécu au temps de l'assassinat d'un président (Garfield, en 1881) et il a des souvenirs douloureux des traumatismes et du chaos que cela avait provoqués. Il réfléchit pendant deux jours à la question, se demandant s'il a le droit moral de modifier la réalité historique et, à la fin, il décide que oui. Il va agir pour le bien du pays ; il fera tout ce qui sera en son pouvoir pour sauver la vie à Kennedy. Il retourne à son engin dans le pré, règle le cadran du chronomètre à la date du 20 novembre et remonte de neuf jours dans le passé. Quand il émerge de son cockpit, il s'aperçoit qu'il s'est posé à moins de trois mètres d'un autre véhicule intertemporel – une svelte version XXIIe siècle du sien. Jill en descend, un rien étourdie et dépeignée. Voyant, devant elle, Jack qui la dévisage avec stupéfaction, elle plonge la main dans sa poche et en sort sa liste de noms. Excusez-moi, monsieur, dit-elle, mais je me demande si vous sauriez par hasard où je pourrais trouver un certain Lee Harvey Oswald.

Je n'avais pas imaginé la suite très en détail. Je savais que Jack et Jill devraient tomber amoureux l'un de l'autre (c'était pour Hollywood, après tout) et je savais que Jack finirait par persuader Jill de l'aider à empêcher Oswald d'assassiner Kennedy – fût-ce au risque de la mettre hors la loi, dans l'impossibilité de retourner à son époque. Ils surprendraient Oswald le matin du 22, lorsqu'il entrerait avec son arme dans le dépôt de livres scolaires du Texas, l'entraveraient et le garderaient en otage pendant plusieurs heures. Et pourtant, en dépit de tous leurs efforts, rien ne serait changé. Kennedy mourrait d'un coup de feu et l'histoire américaine ne serait pas modifiée d'un iota. Oswald, en s'affirmant homme de paille, avait dit vrai. Qu'il ait ou non tiré sur le président, il n'était pas le seul tireur impliqué dans la conspiration.

Parce que Jill ne peut plus rentrer chez elle désormais, et parce que Jack l'aime et ne peut supporter l'idée de la quitter, il décide de rester avec elle en 1963. Dans la scène finale du film, ils détruisent leurs engins et les enterrent dans le pré. Après quoi, face au soleil levant, ils s'en vont dans le petit jour du 23 novembre : deux jeunes gens qui ont renoncé à leur passé et se préparent à affronter ensemble l'avenir.

C'était n'importe quoi, bien entendu, une fantaisie de bas étage, mais ça me paraissait un film possible et c'était là tout ce que j'espérais accomplir : produire quelque chose qui corresponde à la formule désirée. Ce n'était pas de la prostitution mais plutôt un arrangement financier, et je n'éprouvais aucune arrière-pensée à l'idée de travailler sur commande afin de récolter un paquet de dollars si bienvenu. La journée m'avait secoué, avec d'abord mon incapacité à continuer l'histoire à laquelle je travaillais, ensuite le choc de m'apercevoir que Chang avait fermé boutique et puis l'atterrant article de journal que j'avais lu à midi. A tout le moins, penser à *La Machine à explorer le temps* m'avait servi de distraction indolore, et quand Grace passa la porte à huit heures et demie, j'étais de relativement bonne humeur. La table était mise, une bouteille de vin blanc refroidissait au frigo et l'omelette était prête à être versée dans la poêle. Grace était, je crois, un peu étonnée que je l'aie attendue, mais elle n'en dit rien. Apparemment épuisée, elle avait des cercles noirs sous les yeux et une sorte de pesanteur dans ses mouvements. Après l'avoir aidée à ôter son manteau, je la menai aussitôt à la cuisine et la fis asseoir à table. "Mange, lui dis-je. Tu dois être affamée." Je posai du pain et une assiettée de salade devant elle, et puis j'allai au fourneau m'occuper de l'omelette.

Elle me complimenta pour le repas mais, à part cela, elle ne parla guère pendant que nous mangions. J'étais heureux de voir qu'elle avait recouvré son appétit et pourtant, en même temps, elle paraissait ailleurs, moins présente que d'habitude. Pendant que je lui racontais comment, étant parti acheter du ruban adhésif, j'avais trouvé la boutique de Chang mystérieusement fermée, elle semblait à peine m'écouter. J'eus la tentation de lui parler de la proposition de scénario, mais le moment ne me parut pas indiqué. Peut-être après le dîner, pensai-je, et puis, comme je me levais pour commencer à débarrasser, elle me regarda et me dit : "Je crois que je suis enceinte, Sid."

Elle avait lâché ça de manière si inattendue que je ne sus que faire, sinon me rasseoir sur ma chaise.

"Ça fait presque six semaines depuis mes dernières règles. Tu sais combien je suis régulière. Et toutes ces nausées hier soir. Qu'est-ce que ça pourrait signifier d'autre ?

— Tu n'as pas l'air trop contente, dis-je enfin.

— Je ne sais pas ce que j'éprouve. Nous avons toujours parlé d'avoir des gosses, mais maintenant le moment me paraît aussi mal choisi que possible.

— Pas nécessairement. Si le test est positif, nous imaginerons quelque chose. C'est ce que tout le monde fait. Nous ne sommes pas stupides, Grace. Nous trouverons un moyen.

— L'appartement est trop petit, nous n'avons pas le sou, et je devrais arrêter de travailler pendant trois ou quatre mois. Si tu étais complètement rétabli, rien de tout ça n'aurait d'importance. Mais tu n'es pas encore tout à fait là.

— Tu es enceinte, non ? Qui prétend que je ne suis pas là ? Il n'y a rien qui cloche à ma plomberie, en tout cas."

Grace sourit. "Alors tu votes oui.

— Bien sûr que je vote oui.

— Alors ça fait un oui et un non. Où on va, à partir de là ?

— Tu n'es pas sérieuse ?

— Que veux-tu dire ?

— Un avortement ? Tu ne penses pas à t'en débarrasser, dis ?

— Je ne sais pas. C'est une idée odieuse, mais il vaudrait peut-être mieux attendre un peu avant d'avoir des enfants.

— Quand on est mariés, on ne tue pas ses bébés. Pas quand on s'aime.

— C'est affreux, ce que tu dis, Sidney. Ça ne me plaît pas.

— Hier soir, tu m'as dit : Continue à m'aimer, et tout le reste s'arrangera. C'est ce que j'essaie de faire. T'aimer et prendre soin de toi.

— Il ne s'agit pas d'amour. Il s'agit de tenter d'évaluer ce qui serait le mieux pour nous deux.

— Tu sais déjà, n'est-ce pas ?

— Je sais quoi ?

— Que tu es enceinte. Tu ne crois pas que tu es peut-être enceinte. Tu sais déjà que tu l'es. Quand as-tu fait le test ?"

Pour la première fois depuis que je la connaissais, Grace se détourna de moi pendant que je lui parlais – incapable de me regarder, elle s'adressait au mur. Je l'avais prise à mentir, et l'humiliation lui était presque insupportable. "Samedi matin", répondit-elle. Sa voix était presque inaudible, à peine plus qu'un chuchotement.

"Pourquoi ne me l'as-tu pas dit tout de suite ?

— Je ne pouvais pas.

— Tu ne pouvais pas ?

— J'étais trop bouleversée. Je n'avais pas envie de l'accepter, et il me fallait du temps pour assimiler la nouvelle. Je suis désolée, Sid, je suis vraiment désolée."

La discussion a duré deux heures encore et, finalement, à force d'insister, je suis venu à bout de sa résistance, elle a cédé et promis de garder l'enfant. C'était sans doute le pire affrontement que nous ayons jamais eu ensemble. De tous les points de vue pratiques, elle avait raison d'hésiter quant à cette grossesse mais la rationalité même de ses doutes semblait déclencher en moi une peur morbide et irrationnelle, et je n'arrêtais pas de la bombarder d'arguments d'un sentimentalisme effréné et très peu sensés. Quand nous avons abordé la question de l'argent, je lui ai parlé du scénario et de l'histoire que j'avais esquissée dans le carnet bleu, négligeant de préciser que le premier de ces projets n'était guère plus qu'un tâtonnement préliminaire, une très vague promesse de travail à venir, et que le second était déjà en panne. S'ils ne marchaient ni l'un ni l'autre, ai-je ajouté, j'adresserais une demande de poste de professeur à tous les départements de création littéraire d'Amérique, et si cela ne donnait rien, je recommencerais à enseigner l'histoire dans le secondaire – sachant très bien que je n'avais pas encore la résistance physique nécessaire pour assumer un emploi régulier. En d'autres termes, je lui mentais. Mon seul objectif était de la dissuader d'avorter et j'étais disposé, pour plaider ma cause, à m'autoriser tous les manquements possibles à l'honnêteté. La question était : pourquoi ? Alors même que j'étais en train de l'accabler de mes justifications interminables et de ma rhétorique d'une efficacité brutale, en démolissant l'un après l'autre ses arguments parfaitement calmes et raisonnables, je me demandais pourquoi je me battais avec tant d'ardeur. Au fond, je n'étais pas du tout certain d'être prêt à devenir père et je savais que Grace avait raison de soutenir que le moment était mal choisi, que nous ne devions pas commencer à penser à des enfants avant que je sois complètement rétabli. Plusieurs mois ont passé avant que je comprenne ce qui me motivait réellement ce soir-là. Il ne s'agissait pas d'avoir ou non un bébé. Il s'agissait de moi. Depuis que je l'avais rencontrée, je vivais dans une frayeur mortelle de perdre Grace. Je l'avais perdue une fois avant notre mariage et, après être tombé malade et être devenu un quasi-invalide, j'avais cédé peu à peu à une sorte de désespoir incurable, une conviction secrète qu'il vaudrait mieux pour elle que je ne sois plus là. Avoir un enfant ensemble effacerait cette anxiété et l'empêcherait d'avoir envie de décamper. Inversement, si elle refusait ainsi le bébé, c'était signe qu'elle voulait sa liberté, qu'elle était déjà en train de s'éloigner de moi. Cela explique, me semble-t-il, pourquoi je me suis mis dans un tel état ce soir-là, pourquoi je me suis défendu avec cet acharnement digne d'un avocat véreux, allant même jusqu'à tirer de mon portefeuille cette affreuse coupure de journal et insister pour qu'elle la lise. NÉ AUX TOILETTES, UN BÉBÉ DANS LA POUBELLE. Arrivée à la fin de l'article, elle releva vers moi des yeux pleins de larmes en disant : "Ce n'est pas juste, Sidney. Qu'est-ce que ce... ce cauchemar a à voir avec nous ? Tu me parles de bébés morts à Dachau, de couples qui ne peuvent pas avoir d'enfants, et maintenant tu me montres ça. Qu'est-ce qui te prend ? J'essaie seulement de sauvegarder notre vie ensemble du mieux que je peux. Tu ne comprends pas ?"

Le lendemain matin, je me levai tôt, préparai le petit-déjeuner pour nous deux et apportai le plateau dans la chambre à sept heures, une minute avant que le réveil ne se déclenche. Je posai le plateau sur la commode, je coupai la sonnerie et je m'assis sur le lit à côté de Grace. A l'instant où elle ouvrait les yeux, je l'entourai de mes bras et commençai à couvrir de baisers sa joue, son cou et son épaule, en appuyant ma tête contre elle et en lui demandant pardon pour les stupidités que j'avais dites la veille. Je lui dis qu'elle était libre de faire ce qu'elle voulait, que c'était à elle de décider et que je serais solidaire de son choix, quel qu'il fût. Ma belle Grace, qui jamais ne paraissait bouffie ou vague au réveil, qui émergeait toujours du sommeil avec l'alacrité d'un petit soldat ou d'un jeune enfant, passant en quelques secondes de l'inconscience la plus totale à une complète présence d'esprit, me prit dans ses bras et me serra contre elle, sans dire un mot mais en émettant du fond de la gorge une série de petits ronronnements qui me disaient que j'étais pardonné, que le différend était déjà derrière nous.

Je lui servis son déjeuner au lit. D'abord un jus d'orange, et puis une tasse de café avec un peu de lait, suivie de deux œufs à la coque et d'une tranche de pain grillé. Elle avait bon appétit, sans trace de nausée ni de malaise matinal, et tout en buvant mon café et en mangeant mon toast, je songeais qu'elle n'avait jamais été plus resplendissante qu'en ce moment. Ma femme est un être lumineux, me dis-je, et que la foudre me terrasse si j'oublie jamais la chance que j'ai d'être en ce moment assis auprès d'elle.

"J'ai fait un rêve très étrange, fit Grace. Un de ces marathons dingues et embrouillés où les choses se transforment tout le temps en d'autres choses. Mais très clair – plus réel que réel, si tu vois ce que je veux dire.

— Tu t'en souviens ?

— D'une bonne partie, je crois, mais ça commence déjà à m'échapper. Je ne vois plus le début, mais à un moment donné nous étions là, toi et moi, avec mes parents. Nous cherchions un nouvel endroit où habiter.

— Un appartement plus grand, je suppose.

— Non, pas un appartement. Une maison. Nous roulions dans une ville. Ni New York, ni Charlottesville, une autre ville, une où je ne suis jamais allée. Et mon père disait que nous devions aller voir à une adresse dans Bluebird Avenue. Où penses-tu que je suis allée chercher ça ? Avenue de l'Oiseau-Bleu.

— Je ne sais pas. C'est un joli nom.

— C'est exactement ce que tu disais dans le rêve. Tu disais que c'était un joli nom.

— Tu es sûre que le rêve est fini ? Peut-être que nous dormons encore et que nous rêvons ensemble.

— Dis pas de bêtises. On se trouvait dans la voiture de mes parents. Tu étais avec moi sur la banquette arrière, et tu disais à ma mère : C'est un joli nom.

— Et alors ?

— On s'est arrêtés devant une grande maison. C'était une immense demeure – une sorte d'hôtel de maître – et on est entrés tous les quatre, et on a commencé à regarder partout. Toutes les pièces étaient vides, sans un meuble, mais immenses, comme des salles de musée ou des terrains de basket-ball, et nous entendions l'écho de nos pas qui résonnaient contre les murs. Et puis mes parents ont décidé de monter voir l'étage, mais moi j'avais envie de descendre à la cave. D'abord, tu ne voulais pas, alors je t'ai pris par la main et je t'ai tiré derrière moi. Le sous-sol s'est révélé très semblable au rez-de-chaussée – une pièce vide après l'autre – sauf qu'en plein milieu de la dernière, il y avait une trappe dans le sol. Je l'ai soulevée et j'ai vu qu'il y avait une échelle menant à un niveau inférieur. J'ai commencé à descendre et cette fois tu m'as suivie tout de suite. Tu étais tout aussi curieux que moi, à ce moment-là, et c'était comme une aventure. Tu sais, comme si nous étions deux gamins en train d'explorer une maison inconnue, on avait tous les deux un peu la frousse mais en même temps on s'amusait bien.

— Elle était longue, l'échelle ?

— Je ne sais pas. Trois mètres, trois mètres cinquante.

— Trois mètres, trois mètres cinquante… Et alors ?

— On s'est retrouvés dans une salle. Plus petite que celles d'en haut, avec un plafond nettement plus bas. Entièrement remplie d'étagères chargées de livres. Des étagères en métal, peintes en gris, comme celles qu'on utilise dans les bibliothèques. On a commencé à regarder les titres des livres, et on s'est aperçus qu'ils étaient tous de toi, Sid. Des centaines et des centaines de livres, et ton nom sur chacun de leurs dos : Sidney Orr.

— Ça fait peur.

— Non, pas du tout. J'étais très fière de toi. Après avoir regardé les livres quelque temps, j'ai recommencé à me balader et j'ai fini par trouver une porte. Je l'ai ouverte et, à l'intérieur, il y avait une parfaite petite chambre à coucher. Très douillette, avec des tapis persans moelleux et des fauteuils confortables, des tableaux aux murs, de l'encens en train de brûler sur la table et un lit avec des oreillers en soie et un édredon en satin rouge. Je t'ai appelé et dès que tu as mis le pied à l'intérieur, je t'ai serré dans mes bras et je me suis mise à t'embrasser sur la bouche. J'étais folle d'impatience. J'avais le feu au cul comme jamais.

— Et moi ?

— T'avais la plus belle érection de ta vie.

— Continue, Grace, tu vas m'en donner une encore plus belle maintenant.

— On s'est déshabillés et on a commencé à se rouler sur le lit, tout mouillés et affamés l'un de l'autre. C'était délicieux. On a joui tous les deux une fois et puis, sans reprendre haleine, on a recommencé, on s'est jetés l'un sur l'autre comme des bêtes.

— On dirait un film porno.

— C'était dingue. Je ne sais pas combien de temps ça a duré, mais à un moment donné on a entendu la voiture de mes parents qui s'en allait. Ça ne nous a pas inquiétés. On s'est dit qu'on les rattraperait plus tard et on a recommencé à baiser. Après, on s'est effondrés, tous les deux. J'ai un peu somnolé et puis, quand je me suis réveillée, tu étais debout, tout nu, devant la porte, en train de manipuler la poignée d'un air un peu désespéré. Je t'ai demandé ce qui se passait, et tu as répondu : Je crois qu'on est enfermés.

— Je n'ai jamais rien entendu de plus étrange.

— Ce n'est qu'un rêve, Sid. Tous les rêves sont étranges.

— Je n'ai pas parlé en dormant, tout de même ?

— Que veux-tu dire ?

— Je sais que tu ne vas jamais dans mon bureau. Mais si tu y allais et si, par hasard, tu ouvrais le carnet bleu que j'ai acheté samedi, tu verrais que l'histoire que je suis en train d'écrire ressemble à ton rêve. L'échelle qui descend dans la salle souterraine, les étagères de bibliothèque, la petite chambre au fond. Mon héros est enfermé dans cette chambre, en ce moment, et je ne sais pas comment l'en faire sortir.

— Incroyable.

— C'est plus qu'incroyable. C'est vertigineux.

— Ce qu'il y a de curieux, c'est que là se termine le rêve. Tu avais cet air effrayé, mais avant d'avoir pu faire quoi que ce soit pour t'aider, je me suis réveillée. Et tu étais là sur le lit avec tes bras autour de moi, en train de m'embrasser juste comme tu le faisais dans le rêve. J'avais l'impression que le rêve continuait, même après que je m'étais réveillée.

— Alors tu ne sais pas ce qui nous est arrivé après que nous étions enfermés dans la chambre.

— Je ne suis pas allée jusque-là. Mais nous aurions trouvé un moyen de sortir. On ne meurt pas dans ses propres rêves, tu sais. Même si la porte était verrouillée, il se serait passé quelque chose et on aurait pu sortir. C'est comme ça que ça marche. Tant qu'on est dans un rêve, il y a toujours un moyen de sortir."

Une fois Grace partie à Manhattan, je m'installai devant ma machine à écrire pour travailler au projet de scénario destiné à Bobby Hunter. Je m'efforçai de le réduire à quatre pages mais je finis par en écrire six. Certaines choses avaient besoin d'être clarifiées, je m'en rendais compte, et je ne voulais pas qu'il y ait des trous dans l'histoire. Par exemple, si le voyage d'initiation comportait de tels dangers et la possibilité d'un tel châtiment, qui aurait voulu, et pourquoi, prendre le risque de s'expédier dans le passé ? Je décidai de rendre le voyage facultatif, l'objet d'un choix et non d'une obligation. Autre chose, comment les gens du XXIIe siècle savent-ils que le voyageur a enfreint les règles ? J'inventai une branche spéciale de la police nationale chargée de ce problème. Ses agents passent leur temps dans les bibliothèques à étudier les livres, les magazines et les journaux, et si un jeune voyageur se mêle des agissements de quelqu'un dans le passé, les mots changent dans les ouvrages. Le nom de Lee Harvey Oswald, par exemple, disparaîtrait soudain de tous les écrits consacrés à l'assassinat de Kennedy. En imaginant cette scène, je me rendis compte qu'on pourrait tirer de ces altérations des effets visuels étonnants : des centaines de mots s'égaillant en tous sens et puis se réorganisant sur la page imprimée, avançant et reculant comme de minuscules insectes atteints de folie.

Dès que j'eus fini de le taper, je relus une fois mon travail, je corrigeai quelques fautes de frappe et puis j'allai au bout du couloir, dans la cuisine, téléphoner à l'agence Sklarr. Mary était occupée sur une autre ligne, et je prévins son assistante que j'allais passer au bureau dans une heure ou deux pour déposer le manuscrit. "Ça, c'est du rapide, me dit-elle.

— Mouais, je suppose, répondis-je, mais tu sais ce que c'est, Angela. Quand on voyage dans le temps, on n'a pas une seconde à perdre."

Angela rit de ma pauvre boutade. "Bon, fit-elle. Je dirai à Mary que tu arrives. Mais ça ne presse pas tellement, tu sais. Tu pourrais le mettre à la poste et t'épargner le trajet.

— Me fie pas à la poste, ma bonne dame, répliquai-je en adoptant mon nasillement de cow-boy de l'Oklahoma. L'ai jamais fait et le ferai jamais."

Après avoir raccroché, je décrochai à nouveau et composai le numéro de Trause. Le bureau de Mary se trouvait Cinquième Avenue, entre les 12e et 13e Rues, non loin de chez John, et j'avais eu l'idée que ça lui plairait peut-être qu'on déjeune ensemble. Je désirais aussi savoir comment allait sa jambe. Nous ne nous étions plus parlé depuis le samedi soir et il était temps de prendre de ses nouvelles.

"Rien de neuf, dit-il. Ça ne va pas plus mal, mais ça ne va pas mieux. Le médecin m'a prescrit un anti-inflammatoire et hier, quand j'ai pris le premier comprimé, j'ai fait une mauvaise réaction. Vomissements, la tête qui tourne : tout, quoi. Je me sens encore un peu vidé, après ça.

— Je m'en vais à Manhattan dans quelques instants pour voir Mary Sklarr et je pensais passer chez toi ensuite. Peut-être déjeuner, éventuellement, mais j'ai l'impression que ce n'est pas le moment.

— Et si tu venais demain ? Je devrais aller mieux, demain. En tout cas, j'ai intérêt, bordel."

Je sortis de chez nous à onze heures et demie et marchai jusqu'à Bergen Street, où je pris la ligne F vers Manhattan. Il y eut plusieurs pépins mystérieux en chemin – un arrêt prolongé dans un tunnel, une panne d'éclairage dans le wagon, qui dura entre plusieurs arrêts, une traversée d'une lenteur inhabituelle entre la station de York Street et l'autre rive du fleuve – et quand j'arrivai enfin à l'agence de Mary, celle-ci était partie déjeuner. Je confiai mon manuscrit à Angela, la boulotte fumeuse à la chaîne qui répondait au téléphone et envoyait les paquets, et elle me fit la surprise de se lever de son bureau pour m'embrasser au moment où je repartais – un double baiser, à l'italienne, un sur chaque joue. "Dommage que tu sois marié, Sid, chuchota-t-elle. On aurait pu faire de la belle musique ensemble, toi et moi."

Angela était coutumière de ce genre de blagues et après trois ans de pratique assidue, nous avions mis au point un numéro assez précis. Voulant jouer ma partie, je lui donnai la réponse qu'elle attendait : "Rien n'est éternel, dis-je. Tiens bon, créature angélique, et un jour ou l'autre je finirai bien par être libre."

Je n'avais aucune raison de retourner tout de suite à Brooklyn et je décidai donc de faire ma balade de l'après-midi dans le Village et de terminer l'excursion en allant manger un petit quelque chose dans le coin avant de reprendre le métro. De la Cinquième Avenue, je partis vers l'ouest en flânant dans la 12ᵉ Rue aux jolies maisons de pierre brune et aux petits arbres bien entretenus et, le temps de passer devant la New School et d'approcher de la Sixième Avenue, j'étais déjà perdu dans mes pensées. Bowen était toujours piégé dans la chambre et, avec le contenu troublant du rêve de Grace qui me résonnait en tête, plusieurs nouvelles idées m'étaient venues à propos de l'histoire. Je perdis alors toute notion de l'endroit où je me trouvais et, pendant trente à quarante minutes, j'errai dans les rues, tel un aveugle, au fond d'une chambre souterraine à Kansas City plutôt qu'à Manhattan, ne remarquant qu'à peine ce qui m'entourait. Ce n'est que lorsque je me retrouvai dans Hudson Street en train de dériver devant la vitrine de la White Horse Tavern que mes pieds s'arrêtèrent enfin d'avancer. Je m'étais ouvert l'appétit, je m'en aperçus, et sitôt que j'en pris conscience, mon attention se détourna de ma tête au profit de mon estomac. J'étais prêt à m'asseoir et à déjeuner[10].

---

10. Si je n'avais pas vraiment progressé, j'avais compris que je pouvais améliorer un peu la situation de Bowen sans être obligé de modifier l'élan central du récit. L'ampoule du plafonnier était brûlée mais il ne me paraissait plus nécessaire de plonger Nick dans une obscurité totale. Il pouvait y avoir d'autres sources d'éclairage dans l'abri antiatomique qu'Ed avait si bien équipé. Des bougies et des allumettes, par exemple, une torche électrique, une lampe de chevet – n'importe quoi qui évite à Nick de se sentir enterré vif. Il y aurait là de quoi faire chavirer la raison de n'importe qui, et la dernière chose que je voulais, c'était de transformer l'infortune de Bowen en étude de la terreur et de la folie. Je m'étais écarté de Hammett, mais cela ne voulait pas dire que j'avais l'intention de remplacer l'histoire de Flitcraft par une nouvelle version de *L'Enterrement prématuré*. Donner à Nick de la lumière, alors, lui octroyer une parcelle d'espoir. Et même lorsque les allumettes et les bougies seront consommées, même lorsque les piles de la torche électrique seront

141

J'avais fréquenté le White Horse dans le passé mais il y avait plusieurs années que je n'y étais plus allé et, dès l'instant où j'ouvris la porte, je fus heureux de voir que rien n'avait changé. C'était les mêmes boiseries, la même atmosphère enfumée qu'autrefois, avec les mêmes tables tailladées entourées de chaises branlantes, la même sciure de bois sur le sol, la même grande horloge sur le mur nord. Toutes les tables étaient occupées mais il y avait quelques places au bar. Je me glissai sur l'un des tabourets et commandai un hamburger et une bière. Je buvais rarement pendant la journée, mais me retrouver au White Horse m'avait mis d'humeur nostalgique (à me souvenir de toutes les heures que j'y avais passées aux environs de mes vingt ans) et je décidai de prendre un verre en l'honneur du bon vieux temps. Ce n'est qu'après avoir réglé cette affaire avec le barman que je jetai un coup d'œil à l'homme assis à ma droite. Je l'avais vu de dos en entrant dans la taverne, un type mince en pull-over brun, penché sur son verre, et quelque chose dans son attitude avait déclenché un signal dans ma tête.

---

déchargées, il pourra ouvrir la porte du frigo et éclairer un peu la chambre grâce à la petite ampoule allumée dans la boîte émaillée blanche.

Plus significative était la question du rêve de Grace. En l'écoutant me le raconter, ce matin-là, j'avais été trop secoué par les ressemblances avec l'histoire que j'étais en train d'écrire pour me rendre compte du nombre de différences qu'il y avait aussi. Sa chambre était un sanctuaire pour deux, un petit paradis exotique. La mienne était une cellule austère, habitée par un homme seul dont l'unique ambition était de s'en échapper. Mais si je réussissais à l'y faire rejoindre par Rosa Leightman ? Nick est déjà amoureux d'elle, et s'ils sont enfermés ensemble dans la chambre pendant un certain temps, elle commencera peut-être à lui rendre son amour. Rosa était le double physique et spirituel de Grace et, par conséquent, elle aurait les mêmes appétits sexuels que Grace – la même audace, la même absence d'inhibition.

A quel propos, je l'ignorais. Rappel d'une connaissance, peut-être. Ou peut-être quelque chose de plus obscur : un souvenir d'un autre homme en pullover brun assis dans la même position des années plus tôt, un fragment lilliputien du passé. Cet homme-ci avait la tête baissée et contemplait son verre à moitié plein de scotch ou de bourbon. Je ne voyais que son profil, lequel m'était partiellement caché par son poignet gauche et sa main, mais il ne faisait aucun doute que ce visage appartenait à quelqu'un que je croyais ne jamais revoir : M. R. Chang.

"Mr Chang, dis-je. Comment allez-vous ?"

Chang pivota en entendant son nom, l'air déprimé et peut-être un peu ivre. Il eut d'abord l'air de ne pas me reconnaître, et puis son visage s'éclaira peu à peu. "Ah, fit-il, Mr Sidney. Mr Sidney O. Chic type.

— Je suis retourné à votre boutique hier, dis-je, mais tout avait disparu. Qu'est-ce qui s'est passé ?

— Gros ennuis, répondit Chang en hochant la tête et en buvant un petit coup ; il paraissait au bord des larmes. Propriétaire augmente loyer. Je lui dis que j'ai bail, mais il rit et il dit qu'il fait saisir

_____

Nick et Rosa pourraient passer leur temps à se lire à haute voix des passages de *La Nuit de l'oracle*, à mettre leurs âmes à nu l'un devant l'autre, à faire l'amour. Aussi longtemps qu'il y aurait assez à manger pour les sustenter, pourquoi souhaiteraient-ils partir ?

Voilà les élucubrations avec lesquelles je me trimballais dans les rues du Village. Alors même que je me les représentais mentalement, j'étais néanmoins conscient de leur grand défaut. Grace m'avait embrasé avec son rêve érotique mais, quelles que fussent les tentations que cela semblait susciter, ce n'était qu'un cul-de-sac de plus. Si Rosa peut entrer dans la chambre, alors Nick peut en sortir et, dès l'instant où cette possibilité lui est offerte, il n'hésitera pas à en profiter. Or, justement, il ne peut pas sortir. Je lui avais donné un peu de lumière mais il était toujours coincé dans cette chambre sinistre et, faute d'outils permettant de se creuser une issue, il finirait par y mourir.

marchandises par police si argent pas dans son poing lundi matin. Alors j'emballe ma boutique samedi soir et je pars. Tous de la mafia dans ce quartier. Ils vous tirent balle dans la tête si vous jouez pas leur jeu.

— Vous devriez prendre un avocat et lui faire un procès.

— Pas d'avocat. Trop cher. Je cherche nouveau local demain. Peut-être Queens ou Manhattan. Brooklyn, fini. Paper Palace fichu. Grand rêve américain fichu.

Je n'aurais pas dû me laisser aller à la pitié, mais quand Chang proposa de m'offrir un verre, je n'eus pas le cœur à refuser. Boire un scotch à une heure et demie de l'après-midi, cela ne figurait pas sur la liste des remèdes qui m'étaient prescrits. Pis encore, à présent que, devenus amis, Chang et moi, nous étions en pleine conversation, je me sentis obligé de lui rendre la politesse en commandant une deuxième tournée. Cela faisait une bière et deux doubles scotchs en une heure environ. Pas de quoi provoquer une ivresse totale, mais je flottais agréablement après cela et, ma réserve habituelle s'affaiblissant de minute en minute, je posai à Chang quantité de questions personnelles à propos de sa vie en Chine et des circonstances de sa venue en Amérique – chose que jamais je n'aurais faite si je n'avais pas bu. Beaucoup de ses réponses me laissèrent perplexe. Sa capacité de s'exprimer en anglais se détériorait peu à peu au fur et à mesure qu'augmentait sa consommation d'alcool ; dans le flot d'histoires que j'entendis sur son enfance à Pékin, la Révolution culturelle et sa périlleuse évasion du pays en passant par Hong-Kong, il y en avait une qui ressortait néanmoins, sans doute parce qu'il me l'avait racontée au début de la conversation.

"Mon père était professeur de mathématiques, me dit-il, il enseignait à l'école moyenne n° 11 de Pékin. Quand la Révolution culturelle arrive, on le traite de membre des «catégories noires», bourgeois réactionnaire. Un jour les étudiants de la garde rouge ordonnent à «catégories noires» d'enlever tous les livres de la bibliothèque pas écrits par président Mao. Ce sont mauvais livres, d'après eux. Ils répandent capitalisme et idées révisionnistes et il faut les brûler. Mon père et autres professeurs «noirs» transportent les livres sur terrain de sport. Gardes rouges crient et les frappent pour les forcer à faire ça. Ils portent lourdes charges, une après l'autre, et ils font montagne de livres. Les gardes rouges allument feu et mon père commence à pleurer. Ils le frappent avec leur ceinture à cause de ça. Et puis le feu devient fort et brûlant, et les gardes rouges poussent «catégories noires» tout contre. Ils les obligent à baisser la tête et à se pencher en avant. Ils disent que c'est l'épreuve des flammes de la Grande Révolution culturelle. C'est en août, il fait chaud, soleil terrible. Mon père a ampoules sur le visage et les bras, plaies et bosses sur tout le dos. A la maison, ma mère pleure quand elle le voit. Mon père pleure. Nous pleurons tous, Mr Sidney. Semaine suivante, mon père est arrêté et on nous envoie tous à la campagne travailler comme fermiers. C'est là que j'ai appris à haïr mon pays, ma Chine. Ce jour-là, je commence à rêver de l'Amérique. Mon grand rêve américain né en Chine, mais en Amérique il n'y a pas de rêve. Ce pays aussi est mauvais. Partout pareil. Tous gens mauvais et pourris. Tous pays mauvais et pourris[11]."

---

11. Quand Chang m'a raconté cette histoire, il y a vingt ans, j'étais certain qu'elle était vraie. Il y avait trop de conviction dans sa voix pour que je doute de sa sincérité. Pourtant, voici quelques mois, alors que je préparais un nouveau projet, j'ai lu un certain nombre d'ouvrages sur la Chine pendant la période de la Révolution culturelle. Dans l'un d'eux, je suis tombé sur la description du même incident par Liu Yan, qui était étudiant à l'école moyenne n° 11 de Pékin à l'époque de la destruction des livres par le feu et en a été témoin. Il ne signale aucun professeur du nom de Chang. Il parle d'une femme, Yu Changjiang, professeur

Après avoir terminé mon deuxième Cutty Sark, je serrai la main à Chang en lui disant qu'il était temps que je m'en aille. Il était deux heures et demie, expliquai-je, et je devais retourner à Cobble Hill et y faire quelques courses pour le dîner. Chang parut déçu. Je ne savais pas ce qu'il attendait de moi, mais il avait peut-être imaginé que je me préparais à l'accompagner dans une virée de vingt-quatre heures.

"Pas de problème, déclara-t-il enfin. Je vous ramène en voiture.

— Vous avez une voiture ?

— Bien sûr. Tout le monde a voiture. Pas vous ?

— Non. On n'a pas vraiment besoin d'une voiture à New York.

— Allons, Mr Sid. Vous avez remonté mon moral. Maintenant je vous ramène chez vous.

---

de langues, qui a fondu en larmes à la vue des livres en train de brûler. "Ses larmes ont provoqué des coups supplémentaires des gardes rouges et leurs ceintures ont laissé des marques cruelles sur sa peau." (*China's Cultural Revolution, 1966-1969*, sous la direction de Michael Schoenhals, M. E. Sharpe, Armonk, New York, 1996.)

Je ne prétends pas que ça prouve que Chang m'a menti, mais ça fait planer un doute sur son histoire. Il est possible qu'il y ait eu deux professeurs qui pleuraient et que Liu Yan n'ait pas remarqué l'autre. Mais il faut rappeler que la destruction des livres a été à l'époque un événement très notoire à Pékin et, selon les termes de Liu Yan, "la cause d'un très grand émoi dans toute la ville". Chang en aurait entendu parler même si son père ne s'y était pas trouvé. Il m'a peut-être raconté cette histoire infâme dans le but de m'impressionner, je n'en sais rien. D'autre part, son histoire était extrêmement vivante – plus vivante que ne le sont en général les récits de seconde main –, ce qui me pousse à me demander si Chang lui-même n'était pas présent lorsqu'on a brûlé les livres. Et s'il l'était, cela doit signifier qu'il était là en tant que membre des gardes rouges. Sinon, il m'aurait dit qu'il était élève de cette école – ce qu'il n'a pas fait. Il est même possible (pure spéculation) que ce fût lui, l'individu qui a frappé le professeur en larmes.

146

— Non, merci. Un homme dans votre état ne devrait pas conduire. Vous êtes trop bourré.

— Bourré ?

— Vous avez trop bu.

— Absurde. M. R. Chang sobre comme un juge."

Je souris en entendant cette vieille expression américaine et, me voyant amusé, Chang éclata soudain de rire. Une éruption staccato identique à celle que j'avais entendue le samedi dans son magasin : Ha ha ha. Ha ha ha. Ha ha ha. Sa gaieté avait quelque chose de déconcertant, elle me paraissait sèche et sans âme, dépourvue de ce côté vibrant et chantant qu'on entend d'ordinaire quand les gens rient. En guise de preuve, Chang sauta de son tabouret de bar et se mit à aller et venir dans la salle, me démontrant ainsi sa capacité à garder l'équilibre et à marcher droit. En toute justice, je dus reconnaître qu'il passait le test. Ses gestes étaient assurés et naturels, et il semblait parfaitement maître de lui. Comprenant que rien ne l'arrêterait, que sa détermination à me conduire était devenue une cause passionnée et résolue, je cédai à contrecœur et acceptai sa proposition.

La voiture était garée dans Perry Street, une rue adjacente ; c'était une Pontiac rouge flambant neuve, avec des pneus à bandes blanches et un toit ouvrant escamotable. Je dis à Chang qu'elle me faisait penser à une tomate fraîche du Jersey, mais je ne lui demandai pas comment un soi-disant raté américain avait pu s'offrir une machine aussi coûteuse. Avec une fierté évidente, il déverrouilla d'abord ma portière et me fit asseoir sur le siège du passager. Après quoi, en flattant le capot de la main, il contourna l'avant de la voiture, monta sur le trottoir et déverrouilla l'autre portière. Une fois installé au volant, il se tourna vers moi et sourit. "Marchandise solide, déclara-t-il.

— Oui, répliquai-je. Très impressionnante.

— Mettez-vous à l'aise, Mr Sid. Siège inclinable. S'étend complètement." Il se pencha pour me montrer où appuyer sur le bouton et, en effet, le dossier commença à s'incliner vers l'arrière, s'arrêtant à un angle de quarante-cinq degrés. "Voilà, fit Chang. Toujours mieux rouler dans confort."

Je ne pouvais lui donner tort et, dans mon état de légère ébriété, je trouvai agréable d'être dans une position autre que verticale. Chang actionna le démarreur et je fermai les yeux pour quelques instants en essayant d'imaginer ce dont Grace aurait envie pour le dîner ce soir-là et ce que je devrais acheter une fois rentré à Brooklyn. Il s'avéra que c'était une erreur. Au lieu de rouvrir les yeux pour voir où allait Chang, je m'endormis aussitôt – comme n'importe quel pochard sonné en plein midi.

Je ne me réveillai que lorsque la voiture s'arrêta et que Chang coupa le contact. Me croyant à Cobble Hill, j'allais le remercier et ouvrir ma portière quand je me rendis compte que je me trouvais ailleurs : dans une rue commerçante pleine de monde d'un quartier que je ne connaissais pas, sans doute loin de chez moi. Quand je me redressai pour mieux voir, je remarquai que la plupart des enseignes étaient en chinois.

"Où sommes-nous ? demandai-je.

— Flushing, répondit Chang. Chinatown numéro deux.

— Pourquoi m'avez-vous amené ici ?

— En conduisant voiture, j'ai meilleure idée. Gentil petit club rue suivante, bon endroit pour se détendre. Vous avez l'air fatigué, Mr Sid. Je vous emmène là, vous sentirez mieux.

— Qu'est-ce que vous racontez ? Il est trois heures et quart et je dois rentrer chez moi.

— Juste une demi-heure. Vous fera un bien fou, je promets. Et puis je vous reconduis chez vous. OK ?

— J'aimerais mieux pas. Indiquez-moi le métro le plus proche et je rentrerai par mes propres moyens.

— S'il vous plaît. Très important pour moi. Peut-être chance de faire affaire, et j'ai besoin conseils homme intelligent. Vous très intelligent, Mr Sid. Je peux avoir confiance.

— Je n'ai aucune idée de ce dont vous parlez. D'abord vous voulez que je me détende. Ensuite vous avez besoin que je vous conseille. C'est l'un ou c'est l'autre ?

— Les deux. Tout à la fois. Vous voyez endroit, vous détendez vous, et puis donnez votre avis. Très simple.

— Une demi-heure ?

— Pas de problème. Je prends tout sur moi, rien à payer. Et puis je vous reconduis à Cobble Hill, Brooklyn. D'accord ?"

L'après-midi devenait plus étrange de minute en minute, mais je me laissai persuader de l'accompagner. Je ne saurais vraiment dire pourquoi. Par curiosité, peut-être, mais ce pouvait aussi être le contraire – une indifférence totale. Chang commençait à me taper sur les nerfs et je ne supportais plus ses supplications incessantes, surtout coincé avec lui dans cette voiture grotesque. Si une demi-heure supplémentaire de mon temps pouvait le satisfaire, il me semblait que ça valait le coup. Je descendis donc de la Pontiac et je le suivis dans la foule qui encombrait l'avenue, en respirant les fumets piquants et les odeurs aigres des poissonneries et des étals de légumes qui se succédaient tout du long. Au premier coin de rue, nous prîmes à gauche et, après une trentaine de mètres, encore à gauche, pour entrer dans une ruelle étroite au bout de laquelle se dressait une petite construction en parpaings, une maison minuscule sans étage ni fenêtres, avec un toit plat. C'était le décor classique pour une agression, mais je ne me sentais pas menacé le moins du monde. Chang était d'humeur trop joyeuse et, avec son habituelle intensité de résolution, il paraissait bien décidé à atteindre notre destination.

Arrivé à la maison de parpaings jaunes, Chang appuya un doigt sur la sonnette. Quelques secondes plus tard, la porte s'entrouvrit et un Chinois d'une soixantaine d'années passa la tête. Il la hocha en reconnaissant Chang, ils échangèrent quelques phrases en mandarin, et il nous laissa entrer. Le prétendu club de détente était en réalité un petit atelier. Assises devant des machines à coudre posées sur des tables, vingt Chinoises étaient occupées à fabriquer des robes de couleurs vives dans des tissus synthétiques bon marché. Aucune d'entre elles ne leva les yeux à notre entrée et Chang passa entre elles le plus vite qu'il pouvait, en faisant comme si elles n'étaient pas là. Sans arrêter de marcher, nous nous faufilâmes entre les tables jusqu'à une porte au fond de la salle. Le vieux l'ouvrit pour nous et nous pénétrâmes, Chang et moi, dans un espace qui était si noir, si obscur en comparaison de l'atelier illuminé par un éclairage fluorescent qu'au début je ne distinguai rien.

Lorsque mes yeux se furent un peu accoutumés, je remarquai quelques lumières sourdes, des lampes de faible intensité allumées çà et là dans la pièce. Chacune était équipée d'une ampoule de couleur différente – jaune, vert, pourpre, bleu – et pendant un instant je pensai aux carnets portugais dans le magasin abandonné de Chang. Je me demandai si ceux que j'avais vus le samedi étaient encore disponibles et si, dans ce cas, il accepterait de me les vendre. Je notai mentalement que je devrais lui en parler avant que nous partions.

Il m'eut bientôt amené à un siège élevé, chaise ou tabouret en cuir ou imitation cuir, qui pivotait sur sa base et semblait agréablement capitonné. Je m'assis, il s'assit à côté de moi et je me rendis compte que nous nous trouvions devant une sorte de bar – un bar laqué, de forme ovale, qui occupait le centre de la pièce. Je commençais à y voir plus clair. Je distinguais plusieurs personnes assises en face de moi, deux hommes en complet et cravate, un Asiatique en chemise d'apparence hawaïenne et deux ou trois femmes dont aucune ne semblait porter le moindre vêtement. Ah, me dis-je, voilà ce que c'est. Un sex-club. Assez bizarrement, ce n'est qu'à ce moment que je remarquai la musique jouée en bruit de fond – une musique douce, ronronnante, qui émanait de haut-parleurs invisibles. Je tentai de reconnaître l'air, mais je ne pus l'identifier. Quelque version "ambiance" d'un vieux tube rock-and-roll – peut-être les Beatles, pensai-je, ou peut-être non.

"Eh bien, Mr Sid, lança Chang, qu'en pensez-vous ?"

Avant que j'aie pu lui répondre, un barman apparut devant nous pour prendre nos commandes. Ce pouvait être le vieil homme qui nous avait ouvert la porte, mais je n'en étais pas certain. Ce pouvait aussi être son frère, ou encore quelque autre parent intéressé dans l'entreprise. Chang se pencha pour me murmurer à l'oreille : "Pas d'alcool, dit-il. Fausse bière, Seven-Up, Coca. Trop risqué vendre alcool dans endroit comme ça. Pas de licence." Ainsi informé des possibilités, j'optai pour un Coca. Chang en fit autant.

"Tout ça, tout neuf, continua l'ex-papetier. Ouvert depuis samedi. Pas fini d'essuyer les plâtres, mais je vois grandes possibilités. Ils demandent si je veux investir comme partenaire minoritaire.

— C'est un bordel, dis-je. Vous êtes sûr d'avoir envie de vous retrouver mêlé à une affaire illégale ?

— Pas bordel. Club de détente avec femmes nues. Pour le bien-être du travailleur.

— Je ne vais pas pinailler avec vous. Si ça vous plaît à ce point, allez-y. Mais je croyais que vous étiez fauché.

— Argent jamais problème. J'emprunte. Si bénéfices de l'investissement supérieurs à intérêts du prêt, tout va bien.

— Si.

— Très petit si. Ils trouvent filles superbes pour travailler ici. Miss Univers, Marilyn Monroe, Playmate du mois. Rien que les plus brûlantes, les plus sexy. Aucun homme ne peut résister. Regardez, je vous montre.

— Non, merci. Je suis un homme marié. J'ai tout ce qu'il me faut chez moi.

— Tout le monde dit ça. Mais queue gagne toujours devant devoir. Je prouve maintenant."

Avant que j'aie pu l'en empêcher, Chang pivota sur son siège et fit un geste de la main. Je regardai dans la même direction et vis, le long d'un mur, cinq ou six logettes que je n'avais pas remarquées en entrant. Dans trois d'entre elles, des femmes nues étaient assises, attendant apparemment le client, mais devant les autres on avait tiré des rideaux, sans doute parce que leurs occupantes étaient au travail. L'une des femmes se leva et vint vers nous. "Celle-ci la meilleure, déclara Chang, la plus belle de toutes. On l'appelle Princesse Africaine."

Une grande Noire surgit de l'obscurité. Elle portait un tour de cou en perles et diamants artificiels, des bottes blanches à hauteur des genoux et un string blanc. Elle avait les cheveux savamment nattés en petites tresses aux bouts ornés d'anneaux qui tintaient comme de légers carillons lorsqu'elle bougeait. Sa démarche était gracieuse, langoureuse, droite – un maintien royal, qui expliquait sans nul doute son surnom de Princesse. Dès qu'elle se trouva à moins de deux mètres du bar, je compris que Chang n'avait pas exagéré. C'était une femme d'une beauté stupéfiante – sans doute la plus belle femme que j'avais jamais vue. Et, en tout et pour tout, vingt, peut-être vingt-deux ans. Sa peau paraissait si lisse, si tentante que j'éprouvais une envie presque irrésistible de la toucher.

"Dis bonjour à mon ami, lui enjoignit Chang. Je règle avec toi après."

Elle se tourna vers moi et sourit, révélant d'extraordinaires dents blanches. "Bonjour, chéri, fit-elle, tu parles français ?

— Non, je regrette. Je ne parle qu'anglais.

— Je m'appelle Martine, dit-elle, avec un fort accent créole.

— Moi, c'est Sidney", répondis-je et puis, pour faire la conversation, je lui demandai de quel pays d'Afrique elle venait.

Elle rit. "Pas d'Afrique ! D'Haïti." Elle prononçait à la française, en trois syllabes : Ha-ï-ti. "C'est mauvais, là-bas. Duvalier est très méchant. On est mieux ici."

Je hochai la tête, ne sachant plus que dire. J'avais envie de me lever et de partir avant de m'être attiré des ennuis, mais je n'arrivais pas à bouger. Cette fille, c'était trop, je ne pouvais en détacher les yeux.

"Tu veux danser avec moi ? demanda-t-elle.

— Je ne sais pas. Sans doute. Je ne suis pas très bon danseur.

— Autre chose ?

— Je ne sais pas. Eh bien, peut-être une chose… si ce n'est pas trop demander.

— Une chose ?

— Je me demandais… Ça t'ennuierait beaucoup que je te touche ?

— Tu veux me toucher ? Bien sûr. C'est facile. Touche-moi où tu veux."

Je tendis la main et la promenai tout au long de son bras nu. "Tu es très timide, dit-elle. Tu ne vois pas mes seins ? Mes seins sont très jolis, n'est-ce pas ?"

J'étais assez sobre pour savoir que je m'engageais sur la voie de la perdition, mais je ne me laissai pas freiner par cette conscience. J'enveloppai ses petits seins ronds de mes deux mains, que je gardai là un moment – assez longtemps pour sentir ses bouts de sein se dresser.

"Ah, c'est mieux, dit-elle. Maintenant, à moi de te toucher, d'accord ?"

Je n'acceptai pas, mais je ne refusai pas non plus. Je supposais qu'elle avait en tête quelque chose d'innocent – une caresse sur la joue, un doigt sur mes lèvres, une pression enjouée de la main. Rien de comparable, en tout cas, à ce qu'elle fit en réalité : se serrant contre moi, elle glissa dans mon jean sa main élégante et empoigna l'érection qui était née là depuis deux minutes. Quand elle sentit ma raideur, elle sourit. "Je crois que nous sommes prêts à danser, dit-elle. Viens avec moi, maintenant, OK ?"

Il est à mettre au crédit de Chang qu'il ne rit pas devant ce triste petit spectacle de faiblesse masculine. Il avait démontré son postulat et, loin de tirer vanité de son triomphe, il se contenta de m'adresser un clin d'œil quand j'accompagnai Martine dans sa logette.

L'affaire entière ne me sembla durer que le temps qu'il faut pour remplir une baignoire. Elle ferma les rideaux autour de nous et déboutonna aussitôt mon pantalon. Ensuite, tombant à genoux, elle entoura mon pénis de sa main droite et, après quelques tractions douces suivies de quelques judicieuses caresses de sa langue, elle le prit dans sa bouche. Sa tête se mit à bouger et, en écoutant tinter ses nattes et en regardant son extraordinaire dos nu, je sentis monter un flot de chaleur le long de mes jambes et jusqu'à mon bas-ventre. J'aurais aimé prolonger l'expérience et la savourer un petit moment, mais j'en fus incapable. La bouche de Martine était un outil mortel et, tel n'importe quel adolescent enfiévré, j'éjaculai presque tout de suite.

Le regret suivit quelques secondes après. Le temps de remonter mon jean et de rattacher ma ceinture, le regret s'était transformé en honte et en remords. La seule chose que je désirais était de sortir de là le plus vite possible. Je demandai à Martine combien je lui devais mais elle balaya ma question d'un geste de la main en disant que mon ami s'en était occupé. Je lui dis au revoir, elle me posa sur la joue un petit baiser amical, et puis j'écartai les rideaux et retournai près du bar pour y rejoindre Chang. Il ne s'y trouvait pas. Il s'était sans doute trouvé une femme, lui aussi, avec laquelle il était occupé dans une autre logette, en train d'évaluer les qualifications professionnelles de l'une de ses futures employées. Je ne pris pas le temps de m'en assurer. Je fis une fois le tour du bar afin de vérifier que j'avais bien regardé, et puis je trouvai la porte qui donnait dans l'atelier de couture et je m'en fus chez moi.

Le lendemain matin, mercredi, je servis de nouveau à Grace son petit-déjeuner au lit. Il ne fut pas question de rêves, cette fois, et nous ne fîmes ni l'un, ni l'autre allusion à la grossesse ou à ce qu'elle avait l'intention de faire à ce propos. La question était toujours en suspens mais après ma conduite méprisable de la veille, dans le Queens, je me sentais bien trop confus pour aborder le sujet. En l'espace de trente-six pauvres heures, j'étais passé de l'état de défenseur vertueux des certitudes morales à celui de mari abject, accablé de remords.

Je m'efforçais néanmoins de faire bonne figure et, bien qu'elle fût plus silencieuse ce matin-là que d'ordinaire, je ne pense pas que Grace ait soupçonné que quelque chose n'allait pas. J'insistai pour l'accompagner jusqu'à la station de métro, en lui tenant la main tout au long des quatre pâtés de maisons nous séparant de Bergen Street, et pendant presque tout le trajet nous avons parlé de choses ordinaires : une couverture qu'elle mettait au point pour un livre sur la photographie française au XIXe siècle, l'adaptation cinématographique que j'avais remise la veille et l'argent que j'espérais gagner grâce à ce travail, ce que nous souhaitions manger le soir. Au milieu du dernier pâté de maisons, Grace changea pourtant d'un coup le ton de la conversation. En me serrant fort la main, elle demanda : "Nous avons confiance l'un dans l'autre, n'est-ce pas, Sid ?

— Bien sûr. Nous ne pourrions pas vivre ensemble, sinon. Toute l'idée du mariage est fondée sur la confiance.

— On peut avoir des mauvaises passes, n'est-ce pas ? Mais ça ne veut pas dire que les choses ne finiront pas par s'arranger.

— Nous ne sommes pas dans une mauvaise passe, Grace. Nous venons d'en vivre une et nous commençons à nous en tirer.

— Je suis contente que tu dises ça.

— Je suis content que tu sois contente. Mais pourquoi ?

— Parce que c'est aussi ce que je pense. Quoi qu'il arrive au bébé, entre nous tout ira bien. Nous allons y arriver.

— Nous y sommes déjà arrivés. Nous nous baladons dans la rue Sans-Souci, ma belle, et nous allons y rester."

Grace arrêta de marcher, mit la main sur ma nuque et attira mon visage vers elle pour m'embrasser. "Tu es le meilleur, Sidney", dit-elle, et elle m'embrassa derechef pour faire bonne mesure. "Quoi qu'il arrive, n'oublie jamais ça."

Je ne comprenais pas ce qu'elle voulait dire mais, sans me laisser le temps de l'interroger, elle se dégagea de mes bras et partit en courant vers le métro. Je restai là, planté sur le trottoir, à la regarder couvrir les dix derniers mètres. Elle arriva alors en haut de l'escalier, saisit la main courante et disparut dans les profondeurs.

Rentré à l'appartement, je m'occupai pendant une heure à tuer le temps jusqu'à l'ouverture de l'agence Sklarr, à neuf heures et demie. Je lavai la vaisselle du petit-déjeuner, je fis le lit, je rangeai le salon, et puis je retournai dans la cuisine pour téléphoner à Mary. La raison avouée de mon appel était de vérifier qu'Angela avait pensé à lui remettre mes pages mais, sachant bien qu'elle l'avait fait, j'appelais en réalité pour savoir ce que Mary en pensait. "Beau boulot", dit-elle, d'une voix qui ne trahissait ni grand enthousiasme ni déception terrible. La rapidité avec laquelle j'avais rédigé cette ébauche lui avait néanmoins permis de réaliser un miracle de communication à grande vitesse et elle en débordait d'excitation. En ces temps d'avant la télécopie, le courrier électronique et les lettres exprès, elle avait expédié mon adaptation en Californie par courrier privé, c'est-à-dire que mon travail avait déjà traversé le pays par le dernier vol de nuit. "Je devais envoyer un contrat à un autre client à LA, m'expliqua Mary, alors j'avais arrangé qu'un porteur passe au bureau à trois heures. J'ai lu ton adaptation tout de suite après le déjeuner, et une demi-heure après le type est arrivé pour le contrat. Ceci aussi part à LA, lui ai-je dit, vous pouvez le prendre également. Et je lui ai donné ton manuscrit, et il est parti, comme ça. Il devrait se trouver dans deux ou trois heures sur le bureau de Hunter.

— Epatant, dis-je, et que penses-tu de l'idée ? Tu crois que ça a une chance ?

— Je ne l'ai lu qu'une fois. Je n'ai pas eu le temps de l'étudier, mais ça m'a paru bon, Sid. Très intéressant, bien mené. Seulement, on ne sait jamais avec ces gens d'Hollywood. Mon impression, c'est que c'est trop compliqué pour eux.

— Donc je ne dois pas trop espérer.

— Je ne dirais pas ça. Ne compte pas dessus, c'est tout.

— D'accord. L'argent viendrait à point, pourtant.

— Eh bien, j'ai de bonnes nouvelles pour toi sur ce plan. J'allais t'appeler, en fait, mais tu m'as prise de vitesse. Un éditeur portugais a fait une offre pour tes deux derniers romans.

— Au Portugal ?

— *Autoportrait* a paru en Espagne pendant que tu étais à l'hôpital. Tu le sais, je te l'ai dit. Les critiques étaient excellentes. Maintenant ça intéresse les Portugais.

— C'est bien. Je suppose qu'ils proposent quelque chose comme trois cents dollars.

— Quatre cents pour chaque livre. Mais je peux facilement les faire monter à cinq.

— Vas-y, Mary. Quand tu auras déduit les honoraires des agents et les taxes étrangères, j'empocherai au moins quarante cents.

— C'est juste. Mais au moins tu seras édité au Portugal. Ce n'est pas mal, ça ?

— Pas mal du tout. Pessõa est un de mes écrivains préférés. Ils se sont débarrassés de Salazar et ils ont un gouvernement convenable maintenant. Le tremblement de terre de Lisbonne a inspiré *Candide* à Voltaire. Et le Portugal a aidé des milliers de Juifs à fuir l'Europe pendant la guerre. C'est un pays formidable. Je n'y suis jamais allé, évidemment, mais c'est là que je vis en ce moment, que je le veuille ou non. Le Portugal, c'est parfait. Vu la façon dont vont les choses depuis quelques jours, ça devait être le Portugal.

— De quoi tu parles ?

— C'est une longue histoire. Je te raconterai une autre fois."

J'arrivai chez Trause à une heure pile. Au moment où je sonnais, je me fis la réflexion que j'aurais pu m'arrêter quelque part dans le quartier pour nous acheter de quoi déjeuner, mais c'était oublier Mme Dumas, la Martiniquaise qui s'occupait du ménage. Le repas était prêt et il nous fut apporté dans le repaire de John à l'étage, la pièce où nous avions mangé notre repas chinois le samedi soir. Il est à noter que Mme Dumas n'était pas de service ce jour-là. Ce fut sa fille, Régine, qui m'ouvrit la porte et me conduisit à l'étage auprès de "monsieur John". Je me rappelais que Trause l'avait qualifiée d'agréable à regarder et à présent que je la voyais de mes yeux, je ne pus qu'admettre que, moi aussi, je la trouvais extrêmement séduisante, cette jeune femme grande et bien proportionnée, à la peau d'ébène poli, au regard intense et attentif. Pas de string, bien sûr, ni de seins nus, ni de bottes de cuir blanc, mais c'était la seconde Noire de vingt ans et d'expression française que je rencontrais en deux jours, et je trouvais la répétition irritante, presque insupportable. Pourquoi Régine Dumas n'était-elle pas petite et moche, avec un teint brouillé et une bosse dans le dos ? Elle n'avait pas, sans doute, la beauté renversante de Martine d'Haïti, mais elle était à sa façon une créature attirante et quand elle m'ouvrit la porte et me décocha un sourire amical et plein d'assurance, cela me fit l'effet d'un reproche, d'un rappel moqueur de ma conscience troublée. Je m'étais efforcé de mon mieux de ne pas penser à ce qui m'était arrivé la veille, d'oublier mon minable péché et de le reléguer au passé, mais je ne pouvais pas échapper à ce que j'avais fait. Martine était revenue à la vie sous la forme de Régine Dumas. Elle était partout, désormais, même dans l'appartement de mon ami, à Barrow Street, à un demi-monde de distance de cette bicoque en parpaings du Queens.

Par comparaison à son apparence négligée de samedi soir, John avait cette fois une allure présentable. Ses cheveux étaient peignés, il était rasé et portait une chemise fraîchement repassée et des chaussettes propres. Mais il était toujours immobilisé sur son canapé, la jambe gauche calée sur une montagne de coussins et de couvertures, et il me paraissait souffrir énormément – autant que l'autre soir, sinon plus. Son aspect plus soigné m'avait fait illusion. Quand Régine nous monta le déjeuner sur un plateau (sandwichs à la dinde, salade, eau pétillante), je m'appliquai à ne pas la regarder. Cela signifiait que je concentrais mon attention sur John et, en observant mieux ses traits, je vis qu'il était épuisé, que ses yeux avaient un air noyé, vidé et que sa peau était d'une pâleur alarmante. Il se leva deux fois du canapé pendant que j'étais là et, chaque fois, il attrapa sa béquille avant de se hisser en position verticale. A voir l'expression de son visage lorsque son pied gauche touchait le sol, la moindre pression sur la veine devait être intolérable.

Je lui demandai quand son état était censé s'améliorer, mais John n'avait pas envie d'en parler. J'insistai pourtant et il finit par admettre qu'il ne nous avait pas tout dit le samedi soir. Il n'avait pas voulu inquiéter Grace, me dit-il, mais en vérité il avait deux caillots dans cette jambe et pas un. Le premier se trouvait dans une veine superficielle. Il s'était presque dissous à présent et ne représentait plus une menace, même s'il était la cause principale de ce que John appelait son "inconfort". Le second était logé dans une veine profonde et c'était celui-là qui préoccupait le médecin. On avait prescrit à John des doses massives d'anticoagulants et il devait se rendre à St Vincent pour un scanner le vendredi. Si les résultats n'étaient pas satisfaisants, le médecin avait l'intention de l'hospitaliser et de le garder jusqu'à disparition du caillot. Une thrombose d'une veine profonde risquait d'être fatale, m'expliqua John. Si le caillot se détachait, il pouvait circuler avec le sang et aboutir dans un poumon, provoquant une embolie pulmonaire et une mort presque certaine. "C'est comme si je me baladais avec une bombe dans la jambe, dit-il. Si je la secoue trop, elle peut me faire sauter." Et puis il ajouta : "Pas un mot à Gracie. Ceci doit rester strictement entre toi et moi. Tu m'entends ? Pas un traître mot."

Peu après cela, nous avons commencé à parler de son fils. Je ne me rappelle pas ce qui nous a entraînés dans cet abîme de désespoir et de mauvaise conscience, mais l'angoisse de Trause était palpable et, quels qu'ils fussent, les soucis que lui inspirait sa jambe n'étaient rien en comparaison de son découragement en ce qui concernait Jacob. "Je l'ai perdu, me dit-il. Après le coup qu'il vient de faire, je ne croirai plus jamais rien de ce qu'il me dira."

Jusqu'à la dernière crise, Jacob avait été étudiant à l'université de Buffalo. John connaissait plusieurs membres du département d'anglais de cette université (l'un d'eux, Charles Rothstein, avait publié une longue étude de ses romans) et, après les résultats désastreux et le quasi-échec de Jacob dans le secondaire, il avait tiré quelques ficelles afin de l'y faire admettre. Le premier semestre s'était raisonnablement bien passé et Jacob avait réussi dans toutes ses matières mais, à la fin du deuxième semestre, ses notes étaient tombées si bas qu'on l'avait mis à l'essai. Pour éviter d'être suspendu, il lui fallait maintenir une moyenne de B mais durant le semestre d'automne de sa deuxième année, il avait été plus souvent absent que présent aux cours, il n'avait guère ou pas du tout travaillé et on l'avait mis à la porte sans autre forme de procès dès le trimestre suivant. Il s'était alors rendu chez sa mère, à East Hampton, où elle vivait avec son troisième mari (dans la maison où Jacob avait grandi auprès d'un beau-père très méprisé, un marchand d'art nommé Ralph Singleton), et s'était trouvé un emploi à temps partiel dans une boulangerie locale. Il avait aussi créé un groupe de rock avec trois de ses copains du secondaire, mais il y avait tant de tensions et de disputes entre eux qu'ils s'étaient séparés au bout de six mois. Il avait déclaré à son père qu'il n'en avait rien à foutre, du collège, et qu'il ne voulait pas y retourner, mais John avait réussi à le persuader d'y aller en lui proposant certains arguments financiers : une pension confortable, une nouvelle guitare s'il avait de bonnes notes au premier semestre, un minibus Volkswagen s'il terminait l'année avec une moyenne de B. Le garçon avait marché et, fin août, il était reparti à Buffalo pour jouer de nouveau à être un étudiant – avec des cheveux verts, une série d'épingles de sûreté pendouillant à l'oreille gauche et un long pardessus noir. L'époque punk battait alors son plein et Jacob s'était joint au club en constante expansion des renégats hargneux de la classe moyenne. Il était *hip*, en marge, on ne la lui faisait pas.

Jacob s'était inscrit pour un semestre, racontait John, mais au bout d'une semaine, sans avoir assisté à un seul cours, il retournait au secrétariat du collège pour se faire rayer de la liste. On lui avait remboursé son inscription et, au lieu d'envoyer le chèque à son père (qui lui avait procuré l'argent), il l'avait encaissé à la première banque venue, avait empoché les trois mille dollars et s'était tiré à New York. Aux dernières nouvelles, il vivait quelque part dans l'East Village. Si les rumeurs qui circulaient à son sujet étaient fondées, il était accro à l'héroïne – et il y avait quatre mois que ça durait.

"Qui t'a raconté ça ? demandai-je. Comment sais-tu que c'est vrai ?

— Eleanor m'a téléphoné hier. Elle avait essayé de joindre Jacob à propos d'une chose ou l'autre, et c'est son compagnon de chambre qui lui a répondu. Son ex-compagnon, devrais-je dire. Il lui a raconté que Jacob était parti du collège depuis deux semaines.

— Et l'héroïne ?

— C'est lui aussi qui en a parlé. Il n'y a pas de raison qu'il mente à propos d'une chose pareille. D'après Eleanor, il avait l'air très préoccupé. Ce n'est pas que ça m'étonne. Je l'ai toujours soupçonné de se droguer. J'ignorais seulement que c'était à ce point.

— Qu'est-ce que tu vas faire ?

— Je ne sais pas. C'est toi, le type qui a travaillé avec des gosses. Qu'est-ce que tu ferais ?

— Tu te trompes d'adresse. Tous mes élèves étaient pauvres. Des adolescents noirs issus de quartiers délabrés et de familles désunies. Beaucoup d'entre eux se droguaient, mais leurs problèmes n'avaient rien à voir avec celui de Jacob.

— Eleanor pense que nous devrions nous mettre à sa recherche. Mais je ne peux pas bouger. Je suis coincé sur ce canapé à cause de ma jambe.

— Je le ferai si tu veux. Ce n'est pas comme si j'étais très occupé ces temps-ci.

— Non, non, je ne veux pas que tu t'embarques là-dedans. Ce n'est pas ton problème. Eleanor et son mari vont le faire. C'est du moins ce qu'elle a dit. Avec elle, on ne sait jamais si ce qu'elle dit est vrai ou non.

— Il est comment, son nouveau mari ?

— Je ne sais pas. Je ne l'ai jamais rencontré. C'est drôle, je ne me rappelle même pas son nom. Pendant que j'étais couché ici, j'ai essayé de m'en souvenir, mais ça ne vient pas. Don quelque chose, je crois, mais je ne suis pas sûr.

— Et qu'est-ce qui va se passer quand ils auront retrouvé Jacob ?

— On lui fera faire une cure de désintoxication.

— C'est pas bon marché, ce genre de choses. Qui va payer ?

— Moi, bien sûr. Eleanor est pleine aux as en ce moment, mais elle est tellement près de ses sous que je ne penserais même pas à le lui demander. Le gamin me filoute de trois mille dollars, et maintenant à moi de casquer encore pour le tirer d'affaire. Si tu veux la vérité, j'ai envie de lui tordre le cou. Tu as de la chance de ne pas avoir d'enfants, Sid. C'est gentil quand c'est petit mais, après, ça te brise le cœur et ça fait ton malheur. Un mètre cinquante, c'est le maximum. On ne devrait pas leur permettre de devenir plus grands que ça."

Après cette dernière réflexion de John, je ne pus m'empêcher de lui annoncer ma nouvelle. "Il se pourrait que je ne sois plus si longtemps sans enfant, dis-je. On n'est pas encore bien décidés quant à ce qu'on va faire, mais pour l'instant Grace est enceinte. Elle a fait le test samedi."

Je ne savais pas quelle réaction j'attendais de John mais, même après ses propos amers sur les douleurs de la paternité, j'imaginais qu'il trouverait le moyen de prononcer pour la forme quelques mots de félicitations. Ou, au moins, qu'il me souhaiterait bonne chance et m'engagerait à m'en tirer mieux que lui. Quelque chose, en tout cas, un petit signe quelconque. Mais John restait silencieux. Pendant un moment, il parut frappé, comme s'il venait d'apprendre la mort d'un être aimé, et puis il détourna son visage, tournant brusquement la tête sur son oreiller pour contempler le dossier du canapé.

"Pauvre Grace, marmonna-t-il.

— Pourquoi dis-tu ça ?"

John se retourna lentement vers moi mais il s'arrêta à mi-chemin, la tête dans l'alignement du canapé, et pendant qu'il parlait son regard resta fixé au plafond. "C'est seulement qu'elle en a déjà tant encaissé, dit-il. Elle n'est pas aussi forte que tu le crois. Elle a besoin de repos.

— Elle fera exactement ce qu'elle veut. La décision est entre ses mains.

— Je la connais depuis beaucoup plus long-temps que toi. Un bébé, c'est la dernière chose qu'il lui faut en ce moment.

— Je pensais te demander d'être le parrain, si elle décide de le garder. Mais je suppose que ça ne t'intéresserait pas. Pas à entendre ce que tu dis.

— Ne la perds pas, Sid. C'est tout ce que je te demande. Si les choses tournaient mal, ce serait une catastrophe pour elle.

— Rien ne va tourner mal. Et je ne vais pas la perdre. Mais même si c'était le cas, en quoi ça te regarde ?

— Tout ce qui concerne Grace me regarde. Ça m'a toujours regardé.

— Tu n'es pas son père. Tu crois peut-être, par-fois, que tu l'es mais tu ne l'es pas. Grace est capable de s'assumer. Si elle décide d'avoir ce bébé, c'est pas moi qui l'en empêcherai. La vérité, c'est que je serai heureux. Avoir un bébé avec elle, ce serait la meilleure chose qui me soit arrivée dans ma vie."

C'était le plus près que nous nous soyons jamais trouvés, John et moi, d'un véritable affrontement. Ce fut pour moi un moment bouleversant et, alors que mes derniers mots flottaient encore dans l'air, je me demandai si la conversation n'allait pas prendre un tour encore plus virulent. Heureusement, avant que l'altercation ne se développe davantage, nous recu-lâmes tous les deux, conscients que nous allions nous pousser mutuellement à dire des choses que nous regretterions ensuite – et que jamais nous ne réussi-rions à expulser de nos mémoires, malgré toutes les excuses que nous pourrions nous adresser après avoir retrouvé notre calme.

Avec beaucoup de sagesse, John choisit ce mo-ment pour se rendre à la salle de bains. En le regar-dant se livrer à des manœuvres ardues pour se lever du canapé et puis traverser la pièce en s'ai-dant de sa béquille, je me sentis soudain vidé de toute hostilité. Il vivait une situation extrêmement pénible. Sa jambe le tuait, il avait à faire face aux terribles nouvelles de son fils et comment aurais-je pu lui en vouloir d'avoir prononcé quelques paroles rudes ? Dans le contexte de la trahison de Jacob et de son éventuelle toxicomanie, Grace était l'enfant sage adorée, celle qui jamais ne l'avait laissé tomber et c'était sans doute pour cela que John avait pris sa défense avec une telle ardeur, en se mêlant de choses qui finalement ne le regardaient pas. Il était en colère contre son fils, oui, mais sa colère était chargée aussi d'une bonne dose de culpabilité. John était conscient d'avoir plus ou moins abdiqué ses responsabilités de père. Divorcé d'Eleanor quand Jacob n'avait qu'un an et demi, il l'avait laissée emmener l'enfant loin de New York quand elle s'était installée à East Hampton avec son deuxième mari en 1966. Après cela, John n'avait guère vu le gamin : un week-end en ville de temps à autre, quelques voyages en Nouvelle-Angleterre et dans le Sud-Ouest pendant les vacances d'été. Pas vraiment ce qu'on peut appeler un père activement présent, et puis, après la mort de Tina, il avait disparu pendant quatre ans de la vie de Jacob, qu'il n'avait vu qu'une ou deux fois entre ses douze et ses seize ans. Maintenant, à vingt ans, son fils était devenu une vraie catastrophe et, que ce fût ou non de sa faute, John se sentait coupable de ce désastre.

Il resta absent de la pièce pendant dix minutes, un quart d'heure. Quand il revint, je l'aidai à se réinstaller sur le canapé et la première chose qu'il me dit n'avait rien à voir avec ce dont nous venions de parler. Le conflit semblait passé – balayé au cours de son expédition au bout du couloir et apparemment oublié.

"Comment va Flitcraft ? me demanda-t-il. Ça avance ?

— Oui et non, répondis-je. J'ai écrit sans m'arrêter pendant quelques jours, et maintenant je suis bloqué.

— Et tu commences à te poser des questions au sujet du carnet bleu.

— Peut-être. Je ne sais plus très bien ce que je pense.

— Tu étais si remonté l'autre soir que tu avais l'air d'un alchimiste fou. Le premier homme qui aurait changé le plomb en or.

— Eh bien, c'était une sacrée expérience. La première fois que j'ai utilisé le carnet, Grace m'a dit que je n'étais plus là.

— Que veux-tu dire ?

— Que j'avais disparu. Je sais que ça paraît ridicule, mais elle a frappé à ma porte pendant que j'écrivais et, comme je ne répondais pas, elle a passé la tête dans la pièce. Elle jure qu'elle ne m'a pas vu.

— Tu devais être ailleurs dans l'appartement. A la salle de bains, sans doute.

— Je sais. C'est aussi ce que dit Grace. Mais je ne me rappelle pas être allé à la salle de bains. Je ne me rappelle rien d'autre que d'être resté assis à ma table, en train d'écrire.

— Tu ne te le rappelles peut-être pas, mais ça ne signifie pas que tu n'y es pas allé. On a tendance à devenir un peu absent quand les mots arrivent en force. Pas vrai ?

— Vrai. Vrai, bien sûr. Mais lundi, il est arrivé quelque chose de similaire. J'étais en train d'écrire dans mon bureau et je n'ai pas entendu sonner le téléphone. Quand j'ai quitté ma table pour aller dans la cuisine, il y avait deux messages enregistrés.

— Et alors ?

— Je n'avais pas entendu la sonnerie. J'entends toujours le téléphone quand il sonne.

— Tu étais distrait, absorbé par ce que tu faisais.

— Possible. Mais je ne crois pas. Il s'est passé quelque chose de bizarre, et je ne comprends pas ce que c'est.

— Appelle ton médecin, Sid, et prends rendez-vous pour te faire examiner la tête.

— Je sais. Tout ça, c'est dans ma tête. Je ne prétends pas le contraire mais, depuis que j'ai acheté ce carnet, tout se déglingue. Je ne pourrais plus dire si c'est moi qui me sers du carnet ou le carnet qui se sert de moi. Tu vois ce que je veux dire ?

— Un peu. Mais pas trop.

— Bon, je vais m'y prendre autrement. As-tu jamais entendu parler d'un écrivain qui s'appelle Sylvia Maxwell ? Une romancière américaine des années vingt.

— J'ai lu quelques livres de Sylvia Monroe. Elle a publié un paquet de romans dans les années vingt et trente. Mais Maxwell, non.

— Est-ce qu'elle a jamais écrit un livre intitulé *La Nuit de l'oracle* ?

— Non, pas à ma connaissance. Mais je crois qu'elle a écrit quelque chose qui avait le mot *nuit* dans le titre. *La Nuit de La Havane*, peut-être. Ou *La Nuit de Londres*, je ne sais plus. Ça ne devrait pas être difficile à vérifier. Va à la bibliothèque et recherche-la."

Petit à petit, nous nous détournâmes du carnet bleu pour nous mettre à discuter de questions plus pratiques. D'argent, notamment, et de mon espoir de résoudre mes problèmes financiers en écrivant un scénario pour Bobby Hunter. Je parlai à John de mon adaptation et lui fis un résumé sommaire de l'intrigue que j'avais imaginée pour ma version de *La Machine à explorer le temps*, mais il ne réagit guère. Bien trouvé, dit-il si je me souviens bien, ou quelque compliment d'une égale banalité, et je me sentis soudain tout bête et embarrassé, comme si Trause voyait en moi un médiocre plumitif tâchant de fourguer sa camelote au plus offrant. Mais j'avais tort de prendre sa réaction amortie pour de la désapprobation. Il comprenait la difficulté de notre situation et il se trouve qu'il était en train de réfléchir, en train de chercher un moyen de me venir en aide.

"Je sais que c'est idiot, dis-je, mais s'ils achètent mon idée, nous serons de nouveau solvables. Sinon, nous restons dans le rouge. Ça ne me plaît pas de compter sur des perspectives aussi minces, mais je n'ai pas d'autre corde à mon arc.

— Peut-être que si, fit John. Si ce truc ne marche pas pour *La Machine à explorer le temps*, tu pourrais écrire un autre scénario. Tu fais ça bien. Si tu obtiens de Mary qu'elle fasse un effort, je suis sûr que tu trouverais un amateur prêt à débourser un joli paquet de fric.

— C'est pas comme ça que ça marche. C'est eux qui s'adressent à toi, pas le contraire. Sauf si tu as une idée originale, bien entendu. Mais je n'en ai pas.

— Mais c'est de ça que je te parle. J'ai peut-être une idée pour toi.

— Une idée pour un film ? Je croyais qu'écrire pour le cinéma, tu étais contre.

— Il y a une quinzaine de jours, j'ai retrouvé une caisse remplie de vieux papiers. Des nouvelles datant de mes débuts, un roman inachevé, deux ou trois pièces de théâtre. Des trucs anciens, écrits quand j'étais adolescent ou très jeune. Rien de tout ça n'a été publié. Grâce au ciel, devrais-je dire, mais en relisant les nouvelles, j'en ai trouvé une qui n'était pas complètement nulle. Je ne souhaiterais toujours pas la publier, mais si je te la donnais, tu pourrais sans doute la repenser comme un film. Mon nom serait peut-être un atout. Si tu dis à un producteur que tu adaptes une nouvelle inédite de John Trause, ça pourrait le tenter. Je ne sais pas. Mais même s'ils se foutent pas mal de moi, il y a une forte composante visuelle à cette histoire. Je crois que les images se prêteraient au cinéma avec un grand naturel.

— Bien sûr que ton nom serait un atout. Ça ferait une différence énorme.

— Eh bien, lis l'histoire et tu me diras ce que tu en penses. Ce n'est qu'un premier jet – un brouillon –, alors ne juge pas ma prose trop sévèrement. Et rappelle-toi que je n'étais guère qu'un gamin quand j'ai écrit ça. Beaucoup plus jeune que toi maintenant.

— Qu'est-ce que ça raconte ?

— C'est un texte étrange, différent de tout ce que j'ai fait d'autre, alors tu pourrais être d'abord un peu

168

surpris. Je pense que j'appellerais ça une parabole politique. Ça se passe dans un pays imaginaire dans les années dix-huit cent trente, mais en réalité il s'agit du début des années dix-neuf cent cinquante. McCarthy, la chasse aux sorcières, le péril rouge – toutes ces choses sinistres qui se passaient en ce temps-là. L'idée, c'est que les gouvernements ont toujours besoin d'ennemis, même quand ils ne sont pas en guerre. Si on n'a pas d'ennemi véritable, on s'en invente un et on répand l'information. Ça fait peur aux populations, et quand les gens ont peur, ils ont tendance à marcher au pas.

— Et le pays ? Il représente l'Amérique ou autre chose ?

— C'est en partie l'Amérique du Nord, en partie l'Amérique du Sud, mais avec une histoire complètement différente. Autrefois, toutes les puissances européennes avaient établi des colonies dans le Nouveau Monde. Les colonies ont évolué jusqu'à devenir des Etats indépendants, et puis, peu à peu, après des centaines d'années de guerres et d'escarmouches, ces Etats se sont fondus en une immense confédération. La question, c'est : qu'est-ce qui se passe une fois que l'empire est établi ? Quel ennemi inventer afin d'inspirer aux gens une peur suffisante pour maintenir l'unité de la confédération ?

— Et quelle est la réponse ?

— On simule une invasion barbare. La confédération a déjà repoussé ces gens loin de chez elle, mais à présent on répand la rumeur qu'une armée de soldats anti-confédération a franchi la frontière de territoires primitifs et est en train d'y fomenter une rébellion. Ce n'est pas vrai. Ces soldats sont à la solde du gouvernement. Ils font partie de la conspiration.

— Qui raconte l'histoire ?

— Un homme envoyé pour examiner les rumeurs. Il travaille pour une branche du gouvernement qui n'est pas informée du complot et il finit par être arrêté et jugé pour trahison. Pour compliquer encore les choses, l'officier responsable de la fausse armée a filé avec l'épouse du narrateur.

— Tromperie et corruption à chaque pas.

— Exactement. Un homme détruit par sa propre innocence.

— Ça a un titre ?

— *L'Empire des os.* Ce n'est pas très long. Quarante-cinq à cinquante pages – mais il y a de quoi en tirer un film, à mon avis. A toi de décider. Si tu veux t'en servir, tu as ma bénédiction. Si ça ne te plaît pas, mets-le à la poubelle et n'y pensons plus."

En repartant de chez Trause, je me sentais aba-sourdi, muet de gratitude, et même le tourment mineur d'avoir à saluer Régine, en bas, ne put dimi-nuer mon bonheur. Le manuscrit se trouvait dans une poche latérale de mon blouson de sport, à l'abri dans une enveloppe jaune, et je gardai la main posée dessus tout en marchant vers la station de métro, dévoré d'impatience de l'ouvrir et de commencer à le lire. John m'avait toujours soutenu dans mon tra-vail, mais je savais que ce cadeau était pour Grace autant que pour moi. J'étais l'invalide à demi détruit tenu de prendre soin d'elle, et s'il pouvait faire quoi que ce fût pour contribuer à nous remettre sur pied, il était disposé à le faire – au point d'offrir à cette cause un manuscrit inédit. Il n'y avait qu'une chance infime que cette idée aboutît mais, que je parvienne ou non à transformer sa nouvelle en film, l'impor-tant, c'était son empressement à dépasser les limites normales de l'amitié et à se mêler de nos affaires. De façon désintéressée, sans la moindre intention de profiter de son geste.

Il était déjà plus de cinq heures quand j'arrivai à la station de la 4e Rue ouest. C'était la pleine heure de pointe et en descendant, agrippé à la main cou-rante afin de ne pas trébucher, les deux escaliers menant au quai F, je désespérai de trouver une place assise dans le train. Il y aurait foule de passagers retournant à Brooklyn. Cela signifiait que je devrais lire debout la nouvelle de John et, comme ce serait affreusement difficile, je me préparai à me battre si nécessaire pour obtenir un peu d'espace. Quand les portes s'ouvrirent, ignorant l'étiquette du métro, je me faufilai à travers la bousculade des gens qui descendaient et entrai dans la voiture avant tous ceux qui attendaient sur le quai, mais cela ne me servit pas à grand-chose. Une marée de gens me suivait. Je fus repoussé vers le centre de la voiture et au moment où les portes se refermaient et où la rame quittait la station, je me retrouvai coincé au milieu d'une telle cohue que j'avais les bras collés au corps, sans la moindre possibilité d'atteindre ma poche pour y prendre l'enveloppe. Je ne pouvais que tenter de ne pas m'écraser contre mes compagnons de voyage au gré des cahots et des virages de notre course folle dans le tunnel. A un moment donné, je réussis à lever une main assez haut pour passer les doigts sur l'une des barres d'appui au-dessus de nos têtes, mais ce fut là tout ce que les circonstances m'accordèrent en fait de mouvement. Peu de passagers descendirent aux arrêts suivants et pour chaque passager descendu, deux autres jouaient des coudes afin de prendre sa place. Des centaines de gens restaient en plan sur les quais dans l'attente du train suivant et, du début à la fin du trajet, je n'eus pas la moindre chance de regarder la nouvelle. Comme nous arrivions à la station de Bergen Street, je tentai de reposer la main sur l'enveloppe, mais on me poussait par-derrière, on me pressait de gauche et de droite et pendant que je pivotais autour du poteau central pour me préparer à sortir de la voiture, le train s'arrêta brusquement, les portes s'ouvrirent, et je me retrouvai propulsé sur le quai avant d'avoir pu vérifier si l'enveloppe était toujours là. Elle n'y était plus. L'élan de la foule sortante m'entraîna sur près de deux mètres et quand je réussis enfin à me retourner pour tâcher de remonter dans la voiture, les portes étaient déjà refermées et la rame s'était remise en marche. Je frappai du poing sur une fenêtre qui passait, mais le contrôleur ne fit pas attention à moi. Le F défila au long de la station et quelques secondes plus tard il avait disparu.

Je m'étais rendu coupable de ce genre d'absences de concentration depuis mon retour de l'hôpital, mais aucune n'avait été pire ni plus déchirante que celle-là. Au lieu de tenir l'enveloppe à la main, je l'avais sottement fourrée dans une poche trop petite pour elle et, à présent, le manuscrit de John gisait sur le sol d'une voiture de métro roulant vers Coney Island, piétinée et salie assurément par la moitié des chaussures et des baskets du quartier de Brooklyn. C'était une faute impardonnable. John m'avait confié l'unique exemplaire d'une nouvelle inédite et, compte tenu de l'intérêt académique que suscitait son œuvre, le manuscrit à lui seul valait sans doute des centaines de dollars, peut-être des milliers. Qu'allais-je lui dire quand il me demanderait ce que j'en pensais ? Il avait dit que je pouvais le jeter à la poubelle si ça ne me plaisait pas, mais ce n'était qu'une façon hyperbolique de dénigrer son travail, une blague. Bien sûr qu'il voudrait récupérer le manuscrit – qu'il me plût ou non. Je ne savais pas du tout comment réparer ma faute. Si quelqu'un m'avait fait ce que je venais de faire à Trause, je crois que j'aurais été assez furieux pour avoir envie de l'étrangler.

Si démoralisante que fût cette perte, ce n'était que le début de ce qui devait être une nuit longue et pénible. Rentré chez nous, quand j'eus grimpé les trois volées d'escalier menant à notre appartement, je m'aperçus que la porte était ouverte – pas simplement entrouverte, mais repoussée à fond sur ses gonds, à plat contre le mur. Ma première idée fut que Grace était rentrée tôt, les bras chargés sans doute de paquets et de sacs de provisions, et qu'elle avait oublié de refermer la porte derrière elle. Un regard au salon me suffit néanmoins pour comprendre que Grace n'y était pour rien. Quelqu'un était entré chez nous, probablement en escaladant l'échelle de secours et en forçant la fenêtre de la cuisine. Des livres gisaient pêle-mêle sur le sol, notre petite télé noir et blanc avait disparu et une photographie de Grace qui s'était toujours trouvée sur la cheminée avait été déchirée en petits morceaux éparpillés sur le canapé. Ce geste me parut d'une méchanceté étonnante, presque une attaque personnelle. Quand je m'approchai de la bibliothèque pour examiner les dégâts, je constatai que seuls manquaient les livres de valeur : des exemplaires dédicacés de romans de Trause et d'autres amis écrivains, ainsi qu'une demi-douzaine d'éditions originales dont on m'avait fait cadeau au cours des années : Hawthorne, Dickens, Henry James, Fitzgerald, Wallace Stevens, Emerson. Notre cambrioleur n'était pas un voleur ordinaire. Il s'y connaissait en littérature, et il avait ciblé les quelques trésors que nous possédions.

Mon bureau paraissait intact, mais notre chambre avait été systématiquement et complètement mise à sac. Tous les tiroirs de la commode étaient sortis, on avait retourné le matelas, et la lithographie de Bram Van Velde que Grace avait achetée à la galerie Maeght, à Paris, au début des années soixante-dix, avait disparu de sa place sur le mur au-dessus de notre lit. En examinant le contenu des tiroirs de la commode, je m'aperçus que le coffret à bijoux de Grace manquait également. Elle ne possédait pas grand-chose, mais la paire de boucles d'oreilles en pierres de lune qu'elle avait héritée de sa grand-mère se trouvait dans ce coffret, ainsi qu'un bracelet à breloques datant de son enfance et un collier en argent que je lui avais offert pour son dernier anniversaire. A présent, un inconnu était parti avec ces objets et cela me semblait aussi cruel et dépourvu de sens qu'un viol, un pillage barbare de notre petit univers.

Nous n'étions assurés ni contre le vol ni pour l'appartement, et je n'avais guère envie de téléphoner à la police pour signaler l'effraction. On ne rattrape jamais les cambrioleurs et je ne voyais pas de raison de m'embarquer dans ce qui m'apparaissait comme une entreprise désespérée, mais avant de prendre cette décision il me fallait savoir si quelqu'un d'autre dans l'immeuble avait été volé. Il y avait trois autres appartements dans la maison – un au-dessus de nous et deux au-dessous – et je commen-çai par descendre au rez-de-chaussée interroger Mrs Caramello, qui partageait les fonctions de con-cierge avec son mari, un coiffeur retraité qui passait la majeure partie de son temps à regarder la télévi-sion et à parier sur les matchs de football. Il n'y avait rien eu chez eux, mais Mrs Caramello fut assez bou-leversée par ce que je lui apprenais pour appeler Mr Caramello, lequel arriva sur le seuil en traînant ses savates et se contenta de soupirer quand on lui raconta ce qui était arrivé. "Sans doute un de ces foutus camés, dit-il. Faut mettre des barreaux à vos fenêtres, Sid. Y a pas d'autre moyen d'empêcher la vermine d'entrer."

Les deux autres locataires avaient été épargnés, eux aussi. Apparemment, tout le monde avait des barreaux aux fenêtres de derrière sauf nous et nous avions donc été la cible logique – les benêts confiants qui ne s'étaient pas donné la peine de prendre les précautions d'usage. Ils se disaient tous désolés pour nous, mais le message implicite était que nous n'avions eu que ce que nous méritions.

Je rentrai dans l'appartement, plus horrifié encore à présent que je pouvais passer le désordre en revue dans un état d'esprit plus calme. L'un après l'autre, des détails que je n'avais pas remarqués au premier abord me sautaient aux yeux, aggravant encore l'effet de l'intrusion. Une lampe sur pied à gauche du canapé était renversée et cassée, un vase à fleurs brisé gisait sur le tapis et jusqu'à notre pathétique grille-pain à dix-neuf dollars avait disparu de sa place sur le comptoir de la cuisine. J'appelai Grace à son bureau, souhaitant la préparer au choc, mais per-sonne ne répondit, ce qui semblait indiquer qu'elle était déjà partie et en train de rentrer. Ne sachant que faire d'autre, j'entrepris de ranger l'appartement. Il devait être à peu près six heures et demie, à ce moment-là, et tout en m'attendant à voir arriver Grace d'un instant à l'autre, je travaillai sans m'arrêter pendant plus d'une heure à balayer les débris, à réinstaller les livres sur les étagères, à redresser le matelas et à retaper le lit, à remettre en place les tiroirs de la commode. Au début, j'étais content d'en faire autant avant le retour de Grace. Mieux je pourrais rétablir l'ordre, moins grand serait son désarroi lorsqu'elle entrerait dans l'appartement. Mais quand j'eus terminé ce que j'avais entrepris, elle n'était pas encore là. Il était alors sept heures quarante-cinq, bien au-delà de l'heure où une panne de métro aurait pu expliquer son retard. Il était vrai que, parfois, elle travaillait tard, mais elle me téléphonait toujours pour m'avertir du moment où elle quitterait le bureau, et il n'y avait aucun message d'elle sur le répondeur. Par acquit de conscience, je rappelai son numéro chez Holst & McDermott, mais cette fois encore personne ne répondit. Elle n'était pas à son bureau, elle n'était pas rentrée et, soudain, le cambriolage me parut sans importance, irritation mineure dans un passé lointain. Grace avait disparu et, lorsqu'il fut huit heures, je me trouvais déjà dans un état de panique fébrile et absolue.

Je donnai une série de coups de fil – à des amis, à des collègues de Grace et même à sa cousine Lily dans le Connecticut – mais seul le dernier de mes interlocuteurs avait quelque chose à m'apprendre. Greg Fitzgerald était à la tête de l'atelier graphique chez Holst & McDermott et, à ce qu'il me dit, Grace l'avait appelé au bureau juste après neuf heures du matin pour lui dire qu'elle ne pourrait pas venir travailler ce jour-là. Elle était tout à fait désolée, mais il y avait un problème urgent qui exigeait son attention immédiate. Elle n'avait pas dit quel était ce problème, et quand Greg lui avait demandé si tout allait bien, elle avait apparemment hésité avant de répondre. "Je crois que oui", avait-elle dit enfin et Greg, qui la connaissait depuis des années et l'aimait beaucoup (homo à demi amoureux de la plus jolie de ses collègues), avait trouvé la réponse curieuse. "Ce n'était pas d'elle", voilà l'expression qu'il utilisa, je crois, mais quand il sentit l'angoisse qui envahissait ma voix, il essaya de me rassurer en ajoutant que Grace avait terminé la conversation en lui promettant d'être au bureau le lendemain matin. "Vous en faites pas, Sid, poursuivit-il. Si Grace dit qu'elle va faire quelque chose, elle le fait. Il y a cinq ans que je travaille avec elle et pas une fois elle ne m'a laissé tomber."

Je veillai toute la nuit à l'attendre, à moitié fou d'inquiétude et d'incompréhension. Avant ma conversation avec Fitzgerald, je m'étais persuadé que Grace avait été victime de l'une ou l'autre violence – agressée, violentée, renversée par un chauffard, en butte à l'une des innombrables brutalités qui menacent une femme seule dans les rues de New York. Cela paraissait désormais peu probable mais si elle n'était ni morte ni matériellement en danger, que lui était-il arrivé, pourquoi ne m'avait-elle pas appelé pour me dire où elle était ? Je reprenais sans cesse la conversation que nous avions eue le matin en marchant jusqu'au métro, en tentant de comprendre ses déclarations curieusement émotionnelles sur la confiance, en me rappelant les baisers qu'elle m'avait donnés et la façon dont, de but en blanc, elle s'était dégagée de mes bras et mise à courir sur le trottoir, sans même se donner le temps de se retourner et de me faire un geste d'au revoir avant de disparaître dans l'escalier. C'était le comportement d'une femme qui venait de prendre une décision abrupte et impulsive, qui avait pris son parti de quelque chose mais était encore remplie de doutes et d'incertitudes, si peu sûre de sa résolution qu'elle n'avait pas osé s'accorder un seul regard en arrière, craignant que le simple fait de me regarder puisse détruire sa détermination à faire ce qu'elle avait l'intention de faire. Jusque-là, je comprenais, me semblait-il, mais au-delà je ne savais rien. Grace était devenue pour moi indéchiffrable et chaque pensée qui me venait à son sujet cette nuit-là se transformait aussitôt en histoire, en petit drame épouvantable qui jouait sur mes angoisses les plus profondes quant à notre avenir – lequel paraissait se réduire rapidement à pas d'avenir du tout.

Elle rentra chez nous quelques minutes après sept heures, deux heures environ après que je m'étais résigné à l'idée de ne jamais la revoir. Elle portait d'autres vêtements que la veille et elle était fraîche et belle, les lèvres d'un rouge éclatant, les yeux fardés avec élégance et un soupçon de rose sur les joues. J'étais assis au salon sur le canapé et quand je la vis entrer, la stupéfaction m'empêcha de parler, me rendit littéralement incapable de proférer un mot. Grace me sourit – calme, resplendissante, en pleine possession d'elle-même – et puis elle s'approcha de moi et m'embrassa sur les lèvres.

"Je sais que ç'a été infernal pour toi, dit-elle, mais ça devait se passer de cette façon. Ça n'arrivera plus jamais, Sidney, je te le promets."

Elle s'assit à côté de moi et m'embrassa de nouveau, mais la prendre dans mes bras était au-dessus de mes forces. "Il faut que tu me dises où tu étais, dis-je, surpris de la colère et de l'amertume que trahissait ma voix. Fini le silence, Grace. Tu dois parler.

— Je ne peux pas, dit-elle.

— Si, tu peux. Tu dois.

— Hier matin, tu as dit que tu me faisais confiance. Continue à me faire confiance, Sid. C'est tout ce que je demande.

— Quand on parle comme ça, c'est qu'on cache quelque chose. Toujours. C'est comme une loi mathématique, Grace. Qu'est-ce que c'est ? Qu'est-ce que tu ne veux pas me dire ?

— Rien. J'avais besoin d'être seule hier, c'est tout. J'avais besoin de temps pour réfléchir.

— Parfait. Vas-y, réfléchis. Mais ne me torture pas en ne me téléphonant pas pour me dire où tu es.

— Je voulais le faire, et puis je n'ai pas pu. Je ne sais pas pourquoi. C'était comme si je devais faire semblant de ne plus te connaître. Juste un petit moment. C'était moche de faire ça mais ça m'a aidée, ça m'a vraiment aidée.

— Où as-tu passé la nuit ?

— Ce n'était pas comme ça, je t'assure. J'étais seule. J'ai pris une chambre au Gramercy Park Hotel.

— A quel étage ? Quel numéro de chambre ?

— Je t'en prie, Sid, ne fais pas ça. Ce n'est pas bien.

— Je pourrais les appeler pour le savoir, hein ?

— Bien sûr que tu pourrais. Mais ça voudrait dire que tu ne me crois pas. Et alors ça irait mal pour nous. Mais ça ne va pas mal. Justement. Nous allons bien, et le fait que je sois ici maintenant le prouve.

— Je suppose que tu réfléchissais au bébé…

— Entre autres, oui.

— Et tu vois plus clair ?

— Je balance encore. Je ne suis pas encore sûre du côté où je vais pencher.

— J'ai passé quelques heures avec John, hier, et il pense que tu devrais avorter. Il a beaucoup insisté."

Grace parut à la fois surprise et perturbée. "John ? Mais il ne sait pas que je suis enceinte.

— Je lui ai dit.

— Oh, Sidney, tu n'aurais pas dû.

— Pourquoi pas ? Il est notre ami, non ? Pourquoi ne pourrait-il pas savoir ?"

Elle hésita pendant plusieurs secondes avant de répondre à ma question. "Parce que c'est notre secret, dit-elle enfin, et que nous n'avons pas encore décidé ce que nous allions faire. Je ne l'ai même pas dit à mes parents. Si John en parle à mon père, les choses pourraient devenir affreusement compliquées.

— Il n'en parlera pas. Il est trop inquiet à ton sujet pour ça.

— Inquiet ?

— Oui, inquiet. De même que moi je suis inquiet. Tu n'es pas toi-même, Grace. Quelqu'un qui t'aime ne peut qu'être inquiet."

Elle devenait un peu moins évasive au fil de la conversation, et j'avais l'intention de continuer à l'asticoter gentiment jusqu'à ce que toute l'histoire se révèle, jusqu'à ce que je comprenne ce qui l'avait poussée à faire cette mystérieuse fugue de vingt-quatre heures. L'enjeu était important, je le sentais, et si elle ne me disait pas franchement la vérité, comment pourrais-je jamais plus lui faire confiance ? La confiance, c'était tout ce qu'elle exigeait de moi et pourtant depuis qu'elle avait craqué dans le taxi le samedi soir, il m'était devenu impossible de ne pas sentir que quelque chose n'allait pas, que Grace croulait lentement sous le poids d'un fardeau qu'elle refusait de partager avec moi. Pendant un petit moment, la grossesse m'avait tenu lieu d'explication mais je n'étais même plus certain de cela à présent. Il y avait autre chose, quelque chose de plus que le bébé, et avant de commencer à me tourmenter en imaginant d'autres hommes, des liaisons clandestines et des trahisons sinistres, j'avais besoin qu'elle m'explique ce qui se passait. Malheureusement, la conversation s'interrompit soudain à cet instant et je ne fus plus en mesure de continuer sur ma lancée. Ce fut juste après que j'avais dit à Grace combien j'étais inquiet à son sujet. Je l'avais prise par la main et, alors que je l'attirais vers moi pour lui poser un baiser sur la joue, elle remarqua soudain que le lampadaire ne se trouvait plus là où il était censé se trouver, qu'il y avait un vide à gauche du canapé. Je dus lui parler du cambriolage, et de ce fait toute l'atmosphère changea et, au lieu de lui parler d'une chose, je ne pus que lui parler de l'autre.

D'abord, Grace parut prendre la nouvelle avec calme. Je lui montrai l'espace vacant dans la bibliothèque à la place qu'avaient occupée les éditions originales, je lui désignai la table basse sur laquelle s'était trouvée la télévision portable, après quoi je l'emmenai à la cuisine et lui annonçai que nous devrions acheter un nouveau grille-pain. Grace ouvrit les tiroirs sous le plan de travail (ce que j'avais négligé de faire) et découvrit que notre belle argenterie, cadeau de ses parents pour notre premier anniversaire de mariage, avait également disparu. Elle referma le tiroir du bas d'un coup de pied et se mit à jurer. Grace usait rarement de gros mots mais pendant une minute ou deux, ce matin-là, elle fut hors d'elle et proféra une cascade d'invectives surpassant tout ce que j'avais jamais pu entendre de sa bouche. Ensuite, dans notre chambre, sa colère vira aux larmes. Sa lèvre inférieure se mit à trembler quand je lui parlai du coffret à bijoux, et quand elle vit que la lithographie aussi était partie, elle s'assit sur le lit et se mit à pleurer. Je m'efforçai de la consoler, en lui promettant de chercher un autre Van Velde dès que possible, mais je savais que rien ne pourrait jamais remplacer celui qu'elle avait acheté à vingt et un ans lors de son premier séjour à Paris : une envolée de bleus diaprés et lumineux, ponctuée par un blanc à peu près rond au centre et par un trait rouge brisé. Il y avait alors plusieurs années que je vivais avec, et je ne m'étais jamais lassé de regarder cette litho. C'était l'une de ces œuvres qui ont toujours quelque chose à donner, qui jamais ne paraissent s'user[12].

Il lui fallut à peu près un quart d'heure, vingt minutes pour se reprendre, et puis elle alla à la salle de bains laver son visage zébré de mascara et se refaire une beauté. Je l'attendais dans notre chambre, pensant que nous pourrions reprendre là notre conversation, mais quand elle revint ce fut pour

---

12. Etudiante à la Rhode Island School of Design, Grace avait séjourné à Paris dans le cadre d'un programme d'études à l'étranger pendant l'avant-dernière année. C'était Trause qui, dans une lettre, lui avait parlé de Van Velde, qu'il avait rencontré une ou deux fois dans les années cinquante et qui était connu, disait-il, comme le peintre préféré de Samuel Beckett. (Il avait inclus dans sa lettre le dialogue de Beckett avec Georges Duthuit à propos de Van Velde. *J'estime que Bram Van Velde est [...] le premier à admettre qu'être un artiste, c'est échouer, comme nul autre n'ose échouer, que l'échec constitue son univers**.) Les tableaux de Van Velde

m'annoncer qu'elle allait être en retard, qu'elle devait aller travailler. J'eus beau tenter de l'en dissuader, elle ne voulut rien entendre. Elle avait promis à Greg d'être là ce matin, disait-elle, et après qu'il avait eu la gentillesse de lui donner congé la veille, elle ne voulait pas profiter davantage de son amitié. Une promesse est une promesse, me dit-elle, à quoi je répondis que nous avions encore bien des choses à nous dire. Elle répliqua que c'était bien possible, mais qu'elles pourraient attendre jusqu'à son retour. Comme pour me prouver ses bonnes intentions, elle s'assit sur le lit avant de s'en aller, m'entoura de ses bras et me tint serré pendant un moment qui me parut très long. "Ne te fais pas de souci pour moi, dit-elle. Je vais vraiment bien, maintenant. La journée d'hier m'a beaucoup aidée."

Je pris mes remèdes du matin, revins dans la chambre et dormis jusqu'au début de l'après-midi. Je n'avais aucun projet pour la journée et la seule obligation dans mon agenda consistait à passer mon temps aussi calmement que possible jusqu'au retour de Grace. Elle avait promis que nous reprendrions notre conversation ce soir, et si une promesse était une promesse, j'avais l'intention d'obtenir qu'elle s'y tienne et de faire tout ce que je pourrais pour lui arracher la vérité. Je ne me sentais guère optimiste

---

étaient rares et chers mais ses œuvres graphiques datant des années soixante et du début des années soixante-dix étaient encore abordables et Grace avait acheté l'œuvre à tempérament, en se privant de nourriture et d'autres nécessités afin de ne pas dépasser la rente que son père lui envoyait chaque mois. La lithographie constituait une partie importante de sa jeunesse, un emblème de sa passion croissante pour l'art en même temps qu'un geste d'indépendance – un pont entre les derniers jours de son adolescence et ses premiers jours d'adulte – et elle signifiait davantage pour elle que n'importe quelle autre de ses possessions.

et pourtant, que j'échoue ou non, je n'arriverais à rien si je ne me décidais pas à en faire l'effort.

Le ciel était lumineux et clair, cet après-midi-là, mais la température était tombée bien au-dessous de dix degrés et, pour la première fois depuis le jour en question, je sentais dans l'air un léger parfum d'hiver, avant-goût de choses à venir. Une fois encore, mon horaire normal de sommeil avait été bousculé et je me sentais plus mal que d'habitude – peu assuré dans mes mouvements, le souffle court, branlant et chancelant à chaque pas. C'était comme si, ayant régressé vers une étape antérieure de ma guérison, je me retrouvais dans la période des couleurs tourbillonnantes et des perceptions fractionnées et instables. Je me sentais excessivement vulnérable, comme si l'air lui-même était une menace, comme si un coup de vent inattendu pouvait me transpercer et laisser mon corps éparpillé en morceaux sur le sol.

J'achetai un nouveau grille-pain dans un magasin d'appareils ménagers de Court Street et cette simple transaction épuisa la quasi-totalité de mes ressources physiques. Le temps d'en choisir un que nous pouvions nous payer, de sortir l'argent de mon portefeuille et de le donner à la femme derrière le comptoir, je tremblais et me sentais au bord des larmes. Elle me demanda ce qui n'allait pas. Rien, dis-je, mais ma réponse devait manquer de conviction car l'instant d'après elle me proposait de m'asseoir et de boire un verre d'eau. C'était une grosse femme d'une soixantaine d'années, avec l'ombre d'une moustache sur la lèvre supérieure, et la boutique sur laquelle elle régnait n'était qu'un trou obscur et poussiéreux, une affaire de famille sur le déclin, dont la moitié des rayonnages étaient vidés de marchandises. Si généreuse que fût son offre, je ne désirais pas rester là une minute de plus. Je la remerciai et me remis en route, en chancelant vers la sortie et puis en m'appuyant contre la porte pour l'ouvrir d'un coup d'épaule. Je restai immobile sur le trottoir pendant quelques minutes à inspirer l'air frais à longues goulées en attendant que le vertige passe. Rétrospectivement, je me suis rendu compte que je devais avoir paru sur le point de m'évanouir.

J'achetai une part de pizza et un grand Coca chez Vinny, à deux pas de là, et quand je me relevai pour m'en aller, je me sentais un peu mieux. Il était alors trois heures et demie environ et Grace ne rentrerait pas avant six heures, au plus tôt. Je ne me sentais pas l'énergie de me traîner dans le quartier pour faire des courses et je savais que je ne serais pas capable de préparer le dîner. Manger au restaurant était pour nous un luxe, mais je me dis que nous pourrions commander un repas à emporter au Siam Garden, un traiteur thaï qui venait d'ouvrir près d'Atlantic Avenue. Je savais que Grace comprendrait. Nous avions beau avoir eu des difficultés, elle était assez soucieuse de ma santé pour ne pas m'en vouloir à cause de cela.

Après avoir terminé ma pizza, je décidai de marcher jusqu'à l'annexe de la bibliothèque publique, Clinton Street, afin de voir s'il y avait là des livres de la romancière dont Trause m'avait parlé la veille, Sylvia Monroe. Deux titres figuraient au fichier, *Nuit à Madrid* et *Cérémonie d'automne*, mais personne n'avait demandé l'un ou l'autre depuis plus de dix ans. Je les parcourus tous les deux, assis à l'une des longues tables de bois de la salle de lecture, et je constatai rapidement que Sylvia Monroe n'avait rien de commun avec Sylvia Maxwell. Les livres de Sylvia Monroe étaient des romans policiers conventionnels, écrits dans un style à la Agatha Christie et, en découvrant la prose spirituelle et la construction astucieuse des deux romans, je me sentis de plus en plus désappointé, furieux contre moi-même d'avoir imaginé qu'il pourrait y avoir une similitude entre les deux Sylvia M. Je songeai que je pouvais, à tout le moins, avoir lu un livre de Sylvia Monroe quand j'étais petit et l'avoir depuis oublié, pour en récupérer un souvenir inconscient dans le personnage de Sylvia Maxwell, prétendu auteur de la prétendue *Nuit de l'oracle*. Mais il semblait bien que j'avais inventé

Maxwell à partir de rien et que *La Nuit de l'oracle* était une histoire originale, sans rapport avec aucun autre roman. J'aurais sans doute dû m'en sentir soulagé, mais ce n'était pas le cas.

Quand je rentrai à l'appartement à cinq heures et demie, il y avait un message de Grace sur le répondeur. Sans détour et avec douceur, par une série de phrases simples et franches, elle démontait l'architecture de chagrin qui s'était édifiée autour de nous depuis quelques jours. Elle appelait de son bureau, disait-elle, et devait parler à voix basse, "mais, si tu m'entends, Sid, commençait-elle, il y a quatre choses que je veux que tu saches. Primo, je n'ai pas cessé de penser à toi depuis que je suis sortie de chez nous ce matin. Deuxièmement, j'ai décidé de garder le bébé, et nous ne prononcerons plus jamais le mot *avortement*. Troisièmement, ne te soucie pas du dîner. Je vais partir du bureau à cinq heures pile et, de là, j'irai chez Balducci acheter quelque chose de bon, un plat tout préparé qu'on n'aura plus qu'à passer au four. Si le métro ne tombe pas en panne, je devrais être rentrée vers six heures vingt, six heures et demie. Et enfin, assure-toi que Mr Johnson est prêt à l'action. Je vais t'attaquer dès l'instant où j'aurai passé la porte, mon amour, alors tiens-toi prêt. Miss Virginia meurt d'impatience de se mettre toute nue pour son homme."

Miss Virginia était l'un des petits noms tendres que je lui avais donnés, mais je ne l'avais plus appelée ainsi depuis notre première ou deuxième année de mariage et certainement pas depuis mon retour de l'hôpital. Avec cette expression, Grace évoquait les beaux jours de nos débuts et j'étais ému de savoir qu'elle s'en souvenait, car nous l'avions en général réservée aux moments de décompression après l'amour. Grace se relevant du lit après que nous avions fini et traversant la chambre pour se rendre à la salle de bains, impudique, languide, heureuse dans la nudité de son corps et, parfois (cela me revient maintenant), je l'appelais par jeu Miss Virginia dévoilée, ce qui la faisait toujours pouffer, et, là-dessus, elle ne manquait jamais de prendre une pose aguichante qui, à son tour, déclenchait toujours mon rire. En réalité, Miss Virginia était un diminutif de Miss Virginia dévoilée, et chaque fois que je l'appelais Miss Virginia en public, c'était toujours une communication secrète évoquant nos rapports amoureux, une allusion à la peau nue sous ses vêtements, un hommage à son corps si beau et très adoré. A présent, immédiatement après m'avoir annoncé qu'elle n'interromprait pas sa grossesse, elle avait ranimé le personnage mythique de Miss Virginia et en juxtaposant l'une et l'autre déclaration, elle me disait qu'elle était mienne à nouveau, mienne comme avant et en même temps mienne autrement, annonçant avec subtilité (comme seule Grace pouvait le faire) qu'elle était prête à entamer la phase suivante de notre mariage, qu'une nouvelle époque de notre vie commune était sur le point de commencer.

Renonçant à l'interrogatoire que j'avais prévu pour le soir, je ne lui posai pas une seule question à propos de son absence de la veille. Nous conformant à tout ce qu'elle m'avait annoncé sur le répondeur, nous nous sommes bousculés sur le plancher dès son entrée dans l'appartement et puis avons traîné nos corps à moitié dévêtus vers la chambre, que nous n'avons jamais réussi à atteindre. Plus tard, après avoir enfilé nos robes de chambre, nous avons réchauffé le repas dans le four et nous nous sommes attablés devant un dîner tardif. Je lui montrai le nouveau grille-pain à larges fentes pouvant accueillir des bagels que j'avais acheté l'après-midi et, bien que cela nous ramenât au triste sujet du cambriolage, nos commentaires furent coupés net lorsque mon nez se mit à saigner, éclaboussant la tartelette aux abricots que Grace venait de poser devant moi comme dessert. Pendant que, debout devant l'évier et la tête penchée en arrière, j'attendais que le flot tarisse, elle se tint derrière moi en m'entourant de ses bras, en m'embrassant l'épaule et la nuque et sans cesser de suggérer des noms comiques à donner au bébé. Si c'était une fille, c'était décidé, nous l'appellerions Goldie Orr. Si c'était un garçon, nous l'appellerions, d'après un des livres de Kierkegaard, Ira Orr. Nous étions stupidement heureux, ce soir-là, et je ne me rappelais aucune occasion où Grace s'était montrée plus vertigineusement expansive dans ses marques d'affection. Quand le sang arrêta enfin de me couler du nez, elle me fit me tourner et me lava le visage avec une serviette humide, en me regardant calmement dans les yeux pendant qu'elle me tamponnait la bouche et le menton jusqu'à ce que toute trace de l'effusion eût disparu. "On rangera la cuisine demain matin", dit-elle. Et puis, sans un mot de plus, elle me prit par la main et m'entraîna vers la chambre.

Je dormis tard le lendemain et quand je m'extirpai enfin du lit, à dix heures et demie, Grace était partie depuis longtemps. J'allai dans la cuisine prendre mes remèdes et mettre la cafetière en route et, lentement, je rangeai le désordre que nous avions abandonné la veille. Dix minutes après que j'avais casé la dernière assiette dans le placard, Mary Sklarr me téléphonait pour m'annoncer une mauvaise nouvelle. Les collaborateurs de Bobby Hunter avaient lu mon adaptation et décidé de s'en passer.

"Je regrette, dit-elle, mais je ne prétendrai pas que c'est un choc.

— Ça ne fait rien, répondis-je, moins chagriné que je n'aurais cru l'être. Cette idée était merdique. Je suis content qu'ils n'en veuillent pas.

— Ils disent que ton scénario est trop cérébral.

— Je suis étonné qu'ils connaissent la signification de ce mot.

— Je suis heureuse que ça ne t'affecte pas plus. Ça n'en vaudrait pas la peine.

— J'avais besoin de l'argent, c'est tout. Un cas d'avidité pure. Je ne me suis même pas conduit de façon très professionnelle, pas vrai ? On n'est pas censé écrire sans contrat. C'est la première règle du métier.

— Eh bien, ils *étaient* assez surpris. Cette folle rapidité. Ils ne sont pas habitués à de tels débordements de zèle. Ils aiment avoir d'abord de longues discussions avec des avocats et des agents. Ça leur donne l'impression que ce qu'ils font est important.

— Je ne comprends toujours pas pourquoi ils avaient pensé à moi.

— Il y a quelqu'un chez eux qui aime ton œuvre. Peut-être Bobby Hunter, peut-être le gamin qui colle les timbres. Qui sait ? En tout cas, ils vont t'envoyer un chèque. Un geste de bonne volonté. Tu as écrit ces pages sans contrat, mais ils veulent te dédommager pour ton temps.

— Un chèque ?

— Symbolique.

— Combien, symbolique ?

— Mille dollars.

— Eh bien, au moins c'est quelque chose. C'est le premier argent que je gagne depuis longtemps.

— Tu oublies le Portugal.

— Ah, le Portugal. Comment pouvais-je oublier le Portugal ?

— Du nouveau quant au roman que tu pourrais être ou ne pas être en train d'écrire ?

— Pas grand-chose. Il pourrait y avoir un fragment à récupérer, mais je n'en suis pas certain. Un roman dans le roman. Je n'arrête pas d'y penser, c'est peut-être bon signe.

— Donne-moi cinquante pages et je te décroche un contrat, Sid.

— Je n'ai jamais été payé pour un livre que je n'avais pas terminé. Qu'est-ce qui se passe si je ne peux pas écrire la page 51 ?

— Les temps sont durs, mon ami. Si tu as besoin d'argent, j'essaie de te trouver de l'argent. C'est mon boulot.

— Laisse-moi y réfléchir.

— Réfléchis, et j'attendrai. Quand tu seras prêt à m'appeler, je serai là."

Après avoir raccroché, j'allai chercher ma veste dans l'armoire de notre chambre. A présent que *La Machine à explorer le temps* était officiellement abandonnée, il me fallait commencer à imaginer un nouveau projet et il me semblait qu'une promenade dans l'air frais me ferait du bien. Mais à l'instant où j'allais sortir de l'appartement, le téléphone sonna de nouveau. D'abord tenté de ne pas répondre, je changeai d'avis et décrochai en espérant que c'était Grace. Il s'avéra que c'était Trause, sans doute la dernière personne au monde à qui j'avais envie de parler à ce moment. Je ne lui avais pas encore avoué la perte de sa nouvelle et, comme je me préparais à lâcher la confession que depuis deux jours je remettais à plus tard, je m'absorbai dans mes pensées au point de ne le suivre qu'avec difficulté. Eleanor et son mari avaient retrouvé Jacob, me disait-il. Ils l'avaient déjà fait admettre dans une clinique spécialisée – un endroit nommé Smithers, dans l'Upper East Side.

"Tu as entendu ? me demanda John. Ils l'ont inscrit dans un programme de vingt-huit jours. Ça ne suffira sans doute pas mais, au moins, c'est un début.

— Ah, fis-je d'une voix faible. Quand l'ont-ils trouvé ?

— Mercredi soir, peu après que tu es parti. Ils ont dû finasser pas mal pour le faire entrer là. Heureusement, Don connaît quelqu'un qui connaît quelqu'un, et ils ont réussi à obtenir un passe-droit.

— Don ?

— Le mari d'Eleanor.

— Bien sûr. Le mari d'Eleanor.

— Ça va, Sid ? Tu as l'air complètement à côté de la plaque.

— Non, non, tout va bien. Don. Le nouveau mari d'Eleanor.

— La raison de mon appel, c'est que je voudrais te demander un service. J'espère que ça ne t'ennuiera pas.

— Ça ne m'ennuiera pas. Quoi que ce soit. Tu n'as qu'à demander, je le ferai.

— Demain, c'est samedi et, de midi à cinq heures, c'est le moment des visites à la clinique. Je me demandais si tu pourrais y aller pour moi et voir comment il va. Tu n'as pas besoin de rester longtemps. Eleanor et Don ne peuvent pas y aller. Ils sont retournés à Long Island et ils en ont déjà fait assez comme ça. Je voudrais juste savoir si ça va. On ne verrouille pas les portes, dans ce centre. C'est un programme auquel on adhère volontairement, et je voudrais être sûr qu'il n'a pas changé d'avis. Après tout ce que nous avons vécu, ce serait dommage qu'il décide de se tirer.

— Tu ne crois pas que tu devrais y aller toi-même ? Tu es son père, après tout. Je le connais à peine, ce gamin.

— Il ne me parle plus. Et si jamais il oublie qu'il n'est pas censé me parler, il ne m'abreuve que de mensonges. Si je pensais que ça pouvait servir à quoi que ce soit, je boitillerais jusque-là sur ma béquille pour le voir. Mais ce serait inutile.

— Et qu'est-ce qui te fait croire qu'il me parlera, à moi ?

— Il t'aime bien. Ne me demande pas pourquoi, mais il pense que tu es *cool*. La citation est exacte. «Sid est *cool*.» Peut-être parce que tu as l'air si jeune, je ne sais pas. Peut-être parce que tu lui as un jour parlé d'un groupe rock qui l'intéresse.

— Les Bean Spasms, un groupe punk de Chicago. Un soir, un vieil ami m'a joué deux de leurs chansons. Pas fameux. Je crois qu'ils ont disparu, maintenant.

— Au moins tu savais qui ils étaient.

— C'est la plus longue conversation que j'aie jamais eue avec Jacob. Elle doit avoir duré quatre minutes.

— Eh bien, quatre minutes, c'est pas mal. Si tu peux obtenir de lui quatre minutes, demain, ce sera un exploit.

— Tu ne crois pas qu'il vaudrait mieux que j'emmène Grace ? Elle le connaît depuis beaucoup plus longtemps que moi.

— Pas question.

— Que veux-tu dire ?

— Jacob la déteste. Il ne supporte pas de se trouver dans la même pièce qu'elle.

— Personne ne déteste Grace. Il faudrait être cinglé pour ça.

— Pas selon mon fils.

— Elle ne m'en a jamais soufflé mot.

— Ça remonte à leur première rencontre. Grace avait treize ans et Jacob en avait trois. Nous venions de divorcer, Eleanor et moi, et Bill Tebbetts m'avait invité à passer une quinzaine de jours en famille dans sa maison de campagne en Virginie. C'était l'été, et j'ai emmené Jacob. Il semblait bien s'entendre avec les autres petits Tebbetts mais chaque fois que Grace entrait dans la pièce, il la frappait ou lançait des objets sur elle. Une fois, il a ramassé un petit camion et il lui a défoncé le genou avec. La pauvre gosse saignait comme une fontaine. Nous l'avons emmenée en vitesse chez le médecin, et il a fallu dix points pour refermer la plaie.

— Je connais cette cicatrice. Grace m'en a parlé un jour, mais elle n'a pas nommé Jacob. Elle a dit que c'était un petit garçon, c'est tout.

— Il a paru la détester dès le début, dès le premier instant où il a posé les yeux sur elle.

— Il sentait sans doute que tu l'aimais trop, alors elle est devenue une rivale. Les enfants de trois ans sont des créatures très irrationnelles. Ils ne connaissent que peu de mots et, quand ils sont en colère, leurs poings sont leur seul moyen d'expression.

— Possible. Mais il a continué, même après avoir grandi. Le pire, ç'a été au Portugal, deux ans environ après la mort de Tina. Je venais d'acheter ma petite maison sur la côte nord et Eleanor l'avait envoyé passer un mois avec moi. Il avait quatorze ans et il connaissait autant de mots que moi. Le hasard a fait

190

que Grace était là quand il est arrivé. Elle avait terminé ses études et allait commencer en septembre à travailler pour Holst & McDermott. En juin, elle était venue en Europe pour voir des tableaux – d'abord à Amsterdam, et puis à Paris et enfin à Madrid. Après ça, elle avait pris le train pour le Portugal. Je ne l'avais plus vue depuis plus de deux ans et nous avions beaucoup de temps à rattraper, mais quand Jacob est arrivé, il ne voulait pas d'elle. Il lui marmonnait des insultes à mi-voix, il faisait semblant de ne pas l'entendre quand elle lui posait des questions, et une ou deux fois il s'est même débrouillé pour renverser des aliments sur elle. Je ne cessais pas de l'avertir, de lui dire d'arrêter. Je l'ai prévenu qu'au prochain geste hostile, je l'expédiais chez sa mère et son beau-père en Amérique. Et alors il a dépassé les bornes, et je l'ai mis dans un avion et renvoyé chez lui.

— Qu'est-ce qu'il a fait ?

— Il lui a craché à la figure.

— Bon Dieu.

— On était tous les trois dans la cuisine, en train d'éplucher des légumes pour le dîner. Grace a fait une remarque innocente – je ne sais même plus à quel propos – et Jacob s'est senti offensé. Il a marché sur elle en agitant le couteau qu'il tenait à la main et l'a traitée de conne stupide, et Grace a fini par perdre son calme. C'est alors qu'il a craché sur elle. Quand j'y repense maintenant, je me dis que c'est heureux qu'il ne lui ait pas enfoncé son couteau dans la poitrine.

— Et c'est ça l'individu à qui tu veux que je parle demain ? Tout ce qu'il mérite, c'est un bon coup de pied au cul.

— Si j'y allais moi-même, c'est ce qui se passerait, j'en ai peur. Il vaudrait beaucoup mieux pour tout le monde que tu y ailles à ma place.

— Il s'est encore passé quelque chose depuis le Portugal ?

— Je les ai maintenus à l'écart l'un de l'autre. Leurs chemins ne se sont plus croisés depuis des années et, en ce qui me concerne, le monde sera un endroit plus sûr s'ils ne se rencontrent plus jamais[13]."

Grace ne devait pas aller travailler le lendemain, et elle dormait encore quand je sortis de l'appartement. Après ma conversation du vendredi avec Trause, j'avais décidé de ne pas lui parler de ma promesse de me rendre à Smithers cet après-midi. Cela m'aurait obligé à lui parler de Jacob et je ne voulais pas risquer de réveiller en elle de mauvais souvenirs. Nous venions de passer une série de jours difficiles et je détestais l'idée de parler de quoi que ce fût qui aurait pu provoquer la moindre agitation – et peut-être détruire le fragile équilibre que nous étions parvenus à retrouver depuis quarante-huit heures. Je laissai un mot sur la table de la cuisine pour lui dire que j'allais à Manhattan rendre visite à quelques librairies et que je serais rentré au plus tard

13. Pour finir, j'ai accepté d'aller voir Jacob – seul. J'étais d'accord pour rendre à John ce petit service, mais ce qu'il m'avait dit de l'animosité du garçon envers Grace m'atterrait. Même si des raisons existaient pour lui d'envier Grace (le fils négligé, délaissé en faveur de la "filleule" bien-aimée), je n'éprouvais pour lui aucune sympathie – rien que du dégoût et du mépris. J'irais à la clinique parce que John me l'avait demandé, mais je ne me réjouissais pas à la perspective d'avoir à passer du temps en sa compagnie.

Si je me souvenais bien, je ne l'avais encore rencontré que deux fois. Ignorant tout de son histoire avec Grace, je n'avais jamais songé à me demander pourquoi Grace n'était pas avec nous en ces deux occasions. La première était une sortie, un vendredi soir, au Shea Stadium pour assister à un match entre les Mets et les Cincinnati Reds. Trause avait reçu des tickets de quelqu'un qui possédait une loge pour la saison et, sachant que j'étais un fan, il m'avait invité à y aller avec lui. C'était en mai 1979, quelques mois à peine après que j'étais tombé amoureux de Grace, et John et moi n'avions fait connaissance qu'une quinzaine de jours plus tôt. Jacob allait alors sur ses dix-sept ans, et lui et un de ses

à six heures. Encore un mensonge ajouté à tous les autres menus mensonges que nous nous étions dits au cours de la semaine précédente. Mais mon intention n'était pas de la tromper. Je voulais simplement la protéger de tout autre désagrément, maintenir l'espace que nous partagions aussi petit et privé que possible, sans avoir à nous empêtrer dans de douloureux vestiges du passé.

Le centre de désintoxication était installé dans un immense manoir qui avait appartenu autrefois au producteur Billy Rose, de Broadway. Je ne savais ni quand ni comment cet endroit était devenu Smithers, mais c'était un bel échantillon de l'ancienne architecture new-yorkaise, un hôtel en pierres de taille datant d'un âge où la fortune faisait étalage de ses diamants, ses hauts-de-forme et ses gants blancs. Etrange qu'il fût désormais habité par la lie de la société, une population sans cesse renouvelée de drogués, d'alcooliques et de criminels repentis. C'était

---

camarades de classe complétaient le quatuor. Dès notre entrée dans le stade, il a paru évident que ni l'un, ni l'autre ne s'intéressait le moins du monde au base-ball. Ils sont restés assis pendant les trois premières manches avec des mines boudeuses et ennuyées, et puis ils se sont levés et sont partis, soi-disant pour acheter des hot-dogs et "se balader un brin", selon les termes de Jacob. Ils ne sont revenus qu'à la fin de la septième – rigolards, les yeux vitreux et de bien meilleure humeur. Il n'était pas difficile de deviner ce qu'ils avaient fabriqué. J'enseignais encore à cette époque, et j'avais vu assez de jeunes sous l'effet de l'herbe pour en reconnaître les symptômes. John, absorbé par le match, ne semblait rien remarquer et je n'ai pas cru devoir lui en parler. Je le connaissais à peine et j'estimais que ce qui se passait entre lui et son fils ne me regardait pas. Sauf pour nous dire bonjour et au revoir, je ne pense pas avoir échangé avec Jacob plus de huit à dix mots ce soir-là.

Je l'ai revu environ six mois plus tard. Il en était à la moitié de sa dernière année d'études secondaires et en danger de se faire recaler dans toutes ses matières. John avait téléphoné pour m'inviter à la dernière minute à passer la soirée

désormais une halte pour les égarés et quand je pénétrai à l'intérieur dans un bourdonnement d'ouvre-porte, je remarquai les premiers signes d'une certaine décrépitude. L'ossature du bâtiment était encore intacte (l'immense hall d'entrée au sol carrelé de noir et blanc, l'escalier incurvé à la rampe d'acajou) mais la chair semblait triste et sale, dégradée par des années d'efforts et de surmenage.

Je demandai Jacob à l'accueil en me présentant comme un ami de la famille. La préposée me considéra d'un air soupçonneux et je dus vider mes poches pour prouver que je n'essayais pas d'introduire en douce des drogues ou des armes. Bien que j'eusse passé l'épreuve, j'étais certain qu'elle allait me renvoyer mais, avant que j'aie pu commencer à plaider ma cause, Jacob apparut dans le grand hall, se dirigeant vers la salle à manger pour déjeuner en

---

au billard. Lui et Jacob ne s'adressaient pratiquement plus la parole et il souhaitait, je suppose, que je vienne jouer le rôle d'un tampon, du tiers neutre empêchant la guerre d'éclater entre eux dans un lieu public. C'est ce soir-là que nous avons parlé des Bean Spasms, Jacob et moi, et que j'ai acquis la réputation d'être *cool*. Il m'a frappé comme un gosse extrêmement brillant et hostile, résolu à bousiller sa vie par tous les moyens en son pouvoir. Si j'apercevais l'ombre d'un espoir, c'était sa détermination à battre son père au billard. Je jouais mal et j'ai bientôt été largué dans toutes les parties, mais John savait ce qu'il faisait et, à un moment ou à un autre, il devait avoir appris le jeu à son fils. Cela stimulait en eux l'esprit de compétition et le seul fait que Jacob se concentre sur quelque chose m'a paru encourageant. Je ne savais pas alors que John avait pratiqué l'arnaque au billard quand il était à l'armée. S'il avait voulu, il aurait pu dominer la table et écraser Jacob, mais ce n'est pas ce qu'il a fait. Il faisait semblant de vouloir gagner et, à la fin, il a laissé gagner son fils. Ce n'est pas que ça leur ait servi à quelque chose dans la suite des événements, mais au moins Jacob s'est autorisé un sourire quand ils ont terminé et il est allé serrer la main de son père. Pour autant que je sache, c'est peut-être la dernière fois que c'est arrivé.

compagnie de trois ou quatre autres résidents. Il me parut plus grand que la dernière fois que je l'avais vu et, avec ses vêtements noirs, ses cheveux verts et son extrême maigreur, il avait quelque chose d'un clown grotesque, d'un polichinelle fantôme s'apprêtant à exécuter une danse pour le Duc de la Mort. Je l'appelai par son nom et quand il se retourna et m'aperçut, il eut l'air surpris – ni content ni mécontent, simplement surpris. "Sid, marmonna-t-il, qu'est-ce tu fous ici ?" Il se sépara du groupe pour se diriger vers moi, ce qui provoqua chez la dame de l'accueil une question superflue : "Tu connais ce monsieur ? – Ouais, fit Jacob, je le connais. C'est un ami de mon père." Cette réponse suffit à me faire admettre. La préposée poussa un registre vers moi et, après avoir inscrit mon nom sur la liste des visiteurs, j'accompagnai Jacob à la salle à manger, au bout d'un long corridor.

"Personne m'a prévenu que tu venais, dit-il. Je suppose que c'est un coup du vieux, hein ?

— Pas vraiment. Il se trouve que j'étais dans le coin, et j'ai eu l'idée de passer voir comment tu vas."

Jacob grogna, sans même se donner la peine de mentionner sa totale incrédulité. Mon mensonge était transparent mais je l'avais fait dans le but de ne pas mêler John à la discussion, pensant que j'en obtiendrais davantage de Jacob si j'évitais de parler de sa famille. Le silence se prolongea quelques instants et puis, en un geste inattendu, il me posa une main sur l'épaule. "Il paraît que tu as été très malade, dit-il.

— C'est vrai. Je vais mieux, maintenant, dirait-on.

— On a cru que tu allais mourir, non ?

— C'est ce qu'on m'a dit. Mais je les ai bien eus, je suis sorti de là il y a trois ou quatre mois.

— Ça veut dire que tu es immortel, Sid. Tu clamseras pas avant d'avoir cent dix ans."

La salle à manger était une grande pièce ensoleillée, dont les portes vitrées coulissantes donnaient sur un petit jardin où quelques résidents et leurs familles étaient allés fumer et prendre le café. Le service fonctionnait façon cafétéria et, après avoir chargé nos plateaux de pain de viande, purée de pommes de terre et salade, nous commençâmes à chercher une table libre. Il devait y avoir une cinquantaine ou une soixantaine de personnes dans la pièce et nous dûmes tourner en rond pendant deux minutes avant d'en trouver une. Ce contretemps parut l'irriter comme s'il s'était agi d'un affront personnel. Quand nous fûmes enfin assis, je lui demandai comment ça se passait et il se lança dans une énumération de doléances amères, tout en agitant nerveusement sa jambe gauche pendant qu'il parlait.

"Cet endroit est merdique, dit-il. Tout ce qu'on fait, c'est assister à des réunions où chacun parle de soi. Je veux dire, c'est d'un ennui. Comme si j'avais envie d'écouter tous ces paumés dégoiser leurs histoires idiotes sur leurs enfances pourries, et comment ils ont dégringolé du droit chemin dans les griffes de Satan.

— Qu'est-ce qui se passe quand c'est ton tour ? Tu te lèves et tu parles ?

— Faut bien. Si je ne dis rien, on me montre du doigt en me traitant de lâche. Alors j'invente quelque chose qui ressemble à ce qu'ils disent tous, et puis je me mets à pleurer. Ça, ça marche à tous les coups. Je suis un assez bon acteur, tu sais. Je leur dis quelle ordure je suis, et puis je fonds en larmes et je peux plus continuer, et tout le monde est content.

— Pourquoi tricher ? Tu ne fais que perdre ton temps ici si tu fais ça.

— Parce que je ne suis pas accro, voilà pourquoi. J'ai un peu déconné avec le shit, mais c'est pas sérieux pour moi. Je peux arrêter quand je veux.

— C'est ce que disait mon colocataire, au collège. Et puis une nuit on l'a retrouvé mort d'une overdose.

— Ouais, ben, il devait être idiot. Je sais ce que je fais, et je mourrai jamais d'une overdose. Je suis pas dépendant. Ma mère croit que si, mais elle y connaît que dalle.

— Alors pourquoi as-tu accepté de venir ici ?

— Parce qu'elle a dit qu'elle me coupait les vivres si je refusais. Je me suis déjà mis ton copain à dos, le tout-puissant Sir John, et je voudrais pas qu'il prenne à Lady Eleanor l'idée stupide d'arrêter ma pension.

— Tu pourrais toujours trouver un boulot.

— Ouais, je pourrais, mais j'ai pas envie. J'ai d'autres projets, et j'ai besoin d'un peu de temps pour les réaliser.

— Alors tu te contentes de rester ici à attendre la fin des vingt-huit jours ?

— Ce serait pas si mal si on nous occupait pas tout le temps. Quand on ne se tanne pas le cul à ces foutues réunions, ils nous font étudier ces affreux bouquins. T'as jamais de ta vie lu des conneries pareilles.

— Quels livres ?

— Le manuel des AA, le programme en douze étapes, toutes ces âneries.

— Ce sont peut-être des âneries, mais elles ont aidé des tas de gens.

— Ça s'adresse à des crétins, Sid. Toutes ces bêtises sur la confiance en un pouvoir suprême. On dirait une religion pour bébés. Abandonnez-vous au pouvoir suprême et vous serez sauvés. Faut être débile pour avaler ces trucs-là. Y a pas de pouvoir suprême. Regarde le monde un bon coup et dis-moi où il est. Je le vois pas. Y a que toi, moi, et tous les autres. Un tas de pauvres cons qui font ce qu'ils peuvent pour rester en vie."

Nous n'étions ensemble que depuis quelques minutes et déjà je me sentais vidé, épuisé par ce bavardage insipide et cynique. J'aurais aimé m'en aller de là aussi vite que je pouvais mais, pour la forme, je décidai de rester jusqu'à la fin du repas. Le fils pâle et émacié de Trause semblait n'avoir que peu d'appétit pour la cuisine de Smithers. Il picora sa purée pendant un moment, goûta une bouchée du pain de viande et puis déposa sa fourchette. Un instant plus tard, il se leva et me demanda si je voulais un dessert. Je secouai la tête et il alla se remettre dans la file devant le comptoir. Quand il en revint, il apportait deux bols de pudding au chocolat qu'il déposa devant lui et mangea l'un après l'autre, faisant preuve de beaucoup plus d'intérêt pour ces douceurs que pour le plat principal. En l'absence de drogues, le sucre était le seul substitut disponible et il dévora ses puddings avec une avidité de petit enfant, en raclant les deux bols jusqu'à la dernière miette. Quelque part entre le premier et le deuxième, un homme s'arrêta à notre table pour le saluer. Il paraissait avoir environ trente-cinq ans, son visage était marqué de petite vérole et ses cheveux tirés en arrière en une courte queue de cheval. Jacob me le présenta sous le nom de Fred et, avec la chaleur et le sérieux d'un authentique vétéran du décrochage, l'homme me tendit la main en disant que c'était un plaisir de rencontrer un des amis de Jake.

"Sid est un romancier célèbre, annonça Jacob sans à-propos. Il a publié une cinquantaine de livres.

— N'écoutez pas ce qu'il dit, conseillai-je à Freddy. Il a tendance à exagérer.

— Ouais, je sais, répondit Freddy. C'est un vrai fouteur de merde, ce gars-là. Faut le tenir à l'œil. Pas vrai, gamin ?"

Jacob baissa les yeux vers la table, et alors Freddy lui caressa la tête et s'éloigna. Tout en attaquant son deuxième pudding au chocolat, Jacob me confia que Freddy était son chef de groupe et pas un mauvais bougre, tout bien considéré.

"Autrefois, il volait des trucs, dit-il. Tu sais, un pro du vol à l'étalage. Mais il avait une chouette combine et il se faisait jamais prendre. Au lieu d'entrer dans les magasins avec un grand pardessus sur le dos, comme ils font presque tous, il s'habillait en prêtre. Personne le soupçonnait jamais de rien. Le père Freddy, homme de Dieu. Une fois, il s'est quand même trouvé dans une fichue purée. Il était quelque part en ville et se préparait à entrer pour faire un casse dans un drugstore quand il y a eu ce gros accident de la circulation. Un type qui traversait la rue a été renversé par une voiture. Quelqu'un l'a traîné jusqu'au trottoir, là où se trouvait Freddy. Y avait du sang partout, le type était inconscient, il avait l'air d'être en train de mourir. Les gens s'attroupent autour de lui et tout à coup y a une bonne femme qui voit Freddy dans ses fringues de prêtre et elle lui demande de venir prononcer les dernières prières. Le père Freddy est bien emmerdé. Il connaît les paroles d'aucune prière mais s'il se tire, on verra qu'il est pas un vrai prêtre et on l'arrêtera pour en avoir pris l'habit. Alors il se penche sur le type, il joint les mains pour faire comme s'il priait et il marmonne quelques conneries solennelles comme il a un jour entendu dans un film. Et puis il se redresse, il fait le signe de la croix, et il fout le camp. Marrant, non ?

— Ça m'a l'air très instructif, ces réunions.

— C'est rien, ça. Je veux dire, Freddy c'était qu'un junkie qu'essayait d'assurer ses réserves. Y a des tas de gens ici qu'ont fait des trucs assez dingues. Tu vois ce Noir, là, assis à la table du coin, le grand type en sweat bleu ? Jérome. Il a passé douze ans à Attica pour meurtre. Et cette blonde, à la table d'à côté, avec sa mère ? Sally. Elle est née à Park Avenue, dans une des familles les plus riches de New York. Hier, elle nous a raconté qu'elle faisait le tapin sur la Dixième Avenue du côté du Lincoln Tunnel, elle baisait les mecs dans leurs bagnoles à vingt dollars la passe. Et ce Latino, à l'autre bout de la salle, celui qui a une chemise jaune ? Alfonso. Il a fait de la prison parce qu'il avait violé sa fille de dix ans. Je t'assure, Sid, comparé à la plupart de ces types-là, je suis rien qu'un gentil petit-bourgeois."

Les puddings semblaient lui avoir redonné un peu d'énergie et quand nous rapportâmes nos plateaux sales à la cuisine, sa démarche avait un certain ressort, ce n'était plus le traîne-savate somnambule que j'avais vu dans le hall avant le repas. L'un dans l'autre, je crois être resté avec lui pendant trente à trente-cinq minutes – assez longtemps pour me sentir déchargé de mon devoir envers John. En sortant de la salle à manger, Jacob me demanda si je voulais monter voir sa chambre. Une grande réunion de groupe allait avoir lieu à une heure et demie, me dit-il, et les familles et amis étaient invités à y assister. Je serais le bienvenu si je voulais y venir et, en attendant, nous pouvions nous tenir dans sa chambre, au troisième étage. Il y avait quelque chose de pathétique dans sa façon de s'accrocher à moi et sa réticence manifeste à me laisser partir. Nous nous connaissions à peine et, pourtant, il devait se sentir seul au point de me considérer comme un ami bien qu'il sût que j'étais là en tant qu'agent secret de son père. Je tentai d'éprouver un peu de pitié à son égard, mais je ne pouvais pas. Il était cet individu qui avait craché au visage de ma femme et même s'il y avait six ans de cela, je ne parvenais pas à le lui pardonner. Je regardai ma montre et lui racontai que j'avais un rendez-vous dans la Deuxième Avenue dix minutes plus tard. J'aperçus un éclair de déception dans ses yeux et puis, presque aussitôt, son visage se durcit en un masque d'indifférence. "Pas d'importance, vieux, dit-il. Si tu dois y aller, faut y aller.

— J'essaierai de revenir la semaine prochaine, dis-je, sachant très bien que je n'en ferais rien.

— Comme tu veux, Sid. A toi de voir."

Il me tapota l'épaule d'un geste condescendant et, sans me laisser le temps de lui serrer la main ni de lui dire au revoir, il tourna les talons et se dirigea vers l'escalier. Je restai quelques instants planté au milieu du hall, attendant de voir s'il se retournerait pour me lancer un signe d'adieu, mais en vain. Il montait, et quand, arrivé à mi-hauteur du grand escalier incurvé, il eut disparu de ma vue, j'allai chez la dame de l'accueil signer le registre des visiteurs sortants.

Il était un peu plus d'une heure. Je venais rarement dans l'Upper East Side et comme, depuis midi, le temps s'était amélioré et rapidement réchauffé, au point que ma veste ne m'était plus qu'une gêne, je pris prétexte de ma promenade quotidienne pour déambuler un peu dans ce quartier. Il allait être difficile de raconter à John l'impression déprimante que m'avait laissée cette visite et, au lieu de l'appeler tout de suite, je décidai d'attendre d'être revenu à Brooklyn. Je ne pourrais pas le faire de l'appartement (en tout cas pas si Grace y était) mais il y avait dans un coin, au fond de chez Landolfi, une vieille cabine téléphonique avec une porte en accordéon qui fermait et j'estimais que je pourrais le faire de là avec suffisamment de discrétion.

Vingt minutes après être sorti de Smithers, je me trouvais dans Lexington Avenue, à peu près à hauteur de la 90e Rue, en train de marcher au milieu d'une petite foule de piétons et de me dire que j'allais rentrer. Quelqu'un me heurta, me frôlant l'épaule par mégarde en me croisant, et quand je me retournai pour voir qui c'était, il se passa une chose surprenante, tellement en dehors du domaine des probabilités que je la pris d'abord pour une hallucination. Juste en face, de l'autre côté de l'avenue, à un parfait angle droit par rapport à l'endroit où je me trouvais, je vis une petite boutique avec, sur l'enseigne surmontant la porte, les mots PAPER PALACE. Se pouvait-il que Chang eût déjà retrouvé un local pour son commerce ? Cela me paraissait impossible et pourtant, étant donné la rapidité avec laquelle cet homme menait ses affaires – fermant boutique en une soirée, fonçant à travers la ville dans sa voiture rouge, investissant dans des entreprises louches, empruntant de l'argent, dépensant de l'argent –, pourquoi en aurais-je douté ? Chang semblait vivre dans un flou de mouvement accéléré, comme si les horloges de l'univers tournaient plus lentement pour lui que pour tout le monde. Une minute devait être pour lui comme une heure et, avec autant de temps supplémentaire à sa disposition, pourquoi n'aurait-il pas réussi son réaménagement dans Lexington Avenue pendant les quelques jours écoulés depuis notre dernière rencontre ?

D'autre part, il pouvait aussi s'agir d'une coïncidence. Paper Palace n'était pas une enseigne tellement originale pour une papeterie et il aurait très bien pu en exister plus d'une dans la ville. Je traversai la chaussée pour m'en assurer, de plus en plus certain que cette boutique de Manhattan appartenait à quelqu'un d'autre qu'à Chang. La décoration de la vitrine était différente de celle qui avait attiré mon attention à Brooklyn le samedi précédent. Il n'y avait pas de tours en papier suggérant la silhouette des gratte-ciel de New York, mais ce qui les remplaçait témoignait d'une imagination encore plus fertile et me parut encore plus astucieux. Une statuette d'homme de la taille d'une poupée était assise devant une petite table sur laquelle se trouvait une machine à écrire miniature. L'homme avait les mains sur le clavier, une feuille de papier était glissée dans le cylindre et, en appuyant son visage contre la vitre pour regarder avec attention, on pouvait lire les mots tapés sur la page : *C'était au meilleur des temps, c'était au pire des temps, c'était l'âge de la sagesse, c'était l'âge de la sottise, c'était l'époque de la foi, c'était l'époque de l'incrédulité, c'était la saison de la Lumière, c'était la saison des Ténèbres, c'était le printemps de l'espérance, c'était l'hiver du désespoir, nous avions tout devant nous, nous n'avions rien devant nous…*

J'ouvris la porte et j'entrai, et en passant le seuil j'entendis le même tintement de clochettes que dans l'autre Paper Palace, le 18. Si la boutique de Brooklyn était petite, celle-ci l'était encore plus et la masse des marchandises était empilée sur des étagères de bois qui montaient jusqu'au plafond. Cette fois encore, il n'y avait pas de clients dans le magasin. Au début, je ne vis personne mais j'entendais un faible chantonnement monotone venant de quelque part à proximité du comptoir, comme si quelqu'un était accroupi derrière – en train de nouer sa chaussure, peut-être, ou de ramasser un stylo ou un crayon tombés à terre. Je me raclai la gorge et deux secondes après, Chang se relevait et posait les mains à plat sur le comptoir, comme pour assurer son équilibre. Il portait le pull-over brun, cette fois, et ses cheveux étaient dépeignés. Il me parut plus maigre que précédemment et il avait des rides profondes autour de la bouche et les yeux légèrement injectés de sang.

"Félicitations, dis-je. Le Paper Palace est de nouveau sur pied."

Chang me dévisageait, le visage sans expression, ne pouvant ou ne voulant pas m'identifier. "Je regrette, fit-il. Je ne crois pas vous connaître.

— Bien sûr que si. Je suis Sidney Orr. Nous avons passé tout un après-midi ensemble l'autre jour.

— Sidney Orr est pas ami à moi. Je pensais c'était chic type, mais plus maintenant.

— Qu'est-ce que vous racontez ?

— Vous laissez moi en plan, Mr Sid. Situation très embarrassante pour moi. Je ne veux plus connaître vous. Amitié finie.

— Je ne comprends pas. Qu'est-ce que j'ai fait ?

— Vous abandonnez moi à l'atelier couture. Même pas un au revoir. Quel genre d'amitié c'est, ça ?

— Je vous ai cherché partout. J'ai fait tout le tour du bar et, comme je ne vous trouvais pas, j'ai pensé que vous étiez dans un des boxes et que vous n'aviez pas envie d'être dérangé. Alors je suis parti. Il était tard, et je devais rentrer chez moi.

— Rentrer chez votre épouse chérie. Juste après que Princesse Africaine vous taille une pipe. C'est pas drôle, ça, Mr Sid ? Si Martine entre ici maintenant, vous recommencez. Ici, sur plancher de ma boutique. Vous baisez elle comme un chien et vous adorez ça d'un bout à l'autre.

— J'étais ivre. Elle était très belle, et j'ai perdu le contrôle de moi-même. Mais ça ne veut pas dire que je recommencerais.

— Vous pas ivre. Vous hypocrite libidineux, comme tous égoïstes.

— Vous disiez que personne ne pouvait lui résister et vous aviez raison. Vous devriez être fier de vous, Chang. Vous avez vu clair en moi et trouvé ma faiblesse.

— Parce que je savais que vous avez mauvaises pensées sur moi, voilà pourquoi. Je comprends ce qui passe dans votre tête.

— Ah ? Et qu'est-ce que je pensais ce jour-là ?

— Vous pensez Chang fait affaires louches. Sale souteneur sans cœur. Homme qui rêve seulement d'argent.

— Ce n'est pas vrai.

— Si, Mr Sid, c'est vrai. C'est très vrai. Maintenant nous arrêtons parler. Vous donnez mon âme grande douleur, et maintenant fini. Regardez partout si vous voulez. Vous êtes bienvenu comme client dans mon Paper Palace, mais plus comme ami. Amitié morte. Amitié morte et enterrée maintenant. Tout fini."

Je ne crois pas avoir jamais été insulté par qui que ce soit plus profondément que je ne le fus par Chang cet après-midi-là. Je lui avais infligé une grande tristesse en blessant involontairement sa dignité et son sens personnel de l'honneur, et il me cinglait de ses phrases raides et mesurées comme s'il estimait que je méritais d'être écartelé pour mes crimes. Son offensive me mettait d'autant plus mal à l'aise que la plupart de ses accusations étaient justifiées. Je l'avais abandonné dans l'atelier de couture sans lui dire au revoir, je m'étais laissé aller dans les bras de la Princesse Africaine et j'avais mis en doute son intégrité morale à propos de son désir d'investir dans le club. Je n'avais pas grand-chose à dire pour ma défense. Toute dénégation aurait été vaine et même si mes transgressions avaient été relativement minces, je me sentais assez coupable de ma séance avec Martine derrière le rideau pour ne pas souhaiter revenir là-dessus. J'aurais dû dire au revoir à Chang et sortir aussitôt de sa boutique, mais je ne le fis pas. Les carnets portugais étaient alors devenus une obsession trop forte et je n'aurais pas pu partir sans regarder d'abord s'il en avait en stock. Je comprenais ce qu'il y avait de déraisonnable à m'attarder quelque part où on ne voulait pas de moi, mais je ne pouvais pas m'en empêcher. Il fallait que je sache.

Il en restait un, parmi un choix de carnets allemands et canadiens disposés sur une étagère inférieure à l'arrière du magasin. C'était le rouge, sûrement le même rouge qui se trouvait à Brooklyn le samedi précédent, et le prix était le même qu'alors, cinq dollars tout rond. Je l'apportai au comptoir et, en le tendant à Chang, je le priai de m'excuser si je l'avais fait souffrir ou embarrassé. Je l'assurai qu'il pouvait encore compter sur mon amitié et que je continuerais à me fournir chez lui en papeterie même si cela impliquait que je me déplace loin de chez moi. Malgré toute la contrition que je tentais d'exprimer, Chang se contenta de hocher la tête et de tapoter le carnet de la main droite. "Je regrette, dit-il. Celui-ci pas à vendre.

— Que voulez-vous dire ? C'est un magasin, ici. Tout ce qui s'y trouve est à vendre." Je sortis un billet de dix dollars de mon portefeuille et l'étalai sur le comptoir. "Voilà mon argent, dis-je. L'étiquette dit cinq dollars. Maintenant rendez-moi ma monnaie et donnez-moi le carnet, s'il vous plaît.

— Impossible. Ce rouge dernier cahier portugais dans magasin. Réservé pour autre client.

— Si vous le gardez pour quelqu'un d'autre, vous devriez le mettre derrière le comptoir, là où personne ne peut le voir. S'il est en rayon, ça veut dire que n'importe qui peut l'acheter.

— Pas vous, Mr Sid.

— Combien l'autre client allait-il vous le payer ?

— Cinq dollars, comme marqué sur étiquette.

— Bon, je vous en donne dix et on n'en parle plus. D'accord ?

— Pas dix dollars. Dix mille dollars.

— *Dix mille dollars ?* Vous avez perdu la tête ?

— Ce carnet pas pour vous, Sidney Orr. Vous achetez autre carnet et tout le monde content. OK ?

— Ecoutez, dis-je, perdant enfin patience. Le carnet coûte cinq dollars et je veux bien vous en donner dix. Mais c'est tout ce que je paierai.

— Vous donnez cinq mille maintenant et cinq mille lundi. Voilà conditions. Sinon, veuillez acheter autre carnet."

Nous étions entrés dans le domaine de la folie pure. Les sarcasmes et les exigences absurdes de Chang avaient fini par me pousser à bout et, au lieu de continuer à chicaner avec lui, je lui tirai le carnet de sous la main et me dirigeai vers la porte. "Ça suffit, dis-je. Prenez les dix et allez vous faire foutre. Je m'en vais."

Je n'avais pas fait deux pas que Chang jaillissait de derrière le comptoir pour me couper le chemin et m'empêcher d'atteindre la porte. Je tentai de l'éviter, en me servant de mon épaule pour le repousser ; Chang tint bon et, en un instant, il avait saisi le carnet et me l'arrachait des mains. Je le repris et le serrai contre ma poitrine, en le tenant de toutes mes forces, mais le propriétaire du Paper Palace était un petit engin farouche, tout en nerfs et en muscles d'acier et, malgré mes efforts, il récupéra l'objet en quelque dix secondes. Je savais que je ne réussirais jamais à le lui reprendre mais j'étais si furieux, si fou de frustration que je lui empoignai le bras de la main gauche et lui envoyai un direct de mon poing droit. C'était la première fois que je frappais quelqu'un du poing depuis l'école primaire, et je le manquai. En retour, Chang m'asséna un coup de karaté sur l'épaule gauche. Le tranchant de sa main s'abattit sur moi, tel un couteau, et la douleur fut si intense que je pensai perdre le bras. Je tombai à genoux et, avant que j'aie pu me relever, Chang se mit à me bourrer le dos de coups de pied. Je lui hurlai d'arrêter, mais il continua à m'envoyer la pointe de sa chaussure dans la cage thoracique et sur la colonne vertébrale – un coup bref et brutal après l'autre tandis que je me roulais sur moi-même vers la sortie dans une tentative désespérée de me tirer de là. Quand mon corps fut plaqué contre le seuil de métal au pied de la porte, Chang tourna la poignée. La clenche s'abaissa avec un déclic et je déboulai sur le trottoir.

"N'approchez plus d'ici ! cria-t-il. La prochaine fois que vous revenez, je vous tue ! Vous m'entendez, Sidney Orr ? Je découpe votre cœur et je le fais manger aux cochons !"

Je n'ai jamais parlé à Grace de Chang ni de cette bagarre, ni de rien de ce qui m'était arrivé d'autre dans l'Upper East Side cet après-midi-là. Tous les muscles de mon corps étaient douloureux mais, malgré la violence du pied vengeur de Chang, je m'étais sorti de ce tabassage avec seulement quelques très légères ecchymoses dans la partie inférieure de mon dos. La veste et le pull-over que je portais devaient m'avoir protégé, et quand je me rappelais combien j'avais été près d'enlever ma veste pendant que je me baladais dans le voisinage, j'appréciais ma chance de l'avoir eue sur le dos quand j'étais entré au Paper Palace – même si le mot *chance* peut paraître déplacé dans ce contexte. Lorsque les nuits étaient chaudes, nous dormions toujours nus, Grace et moi ; à présent que le temps se refroidissait à nouveau, elle avait recommencé à porter au lit son pyjama de soie blanche et elle ne s'étonna pas que je vienne la rejoindre sous les couvertures en t-shirt. Même quand nous avons fait l'amour (le dimanche soir), il faisait assez sombre dans la chambre pour que les marques n'attirent pas son attention.

J'appelai Trause de chez Landolfi en allant acheter le *Times* le dimanche matin. Je lui racontai tout ce dont je me souvenais de ma visite à Jacob, y compris le fait que les épingles de sûreté avaient disparu de l'oreille de son fils (sûrement par mesure de prudence), et en résumant chacune des opinions que le garçon avait professées du moment de mon arrivée au moment où je l'avais vu disparaître dans la courbe de l'escalier. John voulut savoir si je pensais que Jacob resterait là pendant le mois entier ou s'il décamperait avant la fin du programme, et je répondis que je n'en savais rien. Il avait fait quelques allusions plutôt inquiétantes à des projets, dis-je, qui suggéraient l'existence dans sa vie de choses dont personne dans sa famille n'avait connaissance, de secrets qu'il n'était pas disposé à partager. John pensait que cela pouvait avoir un rapport avec le trafic de drogue. Je lui demandai sur quoi il basait ce soupçon mais, en dehors d'un bref rappel du montant volé de l'inscription au collège, il ne voulut rien dire. La conversation s'enlisa alors et, pendant la pause momentanée qui suivit, je trouvai enfin le courage de raconter à John ma mésaventure dans le métro, plus tôt dans la semaine, et la perte de *L'Empire des os*. Je n'aurais pu choisir un moment moins approprié pour évoquer ce sujet et, d'abord, Trause ne saisit pas de quoi je parlais. Je répétai toute mon histoire. Quand il comprit que son manuscrit avait probablement été se balader jusqu'à Coney Island, il rit. "Ne te torture pas à cause de ça, dit-il. J'ai encore deux copies carbone. On n'avait pas de machines à polycopier, à cette époque-là, et on tapait toujours au moins deux copies de tout ce qu'on faisait. Je t'en mettrai une dans une enveloppe et Mme Dumas te l'enverra cette semaine."

Le lendemain, je retournai pour la dernière fois dans le carnet bleu. Quarante des quatre-vingt-seize pages étaient déjà remplies, et il en restait plus qu'assez de blanches pour occuper encore quelques heures de travail. J'entamai une page neuve à peu près à la moitié, abandonnant définitivement la débâcle Flitcraft. Bowen resterait à jamais piégé dans la chambre et je décidai que le moment était enfin venu de renoncer à mes efforts pour le sauver. Si j'avais appris quelque chose de ma rencontre féroce avec Chang ce samedi, c'était que le carnet était pour moi un lieu de malheur et que tout ce que je tenterais d'écrire dedans aboutirait à un échec. Chaque histoire s'arrêterait en plein vol ; chaque projet m'entraînerait jusqu'à un certain point, et puis je relèverais le nez et me découvrirais perdu. Tout de même, j'étais trop furieux contre Chang pour lui laisser la satisfaction d'avoir le dernier mot. Je savais que j'allais devoir faire mes adieux au *caderno* portugais mais, à moins que je ne les fasse selon mes propres termes, il continuerait à me hanter comme une défaite morale. A tout le moins, je ressentais la nécessité de me prouver à moi-même que je n'étais pas un lâche.

Je m'y enfonçai lentement, avec prudence, par défi plutôt que sous l'effet d'un irrésistible besoin d'écrire. Bientôt, pourtant, je me retrouvai en train de penser à Grace et, laissant le carnet ouvert sur ma table, j'allai au salon chercher l'un des albums de photos que nous gardions dans le tiroir du bas d'une commode en chêne à usages multiples. Heureusement, le voleur n'y avait pas touché lors du cambriolage du mercredi après-midi. Ce n'était pas n'importe quel album, il nous avait été offert en cadeau de mariage par Flo, la plus jeune sœur de Grace, et il contenait plus de cent photographies, une histoire par l'image des vingt-sept premières années de la vie de Grace – Grace avant notre rencontre. Je n'avais pas regardé cet album depuis mon retour de l'hôpital et, en tournant ses pages ce matin-là dans mon cabinet de travail, je repensai à l'histoire que nous avait racontée Trause à propos de son beau-frère et du stéréoscope, car j'éprouvais le même genre de fascination devant ces images qui m'emportaient dans le passé.

Il y avait Grace en nouveau-né, couchée dans son berceau. Elle était là à deux ans, debout toute nue dans un champ d'herbes hautes, les bras levés au ciel, en train de rire. Elle était là à quatre ans, à six ans, à neuf ans – assise à une table en train de dessiner une maison, adressant à l'objectif du photographe de l'école un large sourire où manquaient plusieurs dents, faisant du trot enlevé sur une jument alezane dans la campagne de Virginie. Grace à douze ans avec les cheveux en queue de cheval, gauche, comique, mal dans sa peau, et puis Grace à quinze ans, soudain jolie, définie, première incarnation de la femme qu'elle allait devenir. Il y avait aussi des photos de groupes : portraits de la famille Tebbetts, Grace avec différents amis non identifiés, écoliers et étudiants, Grace à quatre ans assise sur les genoux de Trause entouré de ses parents, Trause penché en avant pour l'embrasser sur la joue à son dixième ou onzième anniversaire, Grace et Greg Fitzgerald faisant des grimaces comiques lors d'une fête de Noël chez Holst & McDermott.

Grace en robe de bal à dix-sept ans. Grace à vingt ans, étudiante à Paris, les cheveux longs et en pull noir à col montant, assise à une terrasse de café et fumant une cigarette. Grace avec Trause au Portugal à vingt-quatre ans, les cheveux coupés court, l'air adulte, respirant une sublime confiance en soi, sûre désormais de ce qu'elle était. Grace dans son élément.

Je dois avoir regardé ces photographies pendant plus d'une heure avant de reprendre ma plume et de me mettre à écrire. La tourmente de ces derniers jours ne s'était pas produite sans raison et, faute d'éléments à l'appui de l'une ou l'autre interprétation, je n'avais pour me guider que mon instinct et mes soupçons. Il devait y avoir une histoire derrière les ahurissantes sautes d'humeur de Grace, derrière ses larmes et ses propos énigmatiques, sa disparition de mercredi soir, la peine qu'elle avait eue à prendre un parti quant au sort du bébé, et cette histoire, lorsque je me mis à l'écrire, commençait et finissait avec Trause. Je pouvais me tromper, bien sûr, mais à présent que la crise semblait passée, je me sentais assez fort pour envisager les possibilités les plus sombres et les plus troublantes. Imagine ça, me disais-je. Imagine ça, et puis vois ce qui en sort.

Deux ans après la mort de Tina, une Grace adulte et irrésistiblement jolie rend visite à Trause au Portugal. Il a cinquante ans, c'est un quinquagénaire encore jeune et plein de vigueur et, depuis des années, il s'occupe activement de son développement – en lui envoyant des livres à lire, en lui conseillant des tableaux à étudier, en allant même jusqu'à l'aider à acquérir une lithographie qui deviendra son trésor le plus cher. Elle a sans doute secrètement le béguin pour lui depuis l'enfance et Trause, qui l'a connue durant toute sa vie, a toujours éprouvé pour elle une immense affection. C'est désormais un solitaire qui se débat pour retrouver son équilibre après la mort de sa femme et elle, cette jeune femme au sommet de sa beauté, toujours si chaleureuse et compatissante, toujours si disponible, elle est éprise. Qui pourrait reprocher à cet homme d'être tombé amoureux d'elle ? A mon avis, tout homme sain d'esprit serait tombé amoureux d'elle.

Ils s'aiment. Quand le fils de Trause, alors âgé de quatorze ans, les rejoint dans la maison, il se sent révolté par leur comportement. Il n'a jamais eu de sympathie pour Grace et, à présent qu'elle a usurpé sa position et lui a volé son père, il entreprend de saboter leur bonheur. Leur vie devient infernale. Pour finir, Jacob se rend tellement odieux qu'il se retrouve banni de la maisonnée et renvoyé chez sa mère.

Trause aime Grace, mais Grace a vingt-six ans de moins que lui, c'est la fille de son meilleur ami et, peu à peu, le remords l'emporte sur le désir. Il couche avec une gamine à qui il chantait des berceuses quand elle était petite. S'il s'agissait de n'importe quelle autre jeune femme de vingt-quatre ans, il n'y aurait pas de problème. Mais comment pourrait-il aller dire à son plus vieil ami qu'il est amoureux de sa fille ? Bill Tebbetts le traiterait de pervers et le chasserait de chez lui à coups de pied. Ça ferait scandale et si Trause tenait bon et décidait de l'épouser quand même, ce serait Grace qui souffrirait. Sa famille se détournerait d'elle et ça, il ne pourrait jamais se le pardonner. Il lui dit qu'elle doit trouver sa place auprès d'un homme de son âge. Si elle reste avec lui, insiste-t-il, il fera d'elle une veuve à moins de cinquante ans.

L'idylle prend fin et Grace rentre à New York, rompue, incrédule, le cœur brisé. Un an et demi se passe, et puis Trause revient à New York, lui aussi. Il s'installe dans l'appartement de Barrow Street et la liaison reprend mais, si grand que soit son amour pour elle, Trause reste en proie aux mêmes doutes, aux mêmes conflits. Il garde le secret sur leurs relations (afin d'éviter que le père de Grace ne soit mis au courant) et Grace joue le jeu, indifférente à la question du mariage dès lors qu'elle a retrouvé son homme. Quand des collègues masculins chez Holst & McDermott lui font des avances, elle les décourage. Sa vie privée est un mystère et Grace, discrète, n'en parle jamais à personne.

Au début, tout va bien, mais au bout de deux ou trois mois, un schéma commence à se dessiner et Grace comprend qu'elle est prisonnière d'un mécanisme. Trause la veut et ne la veut pas. Il sait qu'il devrait renoncer à elle, mais il ne peut pas renoncer à elle. Il disparaît et réapparaît, se retire et revient, et chaque fois qu'il lui fait signe, elle vole dans ses bras. Il l'aime pendant un jour, une semaine ou un mois et puis ses doutes le reprennent et il se retire à nouveau. Le mécanisme s'arrête et repart, s'arrête et repart... et Grace n'a pas le droit d'approcher de l'interrupteur. Il n'y a rien qu'elle puisse faire pour modifier ce schéma.

Neuf mois après le début de cette folie, j'arrive dans le tableau. Je tombe amoureux de Grace et, malgré ses relations avec Trause, je ne lui suis pas totalement indifférent. Je la poursuis sans merci, sachant qu'il y a quelqu'un d'autre, sachant qu'un rival non identifié me dispute son affection et pourtant, même après qu'elle m'a présenté à Trause (John Trause, écrivain célèbre et ami de longue date de la famille), il ne me vient jamais à l'esprit qu'il est l'autre homme de sa vie. Pendant plusieurs mois, elle va et vient entre nous deux, incapable de se décider. Quand Trause hésite, je suis auprès de Grace ; dès que Trause veut la récupérer, elle n'est plus disponible pour moi. Je souffre mille morts de déception en déception, tout en continuant à espérer que la situation s'arrangera à mon avantage, et puis elle rompt avec moi et je pense l'avoir définitivement perdue. Il se peut qu'elle regrette sa décision dès l'instant où elle rentre dans ce mécanisme, ou que Trause l'aime tellement qu'il commence à la pousser vers moi, sachant que je représente pour elle un avenir plus prometteur que l'existence cachée et sans issue qu'elle partage avec lui. Il est même possible qu'il la persuade de m'épouser. Cela expliquerait sa soudaine et inexplicable volte-face. Non seulement elle me veut de nouveau, mais, du même souffle, elle déclare qu'elle veut devenir ma femme et que plus vite nous nous marierons, mieux cela vaudra.

Nous vivons deux années d'âge d'or. Je suis marié à la femme que j'aime et Trause devient mon ami. Il respecte mon travail d'écrivain, il prend plaisir à ma compagnie et quand nous sommes ensemble, tous les trois, je ne détecte aucun signe de sa liaison passée avec Grace. Il s'est transformé en figure quasi paternelle pleine d'affection et, dans la mesure où il considère Grace comme une fille imaginaire, il me considère comme un fils imaginaire. Il est en partie responsable de notre mariage, après tout, et il ne fera jamais rien qui puisse mettre notre couple en danger.

Alors s'abat la catastrophe. Le 12 janvier 1982, je m'effondre dans la station de métro de la 14e Rue et je dégringole une volée d'escalier. Il y a des os brisés. Il y a des ruptures d'organes internes. Il y a deux traumatismes distincts à la tête et des dégâts neurologiques. On m'emmène à l'hôpital St Vincent et on m'y garde quatre mois. Pendant plusieurs semaines, les médecins sont pessimistes. Un matin, le Dr Justin Berg prend Grace à part et lui annonce qu'ils ont renoncé à tout espoir. Ils doutent que je vive encore plus de deux jours, et elle doit se préparer au pire. S'il était à sa place, dit-il, il commencerait à réfléchir aux possibilités de don d'organes, au funérarium et au cimetière. Grace est atterrée par sa froideur et sa brutalité mais le verdict paraît sans appel et elle ne peut que se résigner à la perspective de ma mort imminente. Elle sort en vacillant de l'hôpital, bouleversée par les paroles du médecin, et va droit à Barrow Street, qui n'est qu'à quelques rues de là. Vers qui d'autre que Trause pourrait-elle se tourner à un moment pareil ? John a chez lui une bouteille de scotch et Grace se met à boire dès l'instant où elle s'assied. Elle boit trop et, moins d'une demi-heure après, elle sanglote sans pouvoir se contrôler. Trause va pour la consoler, il l'entoure de ses bras et lui caresse la tête et, avant qu'elle sache ce qu'elle fait, elle a la bouche collée contre la sienne. Il y a plus de deux ans qu'ils ne se sont pas touchés et le baiser leur rappelle tout. Leurs corps se souviennent du passé et, dès lors qu'ils ont commencé à revivre ce qu'ils vivaient autrefois ensemble, ils ne peuvent plus s'arrêter. Le passé conquiert le présent et, pour l'instant, l'avenir n'existe plus. Grace se laisse aller, et Trause n'a pas la force de ne pas aller avec elle.

Elle m'aime. Il est hors de doute qu'elle m'aime, mais je suis un homme mort désormais et Grace est détruite, elle est à moitié folle de chagrin, et elle a besoin de Trause pour ne pas s'effondrer. Impossible de le lui reprocher, impossible de le reprocher à l'un ou à l'autre mais, tandis que je continue pendant plusieurs semaines à languir à St Vincent, pas encore mort et, cependant, pas encore vraiment vivant, Grace continue à se rendre chez Trause et, peu à peu, elle redevient amoureuse de lui. Elle aime deux hommes, désormais, et même après que, défiant les experts médicaux, j'entreprends mon miraculeux retour à la vie, elle ne cesse pas de nous aimer tous les deux. A ma sortie de l'hôpital, en mai, je n'ai que vaguement conscience de ce que je suis. Je ne remarque pas ce qui m'entoure, je vacille, quasi en transe et, à cause d'une cinquième pilule qui fait partie de mon régime quotidien pendant les trois premiers mois, je ne suis pas en mesure de remplir mes devoirs d'époux. Grace est bonne avec moi. Elle est un modèle de gentillesse et de patience, elle m'encourage, mais je ne puis rien lui donner en retour. Elle poursuit sa liaison avec Trause, en se détestant parce qu'elle me ment, en se détestant parce qu'elle mène une double vie et, plus ma guérison progresse, plus elle souffre. Au début d'août, il se passe deux choses qui empêchent notre couple de tomber en ruine. Elles se passent en succession rapide, mais les deux ne sont en rien liées. Grace trouve le courage de rompre avec John et j'arrête la cinquième pilule. Mes reins reprennent vie et, pour la première fois depuis ma sortie de l'hôpital, Grace ne dort plus dans deux lits. Le ciel s'est éclairci et, parce que j'ignore tout des dissimulations des derniers mois, je suis éperdu de bonheur et d'ignorance – l'ex-cocu qui adore sa femme et chérit son amitié pour l'homme qui a failli la lui voler.

Là devrait s'achever l'histoire, mais il n'en est rien. Un mois d'harmonie s'écoule. Grace retrouve la paix auprès de moi et puis, alors même que nous nous sentons tirés d'affaire, un nouvel orage éclate. Le désastre advient le jour en question, le 18 septembre 1982, une heure ou deux à peine après que j'ai trouvé le carnet bleu dans la boutique de Chang, peut-être à l'instant précis où je m'assieds à ma table et où j'écris pour la première fois dans le carnet. Le 27, j'ouvre le carnet pour la dernière fois et je consigne les spéculations que voici dans une tentative de comprendre les événements des neuf derniers jours. Qu'elles soient valables ou non, qu'elles soient vérifiables ou non, l'histoire reprend quand Grace va chez le docteur et s'aperçoit qu'elle est enceinte. Merveilleux, sans doute, sauf si on ignore qui est le père. Elle repasse obstinément les dates dans sa tête, sans parvenir à savoir avec certitude si le bébé est de moi ou de John. Elle remet à plus tard aussi longtemps qu'elle peut l'instant de me le dire, mais c'est un tourment, elle a l'impression que ses péchés

sont revenus la hanter, l'impression de subir un châtiment mérité. C'est pour cela qu'elle craque dans le
taxi, le soir du 18, et qu'elle m'agresse quand j'évoque
mes souvenirs de l'équipe des Bleus. Il n'existe pas de
confrérie des bons, dit-elle, car même les meilleurs
font le mal. C'est pour cela qu'elle commence à parler
de confiance et de tenir bon sous l'orage, qu'elle
m'implore de continuer à l'aimer. Et quand elle me
parle enfin du bébé, c'est pour cela qu'elle annonce
aussitôt son intention de se faire avorter. Ça n'a rien à
voir avec notre manque d'argent – c'est parce qu'elle
ne sait pas. L'idée de ne pas savoir manque la
détruire. Elle n'a pas envie de commencer une famille
de cette façon, mais elle ne peut pas m'avouer la
vérité et, parce que je suis dans l'ignorance, je lui
lance des propos cinglants et j'essaie de la persuader
de garder l'enfant. Si j'ai une attitude correcte, c'est le
lendemain matin quand, revenant sur ce que j'ai dit, je
l'assure que la décision lui appartient. Pour la première fois depuis des jours, elle commence·à entrevoir une possibilité de liberté. Elle part pour être
seule, me faisant mourir de peur en ne revenant pas
de la nuit, mais à son retour, le lendemain matin, elle
paraît plus calme, plus à même de penser clairement,
moins inquiète. Quelques heures lui suffisent dès lors
pour se préciser ce qu'elle souhaite faire, et elle me
laisse sur le répondeur ce message extraordinaire. Elle
pense me devoir un geste de loyauté. Elle décide de
croire que l'enfant est de moi et d'oublier ses doutes.
C'est un acte de foi pure et je comprends à présent
quel courage il lui a fallu pour arriver à cette décision.
Elle veut rester mariée avec moi. L'épisode Trause est
terminé et, du moment qu'elle persiste à vouloir être
mariée avec moi, je ne lui soufflerai jamais un mot de
l'histoire que je viens d'écrire dans le carnet bleu. Je
ne sais pas s'il s'agit de réalité ou de fiction, mais en
définitive ça m'est égal. Du moment que Grace veut
de moi, le passé est sans importance.

C'est là que je m'arrêtai. Je revissai le capuchon de mon stylo, je me levai de ma table et je rapportai au salon l'album de photos. Il était encore tôt – une heure, peut-être une heure et demie. Je me bricolai un déjeuner dans la cuisine et, mon sandwich terminé, je retournai dans mon bureau, armé d'un petit sac-poubelle en plastique. L'une après l'autre, j'arrachai les pages du carnet bleu et les déchirai en petits morceaux. Flitcraft et Bowen, mon délire sur le bébé mort dans le Bronx, ma version "soap-opéra" de la vie amoureuse de Grace – tout partit dans le sac-poubelle. Après une petite pause, je résolus de déchirer les pages blanches et les fourrai également dans le sac. Je le fermai d'un double nœud bien serré et, quelques minutes plus tard, je descendais avec en partant faire ma promenade. Je pris vers le sud dans Court Street et ne cessai de marcher que lorsque je me trouvai à plusieurs rues au-delà de la boutique fermée et cadenassée de Chang, et là, sans autre raison que mon éloignement de chez moi, je laissai tomber le sac dans un conteneur à ordures où il disparut sous un bouquet de roses fanées et les pages de bandes dessinées du *Daily News*.

Dans les premiers temps de notre amitié, Trause m'a raconté l'histoire d'un écrivain français qu'il avait connu à Paris au début des années cinquante. Je ne me rappelle pas son nom mais, selon John, il avait publié deux romans et un recueil de nouvelles et on le considérait comme l'un des phares de la jeune génération. Il écrivait aussi de la poésie et, peu avant le retour de John en Amérique (il avait passé six ans à Paris), cet auteur avait publié un long poème narratif centré sur la mort par noyade d'un jeune enfant. Deux mois après la sortie de ce livre, l'écrivain et sa famille allèrent en vacances sur la côte normande et, le dernier jour de leur voyage, sa fille de cinq ans s'éloigna en marchant dans les eaux houleuses de la Manche et se noya. L'écrivain était un individu rationnel, disait John, un homme connu pour sa lucidité et son intelligence, mais il tint le poème pour responsable de la mort de sa fille. Perdu dans les affres du chagrin, il se persuada que les mots qu'il avait écrits au sujet d'une noyade imaginaire avaient provoqué une noyade réelle, que sa fiction tragique avait donné lieu à une tragédie réelle dans le monde réel. En conséquence, cet écrivain au talent immense, cet homme né pour écrire des livres fit le vœu de ne plus jamais écrire. Il avait découvert que les mots pouvaient tuer. Les mots pouvaient altérer la réalité et, par conséquent, ils étaient trop dangereux pour être confiés à un homme qui les aimait par-dessus tout. Quand John m'a raconté cette histoire, il y avait vingt et un ans que la fillette était morte et l'écrivain n'avait toujours pas enfreint son vœu. Dans les cercles littéraires français, ce silence avait fait de lui une figure de légende. On le tenait en grand respect pour la dignité de sa souffrance, tous ceux qui le connaissaient avaient pitié de lui, on le considérait avec angoisse.

Nous avons parlé assez longtemps de cette histoire, John et moi, et je me souviens de la fermeté avec laquelle je condamnais la décision de l'écrivain comme une aberration, une lecture erronée du monde. Il n'existait aucun lien entre l'imagination et la réalité, disais-je, aucun rapport de cause à effet entre les mots d'un poème et les événements de nos vies. L'écrivain pouvait avoir eu cette impression, mais ce qui lui était arrivé n'était qu'une coïncidence affreuse, une manifestation de la malchance sous sa forme la plus cruelle et la plus perverse. Cela ne signifiait pas que je lui reprochais d'éprouver ce qu'il éprouvait, mais malgré la sympathie que m'inspirait cet homme pour sa terrible perte, je considérais son silence comme un refus d'accepter le pouvoir des forces imprévisibles, purement accidentelles, qui façonnent nos destinées, et je disais à Trause qu'à mon avis il se punissait sans raison.

C'était une argumentation falote, au ras du bon sens, une défense du pragmatisme et de la science devant l'obscurité de la pensée magique et primitive. A ma surprise, John était d'avis opposé. Je me demandais s'il me faisait marcher ou essayait seulement de se faire l'avocat du diable, mais il affirmait que la décision de l'écrivain lui paraissait tout à fait sensée et qu'il admirait son ami d'avoir tenu sa promesse. "Les pensées sont réelles, disait-il. Les mots sont réels. Tout ce qui est humain est réel et parfois nous savons certaines choses avant qu'elles ne se produisent, même si nous n'en avons pas conscience. Nous vivons dans le présent, mais l'avenir est en nous à tout moment. Peut-être est-ce pour cela qu'on écrit, Sid. Pas pour rapporter des événements du passé, mais pour en provoquer dans l'avenir."

Trois ans environ après que, Trause et moi, nous avions eu cette conversation, j'ai déchiré le carnet bleu et je l'ai jeté dans une poubelle au coin de Third Place et de Court Street dans les Carroll Gardens, à Brooklyn. Au moment même, cela semblait la chose à faire et en revenant chez moi ce lundi après-midi de septembre, neuf jours après le jour en question, je me sentais plus ou moins convaincu d'en avoir enfin terminé avec les échecs et les déceptions de la semaine écoulée. Mais ce n'était pas terminé. Ça ne faisait que commencer – la vraie histoire n'a commencé qu'*alors*, après que j'ai détruit le carnet bleu – et tout ce que j'ai écrit jusqu'ici n'est guère plus qu'un prélude aux horreurs dont je vais maintenant aborder le récit. Existe-t-il un lien entre l'*avant* et l'*après* ? Je n'en sais rien. Le malheureux écrivain a-t-il tué sa fille avec son poème – ou ses mots ont-ils seulement prédit sa mort ? Je n'en sais rien. Ce que je sais, c'est que je ne contesterais plus sa décision aujourd'hui. Je respecte le silence qu'il s'est imposé et je comprends la répulsion que devait lui inspirer toute idée de recommencer à écrire. Plus de vingt ans après les faits, je crois désormais que Trause voyait juste. Nous savons parfois les choses avant qu'elles ne se produisent, même si nous ne savons pas que nous savons. J'ai traversé en aveugle ces neuf jours de septembre 1982, tel un homme enfermé dans un nuage. J'ai tenté d'écrire un récit et je suis arrivé à une impasse. J'ai tenté de vendre une idée pour un film et on me l'a refusée. J'ai perdu le manuscrit de mon ami. J'ai failli perdre ma femme et pourtant, malgré la ferveur de mon amour pour elle, je n'ai pas hésité à baisser mon froc dans la pénombre d'un sex-club pour me fourrer dans la bouche d'une inconnue. J'étais un homme perdu, un homme malade, un homme qui se débattait pour reprendre pied, mais sous tous les faux pas et toutes les sottises que j'ai commises cette semaine-là, je savais une chose que je n'étais pas conscient de savoir. A certains moments, pendant ces quelques jours, j'ai eu l'impression que mon corps était devenu transparent, une membrane poreuse à travers laquelle pouvaient passer toutes les forces invisibles du monde – un réseau aérien de charges électriques transmises par les pensées et les sentiments des autres. Je soupçonne cet état d'avoir été à l'origine de la naissance de Lemuel Flagg, le héros aveugle de *La Nuit de l'oracle*, cet homme si sensible aux vibrations qui l'entouraient qu'il savait ce qui allait se passer avant que n'aient eu lieu les événements eux-mêmes. Je ne savais pas, mais chacune des pensées qui me passaient par la tête me désignait cette direction. Bébés mort-nés, atrocités concentrationnaires, assassinats présidentiels, époux disparus, allers et retours impossibles dans le temps. Le futur était déjà en moi, et je me préparais aux désastres à venir.

J'avais vu Trause à déjeuner le mercredi, mais à part nos deux conversations téléphoniques plus tard dans la semaine, je n'ai pas eu d'autre contact avec lui avant de m'être débarrassé du carnet bleu le 27. Nous avions parlé de Jacob et du manuscrit perdu de son ancien récit, mais rien de plus, et je n'avais aucune idée de ce qu'il faisait de ses journées – sinon rester étendu sur le canapé et soigner sa jambe. Ce n'est qu'en 1994, quand James Gillespie a publié *Un labyrinthe de rêves : la vie de John Trause*, que j'ai enfin su les détails de ce qui avait occupé John entre le 22 et le 27. Le gros livre de six cents pages de Gillespie est pauvre en analyse littéraire et n'accorde que peu d'attention au contexte historique de l'œuvre de John, mais il est extrêmement complet en ce qui concerne les éléments biographiques et, étant donné que Gillespie a consacré à ce projet dix ans de travail et qu'il semble avoir interrogé toutes les personnes vivantes qui avaient connu Trause (moi inclus), je n'ai aucune raison de douter de la précision de sa chronologie.

Après mon départ de chez lui le mercredi, John a travaillé jusqu'à l'heure du dîner à relire, en y opérant des changements mineurs, le manuscrit de son roman, *L'Étrange Destinée de Gerald Fuchs*, qu'il avait apparemment terminé plusieurs jours avant que sa phlébite ne se déclare. Ce livre était celui que, sans jamais en être certain, je l'avais soupçonné d'écrire : un ouvrage de presque cinq cents pages que, d'après Gillespie, Trause avait commencé pendant ses derniers mois au Portugal, ce qui signifiait qu'il lui avait fallu plus de quatre ans pour le terminer. Voilà pour la rumeur selon laquelle John avait cessé d'écrire à la mort de Tina. Voilà pour la rumeur selon laquelle un ex-grand écrivain avait renoncé à sa vocation et vivait de ses premiers succès – en homme fini qui n'a plus rien à dire.

Ce soir-là, Eleanor l'a appelé pour lui annoncer qu'on avait retrouvé Jacob et, dès le lendemain matin, jeudi, Trause téléphonait à son conseiller juridique, Francis W. Byrd. Il est rare que les avocats fassent des visites à domicile mais il y avait plus de dix ans que Byrd représentait Trause et quand un client de la stature de John informe son conseiller qu'il est cloué sur son canapé par une jambe malade et qu'il a besoin de le voir à deux heures pour une affaire urgente, le conseiller bouleverse ses autres projets et arrive à l'heure dite, équipé de tous les papiers et documents nécessaires, qu'il aura retirés de ses fichiers avant de descendre en ville. Quand Byrd est arrivé à l'appartement de Barrow Street, John lui a offert un verre et lorsque les deux hommes ont eu terminé leur whisky soda, ils se sont attaqués à la rédaction du nouveau testament de Trause. L'ancien datait de plus de sept ans et ne représentait plus les désirs de John quant à la façon de disposer de ses biens. Sous le choc de la mort de Tina, il avait désigné Jacob comme son unique héritier et bénéficiaire, et chargé son frère Gilbert du rôle d'exécuteur testamentaire jusqu'aux vingt-cinq ans du jeune homme. A présent, du seul fait de déchirer tous les exemplaires de ce document, Trause déshéritait son fils sous les yeux de son conseiller juridique. Byrd a alors tapé un nouveau testament qui léguait à Gilbert tout ce que John possédait. Tout l'argent, toutes les actions et obligations, tous les biens et tous les droits d'auteur à venir sur l'œuvre littéraire de Trause constitueraient désormais l'héritage de son frère cadet. Ils ont terminé à cinq heures et demie. John a serré la main de Byrd en le remerciant pour son aide, et l'avocat est sorti de l'appartement en emportant trois exemplaires du nouveau testament. Vingt minutes plus tard, John se remettait à la révision de son manuscrit. Mme Dumas lui a servi son dîner à huit heures et, à neuf heures et demie, Eleanor a rappelé pour lui dire que Jacob avait été admis à Smithers et qu'il s'y trouvait depuis quatre heures de l'après-midi.

Vendredi était le jour où Trause devait en principe aller faire examiner sa jambe à l'hôpital St Vincent, mais il a omis de regarder son calendrier et oublié d'y aller. Dans l'agitation entourant le problème de Jacob, le rendez-vous lui est sorti de la tête et à l'instant précis où il aurait dû rencontrer son médecin (un chirurgien vasculaire nommé Willard Dunmore), il était au téléphone avec moi, en train de me parler de l'animosité que son fils avait toujours manifestée à Grace et de me charger de me rendre pour lui à Smithers le samedi. Selon Gillespie, le médecin a téléphoné chez Trause à onze heures et demie pour lui demander pourquoi on ne l'avait pas vu à l'hôpital. Quand Trause a expliqué qu'il avait eu un problème familial urgent, Dunmore lui a fait un sermon sévère sur l'importance de cet examen, expliquant à son patient qu'une attitude aussi cavalière à l'égard de sa propre santé était irresponsable et pouvait avoir des conséquences très graves. Trause a demandé s'il serait possible d'y aller l'après-midi même, mais Dunmore a répondu qu'il était trop tard et qu'ils devraient remettre le rendez-vous au lundi à quatre heures. Il a insisté pour que Trause n'oublie pas de prendre ses remèdes et pour qu'il reste aussi tranquille que possible pendant le week-end. Quand Mme Dumas est arrivée, à une heure, elle a trouvé John à sa place habituelle, sur le canapé, en train de corriger les pages de son livre.

Le samedi, pendant que je rendais visite à Jacob à Smithers et me bagarrais pour le carnet rouge dans le magasin de Chang, Trause a continué à travailler à son roman. Ses relevés téléphoniques indiquent qu'il a donné trois coups de fil à longue distance : un à Eleanor à East Hampton, un autre à son frère à Ann Arbor (Gilbert était professeur de musicologie à l'université du Michigan) et un troisième à son agent littéraire, Alice Lazarre, dans sa maison de week-end des Berkshire. Il lui a déclaré que le livre avançait bien et que, s'il ne tombait pas sur des difficultés imprévues dans les prochains jours, elle pouvait s'attendre à recevoir à la fin de la semaine un manuscrit achevé.

Le dimanche matin, je l'ai appelé de chez Landolfi pour le mettre au courant de ma brève visite à Jacob. C'est alors que j'ai avoué la perte de sa nouvelle et que John a ri. Si je ne me trompe, c'était un rire de soulagement plutôt que d'amusement. C'est difficile à savoir, mais je pense que Trause m'avait donné cette nouvelle pour des raisons d'une grande complexité – et que lorsqu'il parlait de me fournir le sujet d'un film, ce n'était qu'un prétexte, au mieux un motif superficiel. Il était question dans son récit des machinations assassines d'une conspiration politique, mais il y était question aussi d'un triangle conjugal (une épouse qui part avec le meilleur ami de son mari) et, s'il y avait un grain de vérité dans les spéculations que j'ai notées dans le carnet le 27, John m'a peut-être donné cette histoire en guise de commentaire sur l'état de mon mariage – indirectement, sous les nuances subtiles des codes et des métaphores de la fiction. Peu importait que l'histoire eût été écrite en 1952, l'année de la naissance de Grace. *L'Empire des os* était une prémonition de choses à venir. Le manuscrit avait été rangé dans une caisse et laissé à incuber pendant trente ans et, peu à peu, c'était devenu l'histoire d'une femme que nous aimions tous les deux – mon épouse, ma courageuse et énergique épouse.

Je dis qu'il a ri de soulagement parce que je crois qu'il regrettait ce qu'il avait fait. Pendant notre déjeuner, le mercredi, il a réagi avec beaucoup d'émotion en apprenant que Grace était enceinte et, aussitôt après, nous nous sommes trouvés au bord d'une méchante querelle. L'instant a passé, mais je me demande aujourd'hui si Trause n'était pas beaucoup plus en colère contre moi qu'il ne m'avait permis de le deviner. Il était mon ami, mais il devait aussi m'en vouloir de lui avoir repris Grace. La rupture de leur liaison avait été sa décision, à elle, et à présent qu'elle était enceinte, il n'y avait aucune chance qu'elle lui revienne jamais. Si ceci était vrai, me donner la nouvelle aurait représenté une forme de vengeance voilée, cryptée, une façon rageuse de s'affirmer le meilleur – comme pour signifier : Tu ne sais rien, Sidney. Tu n'as jamais rien su, mais je suis là depuis bien plus longtemps que toi. Peut-être. Il n'y a aucun moyen de prouver rien de tout cela, mais si j'ai mal compris ses actions, alors comment interpréter le fait que John ne m'a jamais envoyé la nouvelle ? Il avait promis de me faire poster par Mme Dumas une copie carbone du manuscrit, mais il a fini par m'envoyer autre chose et j'ai pris cette chose non seulement comme un acte de générosité suprême, mais aussi comme un acte de contrition. En perdant l'enveloppe dans le métro, je lui avais épargné l'embarras de cet accès momentané de rancune. Il regrettait de s'être laissé emporter par ses passions et à présent que ma maladresse l'avait dégagé de ce mauvais pas, il était résolu à se racheter envers moi par un geste spectaculaire de générosité et de bonne volonté auquel rien ne l'obligeait.

Nous nous étions parlé le dimanche entre dix heures et demie et onze heures. Mme Dumas est arrivée à midi et, dix minutes plus tard, Trause lui confiait sa carte ATM en la priant de se rendre à l'agence locale de la Citybank, près de Sheridan Square, et de transférer quarante mille dollars de son compte d'épargne à son compte courant. Gillespie raconte qu'il a passé le restant de la journée à travailler à son roman et, le soir, après que Mme Dumas lui a servi le dîner, il s'est traîné en boitant du canapé à son bureau, où il s'est assis à sa table de travail pour m'établir un chèque d'un montant de trente-six mille dollars – le montant exact de mes notes médicales impayées. Après quoi il m'a écrit la courte lettre que voici :

> *Cher Sid,*
>
> *Je sais que je t'ai promis un double du ms., mais à quoi bon ? Tout l'intérêt de la chose était de te faire gagner un peu d'argent, alors j'ai été droit au but, en te faisant le chèque ci-inclus. C'est un cadeau, gratuit et sans attaches. Ni conditions, ni obligations, aucune nécessité de rembourser. Je sais que tu es fauché alors, je t'en prie, ne va pas monter sur tes grands chevaux et le déchirer. Dépense-le, vis, remets-toi en selle. Je ne veux pas que tu aies à perdre ton*

temps à t'inquiéter de cinéma. Tiens-t'en aux
livres. C'est là que se trouve ton avenir, et j'attends
de toi de grandes choses.

Merci d'avoir pris la peine de rendre visite
au gamin, hier. J'apprécie beaucoup – non, plus
que beaucoup, car je sais combien cela a dû être
désagréable pour toi.

On dîne ensemble, ce samedi ? Ne sais pas
encore où, car tout dépend de cette fichue jambe.
Etrange constatation : c'est ma pingrerie qui
m'a valu ce caillot. Dix jours avant l'appari-
tion de la douleur, j'ai fait un voyage éclair à
Paris – aller-retour en trente-six heures – afin
de prendre la parole aux funérailles de mon
vieil ami et traducteur, Philippe Joubert. J'ai
voyagé en classe touriste, dormi dans les deux
sens, et le médecin m'a dit que c'était ça. Tout
coincé dans ces sièges minuscules. Dorénavant,
je ne voyage plus qu'en première.

Embrasse Gracie de ma part – et n'abandonne
pas Flitcraft. Tout ce qu'il te faut, c'est un autre
carnet, et les mots recommenceront à venir.

J. T.

Après avoir glissé la lettre et le chèque dans une
enveloppe, il l'a fermée et il a écrit au recto mon nom
et mon adresse en lettres capitales, mais il n'y avait
plus un timbre dans la maison et quand Mme Dumas
est partie de Barrow Street à dix heures pour rentrer chez elle dans le Bronx, Trause lui a donné un
billet de vingt dollars en la priant de passer par le
bureau de poste le lendemain matin pour refaire
provision de timbres. Toujours efficace, Mme Dumas
s'est occupée de cet achat et quand elle est arrivée
au travail le lundi à onze heures, John a enfin pu
timbrer sa lettre. Mme Dumas lui a servi un déjeuner léger à une heure. Après le repas, il a repris la
révision de son roman et quand Mme Dumas est
sortie à deux heures et demie pour aller faire des
courses de ménage, Trause lui a donné la lettre en lui

demandant d'en profiter pour la mettre à la boîte. Elle a promis d'être rentrée à trois heures et demie, à point pour l'aider à descendre l'escalier et à s'installer dans la voiture qu'il avait commandée afin de se rendre à son rendez-vous avec le Dr Dunmore à l'hôpital. Après le départ de Mme Dumas, Gillespie nous dit que nous ne pouvons être sûrs que d'une chose. Eleanor a téléphoné à deux heures quarante-cinq pour apprendre à Trause que Jacob avait disparu. Il était parti de Smithers en pleine nuit et plus personne n'avait eu de ses nouvelles. D'après Gillespie, Eleanor aurait raconté que John s'était mis "dans tous ses états" et qu'il avait continué à parler avec elle pendant quinze à vingt minutes. "Il est seul désormais, avait-il fini par dire. Nous ne pouvons plus rien pour lui."

Ce furent là les dernières paroles de Trause. On n'a aucune idée de ce qui lui est arrivé après qu'il a raccroché le téléphone ; quand Mme Dumas est revenue à trois heures et demie, elle l'a trouvé étendu par terre au pied de son lit. Cela semble suggérer qu'il était allé dans sa chambre pour se changer en vue de son rendez-vous avec Dunmore, mais ce n'est là qu'une conjecture. Tout ce dont on est certain, c'est qu'il est mort entre trois heures et trois heures trente ce 27 septembre 1982 – moins de deux heures après que j'avais jeté les débris du carnet bleu dans une poubelle au coin d'une rue de South Brooklyn.

On a supposé que la cause initiale de sa mort était une crise cardiaque, mais un examen médical plus approfondi a transformé le verdict en embolie pulmonaire. Le caillot de sang qui était resté bloqué dans la jambe de John depuis deux semaines s'était dégagé, avait filé vers le haut dans ses vaisseaux et avait trouvé sa cible. La petite bombe avait fini par exploser en lui, et mon ami est mort à cinquante-six ans. Trop tôt. Trente ans trop tôt. Trop tôt pour que j'aie pu le remercier de m'avoir envoyé cet argent, d'avoir essayé de me sauver la vie.

La mort de John fut annoncée par un bulletin de dernière minute à la fin des informations locales de dix-huit heures. Dans des circonstances normales, nous aurions allumé la télévision, Grace et moi, pendant que nous mettions la table et préparions notre dîner, mais nous n'avions plus de télévision et nous avons donc passé la soirée sans savoir que John se trouvait à la morgue de la ville, sans savoir que son frère Gilbert volait déjà dans un avion de Detroit à New York, sans savoir que Jacob avait pris le large. Après le dîner, nous sommes allés au salon où, étendus ensemble sur le canapé, nous avons parlé du rendez-vous imminent de Grace avec le Dr Vitale, une obstétricienne recommandée par Betty Stolowitz, dont le premier bébé était né en mars. La visite devait avoir lieu le vendredi après-midi et je dis à Grace que je voulais l'y accompagner et que je viendrais à quatre heures à son bureau de la 9e Rue ouest. Tandis que nous prenions ces dispositions, Grace se souvint soudain que Betty lui avait donné le matin un livre sur la grossesse – une de ces volumineuses sommes en édition de poche, pleines de tableaux et d'illustrations – et elle se releva d'un bond du canapé pour aller dans notre chambre le prendre dans son sac à bandoulière. Pendant qu'elle était partie, on frappa à la porte. Je supposai que c'était un de nos voisins, venu emprunter une torche électrique ou une boîte d'allumettes. Ce ne pouvait être personne d'autre car la porte d'entrée de l'immeuble était toujours verrouillée et, si on n'avait pas de clé, il fallait appuyer sur un bouton extérieur et s'annoncer dans l'interphone avant de pouvoir entrer. Je me souviens que je ne portais pas de chaussures et que, quand je me suis levé du canapé pour aller ouvrir la porte, je me suis enfoncé une petite écharde dans la plante du pied gauche. Je me souviens aussi d'avoir regardé ma montre et vu qu'il était huit heures et demie. Je ne pris pas la peine de demander qui c'était, je me contentai d'ouvrir la porte et, dès que j'eus fait cela, le monde devint un monde différent.

Je ne sais pas comment exprimer ça autrement. J'ai ouvert la porte et cette chose qui se construisait en moi depuis quelques jours est soudain devenue réelle : le futur se tenait debout devant moi.

C'était Jacob. Il s'était teint les cheveux en noir et il était emmitouflé dans un long manteau noir qui lui tombait aux chevilles. Les mains enfoncées dans les poches, tressautant avec impatience sur ses pieds, il avait l'air d'une sorte de croque-mort futuriste venu pour emporter un cadavre. Le clown à cheveux verts avec qui j'avais parlé le samedi était déjà assez inquiétant, mais cette nouvelle créature m'effrayait et je ne voulus pas le laisser entrer. "Tu dois m'aider, dit-il. Je suis vraiment dans la merde, Sid, et je n'ai personne d'autre vers qui me tourner." Avant que j'aie pu lui dire de s'en aller, il entra de force dans l'appartement et ferma la porte derrière lui.

"Retourne à Smithers, dis-je. Je ne peux rien faire pour toi.

— Je peux pas retourner. Ils ont découvert que j'étais là. Si j'y retourne, je suis mort.

— Qui ça, *ils* ? De qui parles-tu ?

— Ces types, Richie et Phil. Ils croient que je leur dois de l'argent. Si je leur ramène pas cinq mille dollars, ils vont me tuer.

— Je ne te crois pas, Jacob.

— C'est pour ça que je suis allé à Smithers. C'était pas à cause de ma mère. C'était pour me cacher.

— Je ne te crois toujours pas. Mais même si je te croyais, je ne pourrais pas t'aider. Je n'ai pas cinq mille dollars. Je n'ai même pas cinq cents dollars. Appelle ta mère. Si elle refuse, appelle ton père. Mais laisse-nous en dehors de tout ça, Grace et moi."

J'entendis la chasse d'eau au bout du couloir, signe que Grace allait revenir d'un instant à l'autre. Distrait par le bruit, Jacob tourna la tête vers ce côté de l'appartement et quand il la vit rentrer dans le salon avec le livre sur la grossesse à la main, il lui décocha un large sourire. "Salut, Gracie, lança-t-il, ça fait un bail."

Grace s'arrêta net. "Qu'est-ce qu'il fait ici ?" demanda-t-elle, en s'adressant à moi. Elle paraissait stupéfaite et elle parlait avec une sorte de fureur rentrée, en refusant de tourner les yeux vers Jacob.

"Il voudrait emprunter de l'argent, dis-je.

— Allons, Gracie, fit Jacob d'une voix mi-irritée, mi-narquoise. Tu veux même pas me dire bonjour ? Ça coûte rien d'être poli, tu sais ?"

A les voir là, tous les deux, je ne pus m'empêcher de penser à la photographie déchirée que j'avais retrouvée abandonnée sur le canapé après le cambriolage. On avait volé le cadre, mais seul un individu animé par une vieille animosité envers la personne dont c'était le portrait se serait donné la peine de déchirer la photo en morceaux. Un cambrioleur professionnel l'aurait laissée intacte. Mais Jacob n'était pas un professionnel ; c'était un gosse affolé au cerveau embrouillé par la drogue, qui était venu tout exprès pour nous faire du mal – pour faire du mal à son père en s'attaquant à ses deux amis les plus proches.

"Ça suffit, lui dis-je. Elle n'a pas envie de te parler, et moi non plus. C'est toi qui nous as dévalisés la semaine dernière. Tu t'es faufilé par la fenêtre de la cuisine et tu as tout bousillé ici, et puis tu t'es tiré avec tous les trucs de valeur que tu as pu trouver. Tu veux que je prenne le téléphone pour appeler les flics, ou tu veux partir ? C'est ton choix. Tu peux me croire, je donnerais ce coup de fil avec grand plaisir. Je porterai plainte contre toi et tu te retrouveras en prison."

Je m'attendais à ce qu'il démente l'accusation, qu'il prétende trouver insultant que j'ose penser de lui une chose pareille, mais ce garçon était bien trop intelligent pour cela. Il poussa un soupir de remords admirablement calibré avant de s'asseoir sur une chaise en hochant la tête de haut en bas, en faisant semblant d'être choqué par son propre comportement. C'était du même genre de manifestation de haine de soi qu'il m'avait parlé le samedi quand il s'était vanté de ses talents de comédien. "Je regrette, dit-il. Mais ce que je t'ai raconté de Richie et Phil est vrai. Ils sont après moi et si je ne leur donne pas leurs cinq mille dollars, ils vont me tirer une balle dans le crâne. Je suis venu l'autre jour avec l'idée de t'emprunter ton chéquier, mais je ne l'ai pas trouvé. Alors j'ai pris d'autres trucs. C'était con. Je regrette, vraiment. Ça valait même pas tant que ça, et j'aurais pas dû. Si vous voulez, je vous rends tout demain. Ça se trouve encore chez moi, je vous ramène tout demain matin.

— Quelle blague, fit Grace. Tu as déjà vendu ce que tu pouvais vendre, et puis tu as jeté le reste. Ne nous fais pas ton numéro de petit-garçon-repentant, Jacob. Tu es trop grand, maintenant. Tu nous as détroussés la semaine dernière, et maintenant tu reviens en demander encore.

— Ces types ont l'intention de me descendre, protesta-t-il, et il leur faut leur fric demain. Je sais que vous avez pas le rond, vous deux, mais bon Dieu, Gracie, ton père est un juge fédéral. Il va pas broncher si tu lui demandes un prêt. Je veux dire, c'est quoi, cinq mille dollars, pour un vieux gentleman du Sud ?

— N'y pense pas, dis-je. Pas question d'entraîner Bill Tebbetts là-dedans.

— Fais-le sortir d'ici, Sid, me lança Grace d'une voix crispée par la colère. Je ne peux plus supporter ça.

— Je croyais qu'on était une famille", répliqua Jacob en regardant Grace fixement, l'obligeant presque à lui rendre son regard. Il s'était mis à faire la moue, mais d'une façon qui manquait curieusement de sincérité, comme s'il voulait se moquer d'elle et tourner à son avantage l'antipathie qu'il lui inspirait. "Après tout, t'es quelque chose comme ma belle-maman officieuse, non ? En tout cas tu l'as été. Ça compte pas pour quelque chose, ça ?"

A ce moment-là, Grace avait commencé à traverser la pièce pour se rendre dans la cuisine. "J'appelle la police, dit-elle. Si tu ne veux pas le faire, Sid, c'est moi qui le ferai. Je veux être débarrassée de cette ordure." Pour atteindre le téléphone dans la cuisine, elle devait toutefois passer devant la chaise où Jacob était assis et avant qu'elle ait pu y arriver, il s'était levé pour lui bloquer le chemin. Jusqu'alors, la confrontation était restée exclusivement verbale. Nous avions parlé, tous les trois, et, si déplaisante qu'eût été la discussion, je ne m'attendais pas à l'éruption des mots en violence physique. J'étais debout près du canapé, à trois bons mètres de la chaise, et, quand Grace essaya de passer auprès de Jacob, il lui empoigna le bras en disant : "Pas la police, idiote. Ton père. La seule personne que tu vas appeler, c'est le juge – pour lui demander le fric." Grace tenta de se dégager, en se tordant et se débattant comme un animal affolé, mais Jacob mesurait douze à quinze centimètres de plus qu'elle, ce qui l'avantageait en lui permettant de peser sur elle d'en haut. Je me ruai sur lui, ralenti par mes muscles douloureux et l'écharde dans mon pied mais, avant que je l'atteigne, Jacob avait plaqué les mains sur les épaules de Grace et la cognait contre le mur. Je lui sautai dessus par-derrière en essayant d'entourer son torse de mes bras et de l'écarter d'elle, mais ce gamin était costaud, beaucoup plus costaud que je n'aurais cru et, sans même se retourner, il m'envoya son coude droit dans l'estomac. Le choc me coupa le souffle et m'étourdit et, avant que je puisse lui ressauter dessus, il frappait Grace à coups de poing sur la bouche et à coups de pied dans le ventre, avec ses grosses bottes de cuir. Elle tentait de se défendre mais chaque fois qu'elle se relevait, il la giflait avec violence, la heurtait contre le mur et la jetait à terre. Elle saignait du nez abondamment quand je me sentis prêt à attaquer de nouveau mais je savais que j'étais trop faible pour avoir le moindre effet, trop handicapé pour arrêter quoi que ce fût avec mes pauvres poings fragiles. Grace gémissait, quasi inconsciente, et je sentis qu'il y avait un danger réel qu'il la batte à mort.

Au lieu d'aller droit sur lui, je me précipitai dans la cuisine et pris dans le tiroir supérieur à côté de l'évier un grand couteau à découper. "Arrête, lui criai-je. Arrête, Jacob, ou je vais te tuer !" Je ne crois pas qu'il m'entendit tout d'abord. Complètement immergé dans sa fureur, il n'était plus qu'un destructeur dément qui semblait ne pas savoir ce qu'il faisait mais lorsque je m'avançai sur lui, le couteau à la main, il doit m'avoir aperçu du coin de l'œil. Il tourna la tête à gauche et quand il me vit, là, brandissant le couteau levé, il cessa tout à coup de la frapper. Ses yeux avaient une expression trouble et sauvage et la sueur dégoulinait de son nez sur son menton étroit et tremblant. J'étais certain qu'il allait à présent s'en prendre à moi. Je n'aurais pas hésité à lui plonger le couteau dans le corps mais alors il baissa les yeux vers Grace immobile et sanglante, laissa retomber les deux bras et déclara : "Merci, Sid. Maintenant je suis un homme mort." Après quoi il tourna les talons, sortit de l'appartement et disparut dans les rues de Brooklyn quelques minutes avant que les voitures de police et l'ambulance ne se garent devant chez nous.

Grace perdit le bébé. Les coups de bottes de Jacob lui avaient déchiré les entrailles et lorsque l'hémorragie s'était déclarée, le petit embryon avait été délogé de la paroi de son utérus et emporté dans un misérable flot de sang. Avortement spontané, selon l'expression en vigueur ; une fausse couche ; une vie jamais née. On l'emmena de l'autre côté du Gowanus Canal à l'hôpital méthodiste de Park Slope ; j'étais assis auprès d'elle à l'arrière de l'ambulance, coincé entre les bouteilles d'oxygène et deux ambulanciers, ne pouvant détacher mes regards de son pauvre visage meurtri, incapable de m'empêcher de trembler, saisi continuellement de spasmes qui m'agitaient la poitrine et parcouraient mon corps tout entier. Elle avait le nez cassé, le côté gauche du visage couvert d'ecchymoses et la paupière droite si enflée qu'on eût dit qu'elle ne pourrait plus jamais voir de cet œil-là. A l'hôpital, on l'a emmenée sur un brancard à la radio, au rez-de-chaussée, et puis on l'a montée à la salle d'opération, où on a travaillé sur elle pendant plus de deux heures. Je ne sais pas comment j'ai fait, mais pendant que j'attendais que les chirurgiens aient fini, j'ai réussi à me reprendre juste assez pour téléphoner aux parents de Grace à Charlottesville. C'est ainsi que j'ai appris la mort de John. Sally Tebbetts a répondu au téléphone et à la fin d'une conversation interminable, épuisante, elle m'a dit que Gilbert l'avait appelée en début de soirée pour l'en informer. Ils étaient encore sous le choc, elle et Bill, a-t-elle ajouté, et voilà que je lui racontais que le fils de John avait essayé de tuer leur fille. Le monde était-il devenu fou ? Sa voix s'est étranglée et elle s'est mise à pleurer. Elle a passé le combiné à son mari et, quand je l'ai eu en ligne, Bill Tebbetts a posé sans détour la seule question qui méritait d'être posée. Grace vivrait-elle ? Oui, lui répondis-je, elle vivra. Je n'en savais rien encore, mais je n'allais pas lui dire que l'état de sa fille était critique et qu'elle risquait de ne pas s'en sortir. Je n'allais pas porter malheur à Grace en prononçant des mots qu'il fallait taire. Si les mots pouvaient tuer, il fallait que je surveille ma langue et que je prenne garde à ne jamais exprimer le moindre doute ni la moindre pensée négative. Je n'avais pas échappé à la mort pour voir mourir ma femme. Perdre John, c'était bien assez affreux, et je n'allais perdre personne d'autre. Ça n'arriverait pas, tout simplement. Même si je n'avais rien à dire en la matière, je ne permettrais pas que cela arrive.

Pendant soixante-douze heures, je suis resté assis au chevet de Grace sans bouger de ma place. Je me lavais et me rasais dans le cabinet de toilette attenant, je mangeais mes repas en regardant le liquide transparent du goutte-à-goutte s'écouler dans son bras et je vivais pour ces rares instants où elle ouvrait son œil valide et me disait quelques mots. A cause de la quantité de drogues antidouleur qui lui circulaient dans le sang, elle paraissait n'avoir aucun souvenir de ce que Jacob lui avait fait et à peine vaguement conscience du fait qu'elle se trouvait dans un hôpital. Trois ou quatre fois, elle m'a demandé où elle était mais elle repartait aussitôt à la dérive, oubliant ce que je lui avais dit. Elle geignait souvent dans son sommeil et gémissait doucement en tapotant les bandages qui lui couvraient le visage, et une fois elle s'est réveillée les larmes aux yeux, en demandant : "Pourquoi j'ai tellement mal ? Qu'est-ce qui ne va pas ?"

Des gens sont venus et repartis pendant ces quelques jours, mais je n'en garde qu'un souvenir très vague et je ne me rappelle aucune conversation avec qui que ce soit. L'agression avait eu lieu le lundi soir et le mardi matin les parents de Grace étaient déjà arrivés de Virginie. Sa cousine Lily vint en voiture du Connecticut l'après-midi du même jour. Ses sœurs cadettes, Darcy et Flo, arrivèrent le lendemain matin. Betty Stolowitz et Greg Fitzgerald sont venus. Mr et Mrs Caramello sont venus. Je dois leur avoir parlé et être sorti de la chambre de temps en temps, mais je ne me souviens de rien d'autre que d'être resté auprès de Grace. Pendant la plus grande partie du mardi et du mercredi, elle est restée dans une torpeur semi-consciente – somnolente, endormie, éveillée pendant quelques minutes à la fois – mais le mercredi soir elle paraissait un peu plus cohérente et ses périodes de conscience devenaient plus longues. Elle dormit profondément cette nuit-là et à son réveil, le jeudi matin, elle me reconnut enfin. Je lui pris la main et lorsque nos paumes se touchèrent elle murmura mon nom, qu'elle répéta ensuite plusieurs fois pour elle-même, comme si ce mot d'une syllabe était une incantation capable de la ramener de l'état de fantôme à celui d'être vivant.

"Je suis à l'hôpital, n'est-ce pas ? dit-elle.

— L'hôpital méthodiste de Park Slope, répondis-je. Et je suis assis près de toi, et je te tiens la main.

Ce n'est pas un rêve, Grace. Nous sommes vraiment là et, petit à petit, tu vas aller de mieux en mieux.

— Je ne vais pas mourir ?

— Non, tu ne vas pas mourir.

— Il m'a battue, hein ? Il m'a donné des coups de pied et des coups de poing et, je me rappelle, j'ai cru que j'allais mourir. Où étais-tu, Sid ? Pourquoi tu ne m'as pas aidée ?

— J'ai réussi à l'entourer de mes bras, mais je n'ai pas pu lui faire lâcher prise. J'ai dû le menacer avec un couteau. J'étais prêt à le tuer, Grace, mais il s'est enfui avant que ça n'arrive. Alors j'ai appelé le 911 et l'ambulance t'a amenée ici.

— C'était quand ?

— Il y a trois jours.

— Et c'est quoi, ces trucs sur ma figure ?

— Des bandages. Et une attelle pour ton nez.

— Il m'a cassé le nez ?

— Oui. Et causé une commotion cérébrale. Mais ta tête se dégage, maintenant, n'est-ce pas ? Tu commences à t'en sortir.

— Et le bébé ? J'ai très mal au ventre, Sid, et je crois que je sais ce que ça veut dire. Ça ne peut pas être vrai, dis-moi ?

— Si, hélas. Tout le reste va s'arranger, mais pas ça."

Le lendemain, on a répandu les cendres de Trause sur une pelouse de Central Park. Nous devions être trente ou quarante, ce matin-là, un groupe d'amis, de parents et de confrères écrivains, sans représentant de quelque religion que ce fût et sans que le mot *Dieu* fût prononcé par aucun de ceux qui prirent la parole. Grace ne savait rien de la mort de John et nous avions décidé, ses parents et moi, de la lui cacher aussi longtemps que nous le pourrions. Bill assista avec moi à la cérémonie mais Sally resta à l'hôpital auprès de Grace – à qui nous avions dit que j'accompagnais son père à l'aéroport, d'où il devait repartir pour la Virginie. Son état s'améliorait peu à peu, mais elle n'était pas encore assez rétablie pour encaisser un choc de cette importance. Une tragédie à la fois, avais-je dit à ses parents, pas plus. Comme les gouttes de liquide qui tombaient une à une du sac en plastique dans le tube à perfusion fixé au bras de Grace, la potion devrait être administrée à petites doses. La perte de l'enfant était plus que suffisante actuellement. John pouvait attendre qu'elle soit assez forte pour supporter un deuxième assaut de chagrin.

Personne ne parla de Jacob durant le service, mais il était présent dans mes pensées pendant que j'écoutais le frère de John et Bill, ainsi que différents autres amis, prononcer leurs oraisons funèbres dans la lumière éclatante de ce matin d'automne. Quel malheur, me disais-je, un homme qui meurt avant d'avoir eu l'occasion de devenir vieux, quelle tristesse de penser à l'œuvre qu'il avait encore à accomplir. Mais s'il devait mourir maintenant, mieux valait sûrement, me semblait-il, que John soit mort lundi, et non mardi ou mercredi. S'il avait vécu vingt-quatre heures de plus, il aurait su ce que Jacob avait fait à Grace, et j'étais certain que ce savoir l'aurait détruit. Les choses étant ce qu'elles étaient, il n'aurait jamais à faire face à l'idée qu'il avait engendré un monstre, il ne devrait jamais porter le fardeau de l'outrage perpétré par son fils contre l'être qu'il aimait le plus au monde. Jacob était devenu ce dont on ne peut parler mais je brûlais de haine envers lui et j'attendais avec impatience le jour où la police le rattraperait enfin et où je pourrais témoigner contre lui en justice. A mon immense regret, je n'ai jamais eu cette possibilité. En ce moment où nous célébrions dans Central Park le deuil de son père, Jacob était déjà mort. Aucun d'entre nous n'aurait pu le savoir alors, car deux mois passèrent encore avant qu'on retrouve son corps en décomposition – enveloppé de plastique noir et enfoui au fond d'une benne dans un chantier abandonné près de la Harlem River dans le Bronx. Il avait reçu deux balles dans la tête.

Richie et Phil n'étaient pas des créatures de son imagination et quand le rapport du médecin légiste fut cité comme preuve à leur procès, l'année suivante, on put constater que ces deux balles avait été tirées chacune par une arme différente.

Ce même jour (le 1er octobre), la lettre envoyée de Manhattan par Mme Dumas atteignit sa destination à Brooklyn. Je la trouvai dans ma boîte aux lettres quand je rentrai de Central Park (pour changer de vêtements avant de retourner à l'hôpital) et, parce qu'il n'y avait pas d'adresse d'expéditeur sur l'enveloppe, je ne sus pas d'où elle venait avant d'être monté avec et de l'avoir ouverte. Trause avait écrit cette lettre à la main et son écriture était si irrégulière, tracée d'une main si frénétique que j'eus du mal à la déchiffrer. Je dus relire le texte plusieurs fois avant de parvenir à percer les mystères de ses boucles et griffures illisibles mais dès que je commençai à traduire ces signes en mots, je pus entendre la voix de John qui me parlait – une voix vivante qui parlait de l'autre rive de la mort, de l'autre rive de nulle part. Alors je trouvai le chèque dans l'enveloppe et je sentis mes yeux se remplir de larmes. Je voyais les cendres de John en train de s'envoler de l'urne, le matin même. Je voyais Grace dans son lit d'hôpital. Je me voyais, moi, en train de déchirer les pages du carnet bleu et au bout d'un moment – selon les termes de Richard, le beau-frère de John – je me suis pris le visage dans les mains et j'ai sangloté comme un veau. Je ne sais pas combien de temps ça a duré, mais en même temps que je versais ces flots de larmes, j'étais heureux, plus heureux d'être en vie que je ne l'avais jamais été. C'était un bonheur au-delà de toute consolation, au-delà de la douleur, au-delà de toute la laideur et la beauté du monde. Finalement, mes larmes tarirent et j'allai dans notre chambre changer de vêtements. Dix minutes plus tard, revenu dans la rue, je marchais vers l'hôpital pour retrouver Grace.

NOTES DU TRADUCTEUR

Page 15 : Neuf pouces un quart sur sept un quart (dimensions du carnet) = 23,5 x 18,4 centimètres.

Page 41 : *Bryn Mawr girl* : élève d'un collège très élitiste pour jeunes filles près de Philadelphie.

Page 50 : *Old Faithful* ("Le Vieux Fidèle") est un célèbre geyser du parc de Yellowstone, dans les montagnes Rocheuses.

Page 58 : *True blue* (vrai bleu) : expression courante signifiant "loyal".

Page 180 : La citation de Samuel Beckett à propos de Bram Van Velde est extraite de *Trois dialogues*, Minuit, 1998.

OUVRAGE RÉALISÉ
PAR L'ATELIER GRAPHIQUE ACTES SUD
REPRODUIT ET ACHEVÉ D'IMPRIMER
SUR ROTO-PAGE
EN FÉVRIER 2004
PAR L'IMPRIMERIE FLOCH
A MAYENNE
POUR LE COMPTE DES ÉDITIONS
ACTES SUD
LE MÉJAN
PLACE NINA-BERBEROVA
13200 ARLES

DÉPÔT LÉGAL
1re ÉDITION : AVRIL 2004
N° impr. : 59534
(Imprimé en France)